LEES OOK DE *REIZIGER*-SERIE

van

DIANA GABALDON

'Ik genoot van elke pagina. Diana Gabaldon vertelt een machtig, gecentreerd verhaal rond een vurige liefde die de eeuwen trotseert.'

– NORA ROBERTS –

'Briljant, verbazingwekkend… Een zinderende historische roman.'

– RAVE REVIEWS –

'Verslavende vertellerskunst! Gabaldon zet in haar eentje de toon voor de fantastische historische roman van de jaren negentig.'

– PUBLISHERS WEEKLY –

'Onvergetelijke personages en rijk voorzien van historische details. Absoluut onmogelijk weg te leggen.'

– NEW YORK TIMES –

'Een even innemende als moderne heldin, die net als Gabaldon beschikt over de kwaliteiten die haar tot een winnaar maken.'

– KIRKUS REVIEWS –

Diana Gabaldon bij uitgeverij M:

DE *REIZIGER*-SERIE:

De reiziger
Terug naar Inverness
De verre kust
Het vuur van de herfst
Het vlammende kruis

DIANA GABALDON

HET DUBBELLEVEN VAN LORD JOHN

Oorspronkelijke titel *Lord John and the Private Matter*
Vertaling Annemarie Lodewijk
Omslagontwerp Rudy Vrooman

Eerste druk augustus 2004

ISBN 90 225 3934 2 / NUR 302

Uitgeverij M is een imprint van De Boekerij bv, Amsterdam

Voor Margaret Scott Gabaldon en Kay Fears Watkins,
de fantastische grootmoeders van mijn kinderen

1 Waarin de eerste snode plannen worden gesmeed

Londen, juni 1757
De Vereniging ter Waardering van de Engelse Biefstuk, een Herensociëteit

Het was zoiets waarvan je even hoopt dat je het niet echt hebt gezien – omdat het leven zoveel aangenamer zou zijn als je het niet had gezien.

Op zich was het ding in kwestie niet eens zo bijzonder schokkend; Lord John Grey had ze wel erger gezien, hij zou er zelfs nu, op dit moment, eentje kunnen zien die erger was – daar hoefde hij alleen maar even de Beefsteak voor uit te lopen, de straat op. Het bloemenmeisje dat hem bij het binnengaan van de club een bosje viooltjes had verkocht had een half genezen wond op de rug van haar hand gehad, bedekt met korsten en vochtig van de pus. De portier, een veteraan uit Amerika, had een vurig tomahawklitteken dat van zijn haargrens tot aan zijn kaak liep, dwars over de kas van een blind geworden oog. Daarbij vergeleken was de zweer op het lid van de Honorable Joseph Trevelyan vrij klein. Bescheiden bijna.

'Niet zo groot,' mompelde Grey binnensmonds. 'Maar groot genoeg. Verdomme.'

Hij kwam achter het Chinese kamerscherm vandaan en bracht de viooltjes naar zijn neus. Hun zoete geur was niet opgewassen tegen de doordringende stank die hem achtervolgde van de pispotten. Het was begin juni, en net als in alle andere etablissementen in Londen stonk het in de Beefsteak naar bier en aspergepis.

Trevelyan had de privacy van het kamerscherm al vóór Lord John verlaten, zonder zich bewust te zijn van de ontdekking van deze laatste. Nu stond de Honorable Joseph aan de andere kant van de eetzaal, in diep gesprek verwikkeld met Lord Hanley en meneer Pitt – het absolute toonbeeld van goede smaak en sobere elegantie. Smalle borst, dacht Grey onwelwillend – hoewel het paarsbruine kostuum van de allerfijnste kwaliteit schitterend op maat was gemaakt om 's mans slanke postuur te flatteren. En nog spillebenen ook; Trevelyan verplaatste zijn gewicht op zijn andere been en heel even was er een schaduw zichtbaar op zijn linkerbeen, waar de donzige kuitvulling die hij onder zijn zijden kous droeg een beetje was verschoven.

Lord John draaide het kleine boeketje in zijn hand om en om, alsof hij controleerde of er geen verlepte bloemetjes tussen zaten, terwijl hij tussen zijn wimpers door naar de man bleef kijken. Hij wist heel goed hoe hij moest kijken zonder de indruk te wekken dat te doen. Hij wilde dat hij niet de gewoonte had mensen zo heimelijk te observeren – dan zou hij nu ook niet voor dit dilemma staan.

De ontdekking dat een bekende van hem aan een venerische ziekte leed zou normaal gesproken hooguit reden zijn voor een gevoel van afkeer, of onverschillig medeleven – alsmede een diepgevoelde dankbaarheid dat hij het zelf niet had. Helaas was de Honorable Joseph Trevelyan niet zomaar iemand die hij van de club kende: hij was de verloofde van Grey's nichtje.

Ergens bij zijn elleboog mompelde een ober iets tegen hem; in een reflex gaf hij het boeketje aan de man en maakte een afwijzend gebaar met zijn hand.

'Nee, ik ga nog niet aan tafel. Ik wacht op kolonel Quarry.'

'Heel goed, mylord.'

Trevelyan, zijn smalle gezicht nog rood van een grapje dat Pitt had gemaakt, had zich inmiddels weer bij zijn gezelschap gevoegd, aan een tafel aan de andere kant van de eetzaal.

Grey kon hier moeilijk boze blikken naar de man blijven werpen; hij twijfelde even of hij naar de rookruimte zou gaan om op Quarry te wachten, of misschien naar de bibliotheek. Hij werd echter tegengehouden door de plotselinge entree van Malcolm Stubbs, luitenant van zijn eigen regiment, die hem aangenaam verrast begroette.

'Majoor Grey! Wat brengt jou hier? Ik dacht dat jij zo'n beetje tot het meubilair van White's behoorde. Heb je soms genoeg van al dat gepraat over politiek?'

Stubbs was ongeveer even lang als Grey zelf, maar ruwweg twee keer zo breed, met een groot, engelachtig gezicht, grote blauwe ogen, en een joviale manier van doen die hem geliefd maakte bij zijn manschappen, maar niet altijd bij zijn superieuren.

'Hallo, Stubbs.' Grey glimlachte, ondanks zijn innerlijke onrust. Stubbs was een oppervlakkige vriend, hoewel hun wegen elkaar buiten de regimentele aangelegenheden maar zelden kruisten. 'Nee, je verwart me met mijn broer Hal. Al dat Whiggerige gezwam laat ik graag aan hem over.'

Stubbs liep rood aan en maakte zacht snuivende geluidjes. 'Whiggerig gezwam! O, dat is een goeie, Grey, een hele goeie. Die moet ik aan de Ouweheer vertellen.' De Ouweheer was Stubbs' vader, een baronet met uitgesproken sympathieën voor de Whigs, en hoogstwaarschijnlijk een goede bekende van zowel White's Club als Lord Johns broer.

'En ben jij hier lid, Grey? Of gast, net als ik?' Stubbs, inmiddels bijgekomen van zijn lachstuip, maakte een wuivend handgebaar naar de ruime eetzaal en wierp een bewonderende blik op de indrukwekkende verzameling karaffen die door de ober op een buffet werd uitgestald.

'Lid.'

Trevelyan knikte hartelijk naar de hertog van Gloucester, die de begroeting retourneerde. Christus, die Trevelyan kende werkelijk iedereen. Met enige moeite richtte Grey zijn aandacht weer op Stubbs.

'Mijn peetvader heeft me bij mijn geboorte al ingeschreven bij de Beefsteak. Vanaf mijn zevende, een leeftijd waarvan hij aannam dat ik een beetje volwassen begon te worden, kwam hij me elke woensdagmiddag ophalen om hier te gaan lunchen. Aan die gewoonte kwam natuurlijk een eind toen ik naar het buitenland ging, maar wanneer ik in Londen ben kom ik hier toch altijd weer terug.'

De wijnkelner bukte zich om Trevelyan een karaf port te tonen; Grey herkende het rijk versierde gouden label om de flessenhals – San Isidro, honderd gienjes per vat. Rijk, uitstekende connecties... en een geslachtsziekte. Verdorie, wat moest hij hier nu toch aan doen?

'Is je gastheer nog niet gearriveerd?' Hij legde zijn hand even op Stubbs' elleboog en leidde hem in de richting van de deur. 'Kom – laten we nog even een glaasje drinken in de bibliotheek.'

Al babbelend liepen ze over het aangenaam sleetse tapijt dat in de hal lag.

'Vanwaar deze sjieke uitmonstering?' vroeg Grey terloops terwijl hij tegen de tressen op Stubbs' schouder tikte. Er kwamen niet vaak soldaten in de Beefsteak; hoewel enkele officieren van het regiment wel lid waren, droegen zij slechts zelden een gala-uniform, tenzij ze op weg waren naar een officiële gelegenheid. Grey zelf droeg alleen een uniform omdat hij had afgesproken met Quarry, die zich nooit in iets anders in het openbaar vertoonde.

'Ik moet straks op condoléancebezoek,' antwoordde Stubbs gelaten. 'Geen tijd om nog terug te gaan en me om te kleden.'

'O? Wie is er dood?' Het was de gewoonte dat er na het overlijden van een lid van het regiment een officier een bezoek aflegde bij de familie, om zijn condoléances aan te bieden en te informeren hoe het met de weduwe ging. Was de overledene een gewoon soldaat, dan werd bij zo'n bezoekje vaak een klein geldbedrag overhandigd dat bij elkaar was gebracht door de vrienden en directe superieuren van de dode – met een beetje geluk net genoeg om hem netjes te begraven.

'Timothy O'Connell.'

'Echt waar? Wat is er gebeurd?' O'Connell was een Ier van middelbare leeftijd, nors maar competent; een beroepssoldaat die het tot sergeant had gebracht dank zij zijn talent om ondergeschikten de stuipen op het lijf te jagen – een talent waarop Grey als zeventienjarig onderofficier al jaloers was geweest, en waarvoor hij tien jaar later nog steeds ontzag had.

'Om het leven gekomen bij een straatgevecht, eergisteravond.'

Grey trok zijn wenkbrauwen op. 'Dan moet er zich wel een hele menigte op hem hebben gestort,' zei hij, 'en anders moet hij zijn verrast; in een ook maar enigszins eerlijk gevecht zou ik mijn geld toch altijd op O'Connell hebben gezet.'

'Ik heb nog geen details gehoord; ik ga aan de weduwe vragen wat er is gebeurd.'

Nadat hij had plaatsgenomen in een van de oude, maar comfortabele leunstoelen van de bibliotheek, wenkte Grey een van de bedienden.

'Cognac – jij ook, Stubbs? Ja, twee cognac, alsjeblieft. En vraag of iemand me wil komen halen wanneer kolonel Quarry arriveert, wil je?'

Stubbs gespte zijn galadegen af en overhandigde hem aan de klaarstaande bediende, alvorens op zijn beurt ook te gaan zitten. 'Bedankt, ouwe reus, je komt er maar eens eentje terughalen bij mijn club.' Terwijl hij zijn omvangrijke achterwerk in de stoel wrong merkte hij op: 'Ik heb laatst trouwens je nichtje ontmoet. Ze was aan het rijden op de Row – knap meisje. Goede zit,' voegde hij er oordeelkundig aan toe.

'Is het werkelijk? En over welk nichtje hebben we het dan?' vroeg Grey, met een akelig gevoel in zijn maag. Hij had verschillende nichten, maar slechts twee die Stubbs eventueel zou kunnen bewonderen, en zo te horen...

'Dat meisje Pearsall,' zei Stubbs opgewekt, Grey's voorgevoel bevestigend. 'Olivia? Heet ze zo niet? Zeg, is zij niet verloofd met die Trevelyan? Volgens mij zag ik die net nog in de eetzaal.'

'Inderdaad,' zei Grey kortaf. Hij had op dit moment weinig zin om het over de Honorable Joseph te hebben. Wanneer Stubbs echter een gespreksonderwerp had aangesneden, was hij net zo moeilijk van zijn koers te krijgen als een twintigponder op een steile helling, zodat

Grey het een en ander moest aanhoren over Trevelyans activiteiten en zijn vooraanstaande positie in de sociale kringen waarin hij zich bewoog – zaken waarvan hij maar al te goed op de hoogte was.

'Nog nieuws uit India?' vroeg hij tenslotte in wanhoop.

Deze tactiek had succes; bijna heel Londen was ervan op de hoogte dat Robert Clive de Nawab van Bengalen het vuur na aan de schenen legde, maar Stubbs had een broer in het 46ste Regiment Infanterie, dat op dit moment onder Clive deelnam aan de belegering van Calcutta, en beschikte derhalve over de meest gruwelijke details die nog niet eens in de krant waren verschenen.

'... en daar zaten zoveel Britse soldaten dicht op elkaar, zei mijn broer, dat er, wanneer ze door de hitte werden bevangen, geen plek was om de lichamen neer te leggen; de overlevenden waren genoodzaakt om boven op de doden te gaan staan. Hij zei' – Stubbs keek om zich heen en ging wat zachter praten – 'dat er een paar mannen helemaal gek waren geworden van de dorst. En dat ze toen bloed dronken. Wanneer een van hen dood ging, bedoel ik. Dan sneden ze de keel en de polsen door, zogen het bloed uit het lichaam en lieten het vervolgens vallen. Bryce zei dat de helft van de doden nauwelijks meer herkenbaar was toen ze ze eruit haalden, en –'

'Denk je dat wij daar ook naar toe gaan?' viel Grey hem in de rede terwijl hij zijn glas leegdronk en om twee volle glazen wenkte, in de flauwe hoop nog een beetje trek over te houden voor de lunch.

'Geen idee. Misschien – hoewel ik vorige week iets heb opgevangen waaruit bleek dat het wel eens Amerika zou kunnen worden.' Stubbs schudde fronsend zijn hoofd. 'Tussen een Hindoe en een Mohawk lijkt me niet veel te kiezen – één pot nat, allemaal schreeuwende wilden – maar in India krijg je natuurlijk wel veel meer kansen om je te onderscheiden, als je het mij vraagt.'

'Als je de hitte, de insecten, de gifslangen en de dysenterie overleeft, ja,' zei Grey. Toen hij de zwoele Engelse juni-avond voelde die door het open raam naar binnen dreef, sloot hij in een moment van gelukzaligheid heel even zijn ogen.

Er werd druk gespeculeerd over de eerstvolgende standplaats van het regiment. Frankrijk, India, de Amerikaanse Koloniën... misschien een van de Duitse staten, Praag aan het Russische front, of zelfs West-Indië. Groot-Brittannië streed op drie continenten tegen Frankrijk om de suprematie, en het leven was goed voor een soldaat.

Ze brachten een aangenaam kwartiertje door met dit soort loze speculaties, en intussen had Grey de tijd om over de problemen na te denken waarvoor hij zich door zijn ongelukkige ontdekking gesteld zag. Normaal gesproken zou Trevelyan Hals probleem zijn. Maar zijn oudere broer bevond zich op dit moment in het buitenland, in Frankrijk, waar hij niet te bereiken was, zodat Grey nu degene was die het moest oplossen. Het huwelijk tussen Trevelyan en Olivia Pearsall zou al over zes weken plaatsvinden; hij moest dus iets doen, en snel ook.

Misschien kon hij het er beter eerst eens met Paul of Edgar over hebben – maar geen van zijn beide halfbroers bewoog zich in deze kringen; Paul leefde teruggetrokken op zijn landgoed in Sussex en zette geen voet verder dan het dichtstbijzijnde marktplaatsje. En Edgar... nee, aan Edgar zou hij ook niet veel hebben. Zijn idee om de kwestie discreet op te lossen zou zijn om Trevelyan op de trappen van Westminster een afranseling te geven met zijn rijzweep.

De verschijning in de deuropening van een bediende die de komst van kolonel Quarry aankondigde, maakte voorlopig een eind aan zijn overpeinzingen.

Terwijl hij opstond raakte hij even Stubbs' schouder aan. 'Kom me na het eten maar halen,' zei hij. 'Als je wilt, ga ik wel met je mee op condoléancebezoek. O'Connell was een prima soldaat.'

'O, zou je dat willen doen? Dat stel ik erg op prijs, Grey; bedankt.' Stubbs keek hem dankbaar aan; het condoleren van treurende nabestaanden was niet zijn sterkste punt.

Gelukkig was Trevelyan al klaar met eten en vertrokken; toen Grey de eetzaal binnenkwam waren de obers bezig om kruimels van de lege tafel te vegen. Hij was blij toe; zijn maag was vast van streek geraakt als hij tijdens het eten naar die man had moeten zitten kijken.

Hij begroette Harry Quarry hartelijk, en dwong zichzelf om tijdens de soep een gesprek op gang te houden, hoewel hij er met zijn gedachten nog steeds niet helemaal bij was. Kon hij Harry om raad vragen in deze kwestie? Hij aarzelde en dompelde zijn lepel in de soep. Quarry was bot en kon vaak nogal grof zijn in zijn manier van doen, maar hij beschikte over een grote mensenkennis en was goed op de hoogte van de minder aangename aspecten van het menselijk leven. Hij was van goede huize en wist hoe het er in de betere kringen aan toe ging. Maar het belangrijkste was dat hij een geheim kon bewaren.

Goed dan. Door de kwestie te bespreken werd de situatie voor hemzelf misschien ook wat duidelijker. Hij slikte zijn laatste hap soep door en legde zijn lepel neer.

'Ken jij Joseph Trevelyan?'

'De Honorable meneer Trevelyan? Vader baronet, broer in het parlement, een fortuin aan tin uit Cornwall, tot aan zijn nek in de Oost-Indische Compagnie?' Harry fronste met een ironische blik zijn wenkbrauwen. 'Alleen van gezicht. Hoezo?'

'Hij gaat trouwen met mijn nichtje, Olivia Pearsall. Ik... vroeg me alleen af of jij misschien wel eens iets hebt gehoord over wat voor man hij is.'

'Beetje laat om daar nu nog naar te gaan informeren, nietwaar, als ze al verloofd zijn?' Quarry lepelde iets ondefinieerbaar groente-achtigs uit zijn soep, bekeek het kritisch, haalde toen zijn schouders op en slikte het door. 'Bovendien zijn dat toch jouw zaken niet? Ik neem aan dat haar vader tevreden met hem is.'

'Ze heeft geen vader. En ook geen moeder. Ze is wees en mijn broer Hal heeft haar al tien jaar onder zijn hoede. Ze woont bij mijn moeder.'

'Mm? O. Dat wist ik niet.' Quarry kauwde langzaam op een stukje brood en keek zijn vriend vanonder zijn zware wenkbrauwen peinzend aan. 'Wat heeft hij op zijn geweten? Trevelyan, bedoel ik, niet je broer.'

Lord John fronste zijn voorhoofd en speelde wat met zijn soeplepel. 'Niets, voor zover ik weet. Waarom zou hij iets op zijn geweten moeten hebben?'

'Als dat niet zo was, zou jij nu niet naar hem informeren,' antwoordde Quarry met gevoel voor logica. 'Voor de dag ermee, Johnny. Wat heeft hij gedaan?'

'Het gaat er niet zozeer om wat hij heeft gedaan, maar eerder om het resultaat daarvan.' Lord John leunde naar achteren en wachtte tot de ober de soepkommen had weggehaald en zich weer buiten gehoorsafstand bevond. Hij boog zich een stukje naar voren, liet zijn stem dalen tot een discrete fluistering, maar voelde niettemin het bloed naar zijn wangen stijgen.

Het was absurd, hield hij zichzelf voor. Elke man kon wel eens een toevallige blik werpen – maar zijn eigen voorkeuren maakten hem nogal kwetsbaar in zo'n situatie; hij zou de gedachte niet kunnen verdragen dat iemand hem ervan zou verdenken dat hij met opzet had gekeken. Zelfs Quarry niet – die, wanneer hij in Grey's schoenen had gestaan, Trevelyan waarschijnlijk bij het betreffende lid zou hebben gegrepen en hem luidkeels zou hebben gevraagd wat dit te betekenen had.

'Toen ik... eerder vanavond even naar achteren ging' – hij knikte naar het Chinese kamerscherm – 'kwam ik daar onverwacht Trevelyan tegen. Mijn blik viel... eh... op...' Jezus, hij bloosde als een meisje.

Quarry keek hem grijnzend aan.

'... denk dat het de sief is,' besloot hij, met een stem die nog maar nauwelijks een fluistering was.

De grijns verdween abrupt van Quarry's gezicht, en hij keek naar het kamerscherm, van waarachter juist op dat moment Lord Dewhurst en een vriend te voorschijn kwamen, diep in gesprek. Bij het zien van Quarry's blik, keek Dewhurst automatisch omlaag, om te controleren dat zijn gulp niet openstond. Toen hij zag dat alle knopen dicht waren, wierp hij Qaurry een boze blik toe en draaide zich om naar zijn tafel.

'De sief.' Quarry hield zijn eigen stem ook gedempt, maar klonk nog steeds veel luider dan Grey wel zou hebben gewild. 'Je bedoelt syfilis?'

'Dat bedoel ik.'

'Weet je zeker dat je je niks in je hoofd haalt? Ik bedoel, het was tenslotte maar een glimp en vanuit een ooghoek gezien zou een kleine schaduw... je zou je gemakkelijk kunnen vergissen. Snap je wat ik bedoel?'

'Dat lijkt me niet,' zei Grey kortaf. Tegelijkertijd klemde hij zich in gedachten hoopvol vast aan die mogelijkheid. Het was tenslotte maar een glimp geweest. Misschien had hij zich vergist... Het was een bijzonder verleidelijke gedachte.

Quarry keek opnieuw naar het kamerscherm; de ramen stonden allemaal open, en de wonderschone junizon stroomde naar binnen. De lucht was kristalhelder; Grey kon de afzonderlijke zoutkorreltjes op het witte tafellaken zien, waar hij in zijn opwinding tegen het zoutvaatje had gestoten.

'Ah,' zei Quarry. Hij zweeg een ogenblik en trok met een wijsvinger een patroontje in het gemorste zout.

Hij vroeg niet of Grey een venerische zweer zou herkennen. Elke jonge officier moest wel eens met de legerarts op stap om de troepen te inspecteren en stond erbij wanneer een man zodanig door de ziekte bleek te zijn aangetast dat hij uit het leger werd ontslagen. De verscheidenheid aan vormen en afmetingen die bij dergelijke gelegenheden werd aangetroffen gaf op de avond die op zo'n inspectie volgde altijd aanleiding tot grote hilariteit in de officiersmess.

'Nou, waar gaat hij naar de hoeren?' vroeg Quarry terwijl hij opkeek en het zout van zijn vinger wreef.

'Wat?' Grey keek hem niet-begrijpend aan.

Quarry trok een borstelige wenkbrauw op. 'Trevelyan. Als hij syfilis heeft, dan moet hij het immers ergens hebben opgelopen?'

'Dat zou je wel zeggen, ja.'

'Nou dan.' Quarry leunde tevreden naar achteren.

'Hij hoeft het niet in een bordeel te hebben opgedaan,' merkte Grey op. 'Hoewel ik moet toegeven dat dat wel de meest voor de hand liggende plek is. Maar wat maakt het uit?'

Nu trok Quarry beide wenkbrauwen op. 'Voordat je heel Londen op z'n kop zet met een publieke beschuldiging, moet je toch eerst zekerheid zien te krijgen? Ik neem aan dat je niet van plan bent avances in zijn richting te gaan maken, teneinde het zaakje beter te kunnen bekijken.'

Quarry grijnsde breed, en Grey voelde het bloed naar zijn gezicht stijgen. 'Nee,' zei hij kortaf. Toen hervond hij zijn zelfbeheersing en ging er wat gemakkelijker bij zitten. 'Hij is mijn type niet,' zei hij lijzig terwijl hij een denkbeeldig stofje van zijn manchet piekte.

Quarry schoot bulderend in de lach, zijn gezicht rood aanlopend van een combinatie van rode wijn en pret. Hij hikte, grinnikte nog wat na en sloeg toen met beide handen op tafel.

'Nou, hoeren zijn niet zo kieskeurig. En als zo'n sletje haar lichaam verkoopt, dan is ze bereid om alles te verkopen wat ze bezit – inclusief informatie over haar klanten.'

Grey staarde de kolonel uitdrukkingsloos aan. Opeens leek het kwartje te vallen.

'Dus jij stelt voor dat ik de diensten van een prostituée inroep om mijn indrukken te bevestigen?'

'Wat ben je toch verdomd snel van begrip, Grey.' Quarry knikte en knipte met zijn vingers om meer wijn. 'Ik had me eerder voorgesteld dat je een meisje zou zoeken dat zijn pik al eens heeft gezien, maar jouw manier is veel gemakkelijker. Het enige wat je hoeft te doen is Trevelyan mee te vragen naar je favoriete bordeel, even een babbeltje te maken met de madam, haar een paar pond toe te schuiven – en klaar ben je!'

'Maar ik –' Grey had niet alleen geen favoriete hoerenkast, maar had een dergelijke gelegenheid zelfs al in geen jaren meer bezocht. Hij was erin geslaagd de herinnering aan zijn laatste ervaring op dat gebied te verdringen; hij wist niet eens meer in welke straat het gebouw had gestaan.

'Het kan niet misgaan,' verzekerde Quarry hem, zonder acht te slaan op zijn verwarring. 'En het zal je niet veel kosten ook; waarschijnlijk red je het wel met twee pond, hooguit drie.'

'Maar wanneer mijn vermoeden wordt bevestigd –'

'Als hij het niet heeft, is er niks aan de hand, en heeft hij het wel...' Quarry keek peinzend voor zich uit. 'Hmm. Wat denk je hiervan? Als je nu eens met dat hoertje regelt dat ze een beetje stennis begint te maken zodra ze hem goed heeft gezien, dan kom jij vanuit de kamer van je eigen meisje aanrennen om te zien wat er aan de hand is. Het hele huis kan per slot van rekening wel in brand staan.' Hij grinnikte bij de gedachte aan het tafereel. 'Vervolgens betrap je hem dus zogezegd met zijn broek op z'n enkels en is er geen twijfel meer mogelijk. Ik denk dat hij dan niet veel anders meer kan doen dan zelf een reden verzinnen om de verloving te verbreken. Wat vind je ervan?'

'Ja, zo zou het wel moeten lukken,' zei Grey langzaam terwijl hij zich het tafereel probeerde voor te stellen dat Quarry hem schetste. Vooropgesteld dat hij een hoer kon vinden die een beetje kon toneelspelen... en Grey hoefde zelf immers geen gebruik te maken van de diensten van het bordeel.

De wijn werd gebracht en beide mannen deden er het zwijgen toe terwijl er werd ingeschonken. Zodra de wijnkelner echter weg was, boog Quarry zich met glinsterende ogen over de tafel.

'Laat me even weten wanneer het zover is; dan ga ik voor de gein met je mee!'

2 Een bezoek aan de weduwe

'Frankrijk,' zei Stubbs vol afkeer terwijl hij zich een weg baande door de mensenmassa op Clare Market. 'Alweer naar dat verdomde Frankrijk, dat geloof je toch niet? Ik zat aan tafel met DeVries, en hij zei dat hij het rechtstreeks van die ouwe Willie Howard had gehoord. Dan zullen we de scheepswerven in dat ellendige Calais wel moeten gaan bewaken!'

'Waarschijnlijk wel,' zei Grey, zijdelings langs een viskar schuifelend. 'Weet je ook wanneer?'

Hij deed net alsof hij de gedachte aan een saaie Franse standplaats net zo vervelend vond als Stubbs, maar in werkelijkheid was het goed nieuws.

Hij was net zo dol op het vooruitzicht van avontuur als elke andere soldaat, en zou maar al te graag naar India gaan. Hij was zich er echter ook van bewust dat hij voor zo'n verre standplaats zeker twee jaar uit Engeland – en Helwater – weg zou zijn.

Een standplaats in Calais of Rouaan daarentegen... dan zou hij zonder problemen om de paar maanden terug kunnen komen, om de belofte na te komen die hij had gedaan aan zijn Jacobitische gevangene – een man die ongetwijfeld blij zou zijn hem nooit meer te hoeven zien.

Hij zette de gedachte resoluut van zich af. Ze waren niet bepaald als vrienden uit elkaar gegaan. Maar hij hoopte dat de tijd de breuk zou helen. Jamie Fraser was in elk geval veilig; hij kreeg fatsoenlijk te eten, had een dak boven zijn hoofd en kon alle vrijheid genieten die zijn voorwaardelijke vrijlating hem toestond. Grey putte troost uit een gefantaseerd beeld – een langbenige man die door de hoge heuvels van het Lake District liep, zijn gezicht omhoog gericht naar de zon en de voortsnellende wolken, terwijl de wind door zijn dikke, kastanjebruine haar waaide en zijn hemd en broek strak tegen zijn slanke, harde lichaam drukte.

'Hé! Deze kant op!' Een kreet van Stubbs haalde hem wreed uit zijn overpeinzingen. De luitenant stond achter hem en gebaarde ongeduldig naar een zijstraat. 'Waar zit je vandaag met je gedachten, majoor?'

'Ik liep aan die nieuwe standplaats te denken.' Grey stapte over een slaperige, mottige teef, die languit voor hem lag en even weinig aandacht voor hem had als voor het gescharrel van een stel puppy's die bij haar probeerden te drinken. 'Als het dan echt Frankrijk gaat worden, dan hebben we in elk geval fatsoenlijke wijn.'

O'Connels weduwe bewoonde een paar kamers boven een apotheek in Brewster's Alley, waar de gebouwen aan beide kanten van de straat zo dicht op elkaar stonden dat de zomerzon niet doordrong tot straatniveau. Stubbs en Grey liepen door de vochtige schaduw, en schopten allerlei rommel weg die de bewoners niet langer bruikbaar achtten.

Grey volgde Stubbs door de smalle winkeldeur, onder een bord met daarop in verbleekte letters, F. SCANLON, APOTHEKER. Hij bleef even staan om een sliert rotte planten los te stampen die slijmerig zat vastgeplakt aan zijn laars, maar keek op bij het horen van een stem uit de schaduwen achter in de winkel.

'Goedendag, heren.' Het was een zachte stem, met een zwaar Iers accent.

'Meneer Scanlon?'

Grey knipperde met zijn ogen in het schemerlicht en zag de eigenaar staan, een donkere, zwaar gebouwde man die als een spin over zijn toonbank leunde, de armen gespreid alsof hij klaar stond om elk gevraagd artikel meteen van een plank te grissen.

'Finbar Scanlon, de enige echte.' De man boog hoffelijk. 'Wat kan ik voor de heren doen, als ik vragen mag?'

'Mevrouw O'Connell,' zei Stubbs kortaf terwijl hij met zijn duim naar boven wees en intussen, zonder op een uitnodiging te wachten, doorliep naar de achterkant van de zaak.

'Ah, de dame is net even weg,' zei de apotheker, snel achter zijn toonbank vandaan glijdend om hun de weg te versperren. Achter hem bewoog een verschoten gordijn van gestreept linnen in de tocht vanuit de deuropening, kennelijk een trap naar de bovenetage verbergend.

'Waar is ze naar toe?' vroeg Grey op scherpe toon. 'Komt ze nog terug?'

'O, jazeker. Ze is naar de priester om het over de begrafenis te hebben. Ik neem aan dat u op de hoogte bent van haar verlies?' Scanlon keek van de ene officier naar de andere en vroeg zich kennelijk af wat zij hier kwamen doen.

'Natuurlijk,' zei Stubbs kortaf, geïrriteerd door mevrouw O'Connells afwezigheid. Hij had geen zin hier meer tijd aan te besteden dan nodig was. 'Daarom zijn we hier. Blijft ze lang weg?'

'O, dat zou ik u zo niet kunnen zeggen, sir. Het zou best even kunnen duren.' De man stapte in het licht van de deur. Hij was van middelbare leeftijd, zag Grey, met hier en daar wat grijs in zijn keurig bijeengebonden haar, maar goed gebouwd en met een knap, gladgeschoren gezicht en donkere ogen.

'Kan ik u misschien helpen, sir? Als u de weduwe uw condoléances wilt overbrengen, wil ik dat graag voor u doen.' De man keek Stubbs recht in de ogen, maar Grey zag iets speculerends in zijn blik.

'Nee,' zei hij, voordat Stubbs kon antwoorden. 'Wij zullen in haar kamer op haar wachten.' Hij draaide zich om naar het gestreepte gordijn, maar de apotheker greep hem bij zijn arm en hield hem tegen.

'Willen de heren misschien iets drinken, om het wachten te veraangenamen? Dat is wel het minste wat ik voor u kan doen, uit respect voor de overledene.' De Ier gebaarde uitnodigend naar de volle planken achter zijn toonbank, waar verschillende flessen sterke drank tussen de potten en flessen van zijn apothekersvoorraad stonden uitgestald.

'Hmm.' Stubbs wreef met de rug van zijn hand over zijn mond en keek naar de fles. 'Het was eerlijk gezegd wel een flinke wandeling.'

Dat was het inderdaad, en ook Grey accepteerde het aangeboden drankje, hoewel met enige aarzeling, toen hij zag hoe Scanlons lange vingers behendig een paar lege potjes en blikjes uitkoos om als bekers te dienen.

'Tim O'Connell,' zei Scanlon, zijn eigen blikje opheffend, zodat een etiket zichtbaar werd met een afbeelding van een vrouw die languit op een chaise longue lag. 'De beste soldaat die ooit een musket heeft geheven en een Fransman heeft doodgeschoten. Moge hij rusten in vrede!'

'Tim O'Connell,' mompelden Grey en Stubbs eenstemmig, en hieven daarbij hun glazen potjes.

Grey draaide een heel klein beetje opzij toen hij het glas naar zijn lippen bracht, zodat het licht vanuit de deur de vloeistof verlichtte. De geur van de alcohol werd overheerst door de sterke geur van wat er oorspronkelijk in het potje had gezeten – anijs? kamfer? – maar er dreven in elk geval geen verdachte kruimeltjes in.

'Waar is sergeant O'Connell om het leven gekomen, weet u dat misschien?' vroeg Grey, nadat hij zijn geïmproviseerde beker na een klein slokje had laten zakken en zijn keel had geschraapt. De vloeistof leek pure ethylalcohol te zijn, helder en zonder enige smaak, maar wel sterk. Zijn gehemelte en neus-keelholte voelden aan alsof ze in brand stonden.

Scanlon slikte, hoestte en knipperde de tranen uit zijn ogen – waarschijnlijk van de drank en niet van de emotie – en schudde toen zijn hoofd.

'Ergens bij de rivier, heb ik gehoord. Maar de agent die het nieuws kwam vertellen zei dat hij verschrikkelijk was toegetakeld. Misschien is hij bij een vechtpartij in de een of andere kroeg op zijn hoofd geslagen en vervolgens vertrapt in de drukte. De agent had het over de afdruk van een hak op zijn voorhoofd, arme donder.'

'Geen arrestaties?' hijgde Stubbs, die rood aanliep van de inspanning om niet te hoesten.

'Nee, sir. Voor zover ik heb begrepen, lag het lichaam half in het water, op het trapje bij Puddle Dock. Waarschijnlijk heeft de kroegbaas hem daar naar toe gesleept en achtergelaten, omdat hij geen zin had in alle rompslomp van een lijk in zijn zaak.'

'Dat is goed mogelijk,' zei Grey. 'Dus niemand weet precies waar of hoe hij is gestorven?'

De apotheker schudde ernstig zijn hoofd en pakte de fles. 'Nee, sir. Maar ja, niemand van ons weet immers waar of wanneer hij zal sterven? De enige zekerheid die we hebben is dat we op een dag deze wereld zullen verlaten en we moeten maar hopen dat we welkom zullen zijn in de volgende. Nog een slokje, heren?'

Stubbs accepteerde het drankje en zette zich op zijn gemak, met één voet tegen de toonbank, op de hem aangeboden kruk. Grey sloeg het aanbod af en begon, met zijn beker in zijn hand, wat door de winkel te slenteren en te kijken wat er allemaal stond uitgestald terwijl de twee anderen een beleefd gesprekje op gang hielden.

De winkel leek uitstekende zaken te doen in potentieverhogende middeltjes, middelen om zwangerschap te voorkomen en geneesmiddelen tegen druipers, syfilis en andere minder aangename gevolgen van seksuele omgang. Grey leidde eruit af dat er een bordeel in de naaste omgeving moest zijn, en raakte meteen weer terneergeslagen bij de gedachte aan de Honorable Joseph Trevelyan, wiens bestaan hij een ogenblik was vergeten.

'Die zijn leverbaar met linten in alle regimentskleuren, sir,' riep Scanlon, toen hij Grey stil zag staan voor een uitgebreid assortiment *Condooms voor Heren*, waarvan enkele voorbeeldexemplaren stonden uitgestald op glazen modellen. De lintjes waarmee ze dichtgebonden dienden te worden lagen decoratief rond de voet van de glazen modellen gerold. 'Schapendarm of geit, net waar uw voorkeur naar uitgaat, sir – geparfumeerd zijn ze drie farthings duurder. Maar voor u heren zou dat natuurlijk gratis zijn,' voegde hij er grootmoedig aan toe terwijl hij met een buiging Stubbs' beker nog eens bijvulde.

'Dank u,' zei Grey beleefd. 'Later misschien.' Hij merkte amper wat hij zei, want zijn aandacht was getrokken door een rij stopflessen. *Kwiksulfide*, stond er op enkele etiketten, en op andere *Guiacum*. De inhoud zag er anders uit, maar de beschrijvende tekst was voor allebei dezelfde: *Voor een snelle en doeltreffende behandeling van gonorroe, weke sjanker, syfilis, en alle andere vormen van venerische aandoeningen.*

Even overviel hem het wilde plan om Trevelyan uit te nodigen voor het diner en stiekem een van deze veelbelovende substanties door zijn eten te mengen. Helaas had hij te veel ervaring om enig vertrouwen te hebben in zulke middeltjes; een goede vriend, Peter Tewkes, was een jaar eerder gestorven na in het St. Bartholomew ziekenhuis een 'mercuriumsalivatie' te hebben ondergaan voor de behandeling van syfilis, nadat verschillende pogingen hem met patentgeneesmiddelen te behandelen waren mislukt. Grey had het niet zelf gezien, omdat hij destijds verbannen was naar Schotland, maar had erover gehoord van gemeenschappelijke vrienden die Tewkes wel hadden bezocht en emotioneel verslag hadden gedaan van de afschuwelijke bijwerkingen van mercurialiën, of die nu in- of uitwendig werden toegepast.

Hij kon Olivia niet met Trevelyan laten trouwen indien de man werkelijk besmet was; aan de andere kant voelde hij er ook weinig voor zelf gearresteerd te worden voor een poging de man te vergiftigen.

De immer spraakzame Stubbs liet zich verlokken tot een discussie over de Indiase campagne; de kranten hadden vol gestaan met het nieuws van Clives opmars naar Calcutta en heel Londen gonsde van opwinding.

'Ja, en zal ik u dan eens vertellen dat een van mijn neven onder Clive zelf dient?' zei de apotheker terwijl hij trots zijn rug rechtte. 'Het Eenentachtigste regiment, betere soldaten zijn er niet te vinden op Gods groene aarde –' hij grijnsde een goed gebit bloot – 'met uitzondering natuurlijk van uzelf, heren.'

'Het Eenentachtigste?' zei Stubbs, enigszins verbaasd. 'Ik dacht dat je zei dat je neef in het Drieënzestigste diende.'

'Allebei, sir. Ik heb meerdere neven, en wij hebben heel veel soldaten in de familie.'

Nu zijn aandacht weer op de apotheker was gevestigd, werd Grey zich er langzaam maar zeker van bewust dat er iets niet helemaal klopte aan de man. Hij ging wat dichter bij hem staan en bekeek Scanlon heimelijk over de rand van zijn beker. De man was zenuwachtig – waarom? Hij schonk de drank met vaste hand in, maar hij had een nerveuze blik in zijn ogen en zijn kaaklijn vertoonde een gespannen trekje dat in strijd was met zijn voortdurende oppervlakkige gebabbel. Het was een warme dag, maar in de winkel was het niet warm genoeg om de glinsterende zweetdruppels op het voorhoofd van de apotheker te kunnen verklaren.

Grey keek om zich heen, maar zag niets wat niet klopte. Probeerde Scanlon illegale activiteiten te verbergen? Ze bevonden zich hier niet ver van de Theems; Puddle Dock, waar O'Connells lichaam was gevonden, lag op het punt waar de Theems en de Fleet samenvloeiden, en voor iedereen in deze buurt die in het bezit was van een boot, hoorde een beetje smokkelen waarschijnlijk bij het leven van alledag. Een apotheker bevond zich natuurlijk in een uitstekende positie om smokkelwaar van de hand te doen.

Als dat echter het geval was, waarom raakte hij dan zo van slag door de aanwezigheid van twee legerofficieren? Smokkelen was een zaak voor de Londense magistraten, of de accijnsbeambten, misschien de marine-autoriteiten, maar –

Opeens hoorde hij boven zich een zacht, maar duidelijk hoorbaar plofje.

'Wat was dat?' vroeg hij op scherpe toon terwijl hij omhoog keek.

'O – dat zal de kat zijn,' antwoordde de apotheker meteen, met een nonchalant handgebaar. 'Ellendige beesten, katten, maar aangezien muizen zo mogelijk nog ellendiger beesten zijn...'

'Dat is geen kat.' Grey keek strak naar het plafond, waar bosjes gedroogde kruiden aan de balken hingen. Terwijl hij keek, trilde een van de bosjes heel eventjes, gevolgd door het bosje er vlak naast; fijn, goudkleurig stof dwarrelde naar beneden, de afzonderlijke deeltjes zichtbaar in het licht vanuit de deur.

'Er loopt daarboven iemand rond.' Zonder acht te slaan op de protesten van de apotheker beende hij naar het linnen gordijn, trok het opzij en was, met zijn hand op het gevest van zijn zwaard, al halverwege de smalle trap voordat Stubbs voldoende van de schrik was bekomen om hem te volgen.

De kamer boven was klein en armoedig, maar de zon scheen door de ramen op een gehavende tafel en een stoel – en een zo mogelijk nog gehavender vrouw, die, met haar mond half open van verbazing, op het punt stond een bord met brood en kaas op tafel te zetten.

'Mevrouw O'Connell?'

Ze wendde haar gezicht naar hem toe en Grey verstijfde. Haar open mond was gezwollen, de lippen gespleten en in haar tandvlees was een donkerrood gat zichtbaar waar een van haar ondertanden eruit was geslagen. Haar beide ogen waren zo opgezet dat het nog slechts spleetjes waren en zij keek hem aan vanuit een masker van geel verkleurende blauwe plekken. Als door een wonder was haar neus niet gebroken; de smalle neusbrug en de kleine neusgaten staken bleek en vreemd af bij de rest van haar verwoeste gezicht.

Ze bracht een hand naar haar gezicht en wendde zich af van het licht, alsof ze zich schaamde voor haar voorkomen.

'Ik... ja. Ik ben Francine O'Connell,' mompelde ze, door de waaier van haar vingers.

'Mevrouw O'Connell!' Stubbs zette een stap in haar richting, maar bleef toen staan, niet zeker wetend of hij haar wel kon aanraken. 'Wie – heeft u zo toegetakeld?'

'Haar man. En moge zijn ziel wegrotten in de hel.' De opmerking kwam van achter hen. Toen Grey zich omdraaide zag hij de apotheker de kamer binnenkomen, zijn houding nog steeds oppervlakkig nonchalant, maar al zijn aandacht gevestigd op de vrouw.

'Haar man, zegt u?' Stubbs, ook niet gek, ondanks zijn joviale manier van doen, greep de handen van de apotheker en draaide de knokkels naar het licht. De man onderging de inspectie heel rustig en trok vervolgens zijn ongehavende handen los uit Stubbs' greep. Alsof deze handeling hem daartoe permissie gaf, liep hij naar de vrouw toe en ging naast haar staan. Hij straalde een soort ingehouden minachting uit.

'Het is de waarheid,' zei hij, op het eerste gezicht nog steeds heel rustig. 'Tim O'Connell was een prima kerel zolang hij nuchter was, maar zodra hij begon te drinken... een monster in mensengedaante, anders kan ik het niet noemen.' Hij perste zijn lippen op elkaar en schudde zijn hoofd.

Grey en Stubbs keken elkaar aan. Het was waar; ze dachten allebei aan de keer dat ze O'Connell na een uit de hand gelopen avondverlof hadden opgehaald uit een gevangenis in Richmond. De politieman en de cipier hadden beiden de sporen vertoond van de arrestatie, hoewel zij er niet zo slecht aan toe waren geweest als O'Connells echtgenote.

'En wat is uw relatie tot mevrouw O'Connell, als ik vragen mag?' informeerde Grey beleefd. Hij hoefde het eigenlijk niet te vragen; hij zag zelf ook wel hoe het lichaam van de vrouw naar de apotheker toe leunde, als een klimrank die beroofd is van zijn trellis.

'Ik ben haar huisbaas,' antwoordde de man laconiek terwijl hij een hand achter mevrouw O'Connells elleboog legde. 'En een vriend van de familie.'

'Een vriend van de familie,' herhaalde Stubbs. 'Natuurlijk.' Zijn grote blauwe ogen gleden omlaag en keken naar het onderlichaam van de vrouw, waar haar opbollende schort een zwangerschap van zeker vijf of zes maanden verraadde. Het regiment – en sergeant O'Connell – was nog maar zes weken eerder in Londen teruggekeerd.

Stubbs keek Grey vragend aan. Grey haalde lichtjes zijn schouders op en knikte nauwelijks zichtbaar. Wie sergeant O'Connell ook had vermoord, het was in elk geval niet zijn vrouw – bovendien hadden zij niet het recht haar het geld te onthouden.

Stubbs bromde iets, maar stak toch zijn hand in zijn jaszak en haalde er een beurs uit, die hij op tafel gooide.

'Een klein teken van onze achting,' zei hij, met een vijandige klank in zijn stem. 'Van de strijdmakkers van uw man.'

'Om de begrafenis van te betalen? Dat hoef ik niet.' De vrouw leunde niet langer op Scanlon, maar rechtte haar rug. Ze zag lijkwit onder haar blauwe plekken, maar haar stem klonk krachtig. 'Neem maar weer mee. Ik begraaf mijn man zelf wel.'

'Je zou je bijna gaan afvragen,' zei Grey beleefd, 'waarom een soldatenvrouw de hulp van zijn kameraden zou weigeren. Omdat ze last heeft van haar geweten, wellicht?'

Er verscheen een donkere blik op het gezicht van de apotheker en hij balde zijn vuisten. 'Wat wilt u daarmee zeggen?' wilde hij weten. 'Dat ze hem heeft vermoord en dat haar schuldgevoel haar nu noopt uw geld te weigeren? Laat de heren je handen zien, Francie!'

Hij pakte de handen van de vrouw en trok ze omhoog om ze te laten zien. De pink van haar ene hand was gespalkt; verder vertoonden haar handen geen verwondingen, op de littekens van genezen brandwonden en de ruwe plekken van het dagelijks werk na – de handen van een huisvrouw die te arm is om een werkster te kunnen betalen.

'Ik denk niet dat mevrouw O'Connell haar man zelf heeft doodgeslagen, nee,' antwoordde Grey, nog steeds op beleefde toon. 'Maar die kwestie van een bezwaard geweten hoeft toch niet uitsluitend betrekking te hebben op haar eigen daden? Het kan ook betrekking hebben op daden die namens haar zijn gepleegd – of op haar verzoek.'

'Het is geen kwestie van een bezwaard geweten.' De vrouw trok met onverwachte kracht haar handen los uit die van Scanlon en haar gehavende gezicht beefde. De emoties kolkten als woeste golven onder de verkleurde huid terwijl zij van de ene man naar de andere keek. 'Ik zal u vertellen waarom ik uw gift afwijs, heren. En dat is niet vanwege mijn geweten, maar uit trots.' Haar spleetjes van ogen bleven, zo hard en helder als diamanten, rusten op Grey. 'Of vindt u dat een arme vrouw zoals ik geen recht heeft op haar trots?'

'Trots waarop?' wilde Stubbs weten. Hij wierp opnieuw een veelbetekenende blik op haar buik. 'Overspel?'

Tot Stubbs' onaangename verrassing begon zij te lachen.

'Overspel noemt u het? Dat mag zo zijn, maar ik ben er in elk geval niet mee begonnen. Tim O'Connell heeft me begin vorig jaar verlaten; hij nam zijn intrek bij een of ander grietje uit een bordeel en nam al het geld dat we hadden mee om mooie spulletjes voor haar te kopen. Toen hij twee dagen geleden hier langs kwam, was dat voor het eerst sinds bijna een jaar dat ik hem weer zag. Als meneer Scanlon mij geen onderdak en werk had gegeven, was ik ongetwijfeld de hoer geworden waarvoor u mij aanziet.'

'Beter een hoer voor één man dan voor een heleboel,' mompelde Grey binnensmonds terwijl hij zijn hand op Stubbs' arm legde om verdere misplaatste opmerkingen te voorkomen.

'En toch, mevrouw,' vervolgde hij, zijn stem verheffend, 'begrijp ik niet helemaal waarom u een bijdrage van de strijdmakkers van uw man om hem te begraven weigert aan te nemen als u werkelijk geen schuldgevoelens koestert omtrent zijn dood.'

De vrouw richtte zich op en kruiste haar armen onder haar boezem. 'Verwacht u dan van mij dat ik dit geld aanneem en het gebruik om mooie woorden te laten uitspreken boven het stinkende lijk van die vent? Of nog erger, moet ik soms kaarsen branden en een mis laten opdragen voor een ziel die, als er tenminste gerechtigheid is daarboven, op dit moment brandt in het diepst van de hel? Daar pas ik voor, sir!'

Grey nam haar belangstellend op – hij kon een zekere mate van bewondering toch niet onderdrukken – en keek toen naar de apotheker, om te zien hoe hij deze woorden opvatte. Scanlon had een stapje naar achteren gedaan; met een lichte frons tussen zijn zware wenkbrauwen keek hij naar het gehavende gezicht van de vrouw.

Grey trok het zilveren halsstuk dat om zijn nek hing recht, boog zich naar voren, pakte de beurs van de tafel en liet hem zachtjes rinkelen in zijn hand.

'Zoals u wenst, mevrouw. Weigert u ook het pensioen te ontvangen waarop u recht hebt als weduwe van een sergeant?' Een dergelijk pensioen stelde niet veel voor, maar gezien de situatie waarin de vrouw verkeerde...

Ze bleef een ogenblik besluiteloos staan, maar hief toen weer haar hoofd op.

'Dat neem ik wel aan,' zei ze terwijl ze hem door het spleetje van haar ene oog woedend aankeek. 'Dat heb ik verdiend.'

3 Een en al verwikkelingen

Er zat niets anders op dan de zaak te melden. Iemand vinden om verslag aan uit te brengen was ingewikkelder; nu het regiment zich opmaakte voor een nieuwe standplaats, was het een voortdurend komen en gaan van mensen. De gebruikelijke parade was tijdelijk opgeschort en niemand was waar hij behoorde te zijn. Het was even na zonsondergang van de volgende dag toen Grey uiteindelijk Quarry tegen het lijf liep, in de rookkamer van de Beefsteak.

'Spraken ze de waarheid, denk je?' Quarry tuitte zijn lippen en blies peinzend een ring van rook uit. 'Scanlon en die vrouw?'

Grey schudde zijn hoofd terwijl hij zich concentreerde om zijn nieuwe sigaar aan te steken. Zodra deze goed leek te branden, nam hij hem lang genoeg tussen zijn lippen vandaan om te antwoorden.

'Zij wel – grotendeels. Hij niet.'

Quarry trok vragend zijn wenkbrauwen op, en fronste toen. 'Weet je dat zeker? Je zei dat hij nerveus was; kan dat niet alleen zijn geweest omdat hij niet wilde dat je mevrouw O'Connell zou ontdekken, en achter zijn relatie met haar zou komen?'

'Ja,' zei Grey. 'Maar zelfs nadat wij met haar hadden gesproken... Ik zou niet met zekerheid kunnen zeggen waarover Scanlon precies loog – of zelfs maar dàt hij loog – maar ik mag hangen als hij niet iets verzweeg over O'Connells dood.'

Quarry bromde iets onverstaanbaars en leunde achterover in zijn stoel terwijl hij heftig doorrookte en met een geconcentreerde blik naar het plafond zat te staren. Harry Quarry was van nature een lui mens en had een hekel aan nadenken, maar als het nodig was kon hij het wel.

Grey eerbiedigde de zware arbeid en zweeg terwijl hij af en toe een trekje nam van de Spaanse sigaar die Quarry hem had opgedrongen. Zelf gebruikte hij tabaksrook eigenlijk alleen maar medicinaal, wanneer hij last had van een zware neusverkoudheid, maar rond deze tijd van de dag, wanneer de meeste leden aan het diner zaten, bood de rookruimte van de Beefsteak de beste mogelijkheid om even rustig met iemand te kunnen praten.

Grey's maag rammelde bij de gedachte aan de avondmaaltijd, maar hij sloeg er geen acht op. Straks had hij nog tijd genoeg om te eten.

Quarry haalde de sigaar net lang genoeg uit zijn mond om te kunnen zeggen: 'Die verdomde broer van je.' Toen nam hij hem weer tussen zijn lippen en hervatte zijn bestudering van het dartele herderstafereel op het gipsplafond boven hem.

Grey kon het alleen maar roerend met hem eens zijn en knikte. Hal was kolonel van het regiment en stond tevens aan het hoofd van Grey's familie. Hal verbleef momenteel in Frankrijk – waar hij al een maand was – en zijn tijdelijke afwezigheid legde een zware last op de schouders van degenen die zijn verantwoordelijkheden nu van hem moesten overnemen. Er was echter niets aan te doen; plicht ging boven alles.

In Hals afwezigheid werd het bevel van het regiment overgenomen door de twee kolonels, Harry Quarry en Bernard Sydell. Grey had geen moment geaarzeld aan wie hij zijn verslag zou uitbrengen. Sydell was een wat oudere man, nors en gedisciplineerd, die weinig van de mannen onder zijn bevel afwist en nog minder belangstelling voor hen had.

Een oplettende bediende, die een vlammenzee in wording zag, kwam stilletjes naar voren om een klein porseleinen schaaltje op Quarry's borst te zetten, om te voorkomen dat de gloeiende as van zijn sigaar zijn vest in brand zou steken. Quarry negeerde hem, pafte ritmisch door en maakte zo nu en dan kleine bromgeluidjes tussen zijn tanden.

Grey's sigaar was al vanzelf opgebrand tegen de tijd dat Quarry het porseleinen schaaltje van zijn borst pakte en de vochtige restanten van zijn eigen sigaar uit zijn mond nam. Met een diepe zucht ging hij rechtop zitten.

'Niets aan te doen,' zei hij. 'Ik zal het je moeten vertellen.'

'Wat?'

'Wij denken dat O'Connell een spion was.'

Verbijstering en ontzetting maakten zich van Grey meester, maar toch kon hij een gevoel van tevredenheid niet geheel onderdrukken. Hij had geweten dat er een luchtje zat aan de situatie in Brewster's Alley – en dat was geen lekker luchtje.

'Een spion voor wie?' Ze waren alleen; de alomtegenwoordige bediende was even weg, maar niettemin keek Grey behoedzaam om zich heen.

'Dat weten we niet.' Quarry drukte de stomp van zijn sigaar uit in het schaaltje en zette het weg. 'Daarom besloot je broer hem eerst maar een tijdje zijn gang te laten gaan – in de hoop dat we er, wanneer het regiment eenmaal terug was in Londen, achter zouden komen wie hem betaalde.'

Daar zat wat in; het kon best zijn dat O'Connell in het veld nuttige militaire informatie had verzameld, maar het was veel gemakkelijker die informatie door te spelen in de krioelende mierenhoop van Londen – waar mensen uit alle landen van de wereld dagelijks met elkaar in contact kwamen in de stroom van handelsactiviteiten op en rond de Theems – dan binnen de grenzen van een legerkamp, waar de soldaten voortdurend op elkaars lip zaten.

'Ah, ik begrijp het,' zei Grey, toen het hem opeens begon te dagen. 'Hal heeft zeker gebruik gemaakt van de geruchten over de nieuwe regimentsstandplaats? Stubbs vertelde me na de lunch dat hij van DeVries had gehoord dat nu definitief vaststond dat we weer naar Frankrijk zouden gaan – waarschijnlijk naar Calais. Ik neem aan dat dat een misleiding was, speciaal voor O'Connell?'

Quarry keek hem minzaam aan. 'Het is nooit officieel aangekondigd, wel?'

'Nee. En nu gaan we ervan uit dat het samenvallen van dit onofficiële besluit met het plotselinge overlijden van sergeant O'Connell voldoende is om... interessant te zijn?'

'Het is maar hoe je het bekijkt,' zei Quarry, met een diepe zucht. 'Persoonlijk vind ik het alleen maar verdomd vervelend.'

De bediende keerde stilletjes terug, met een humidor in zijn ene hand en een pijpenrek in de andere. De tijd voor het diner liep ten einde en de leden die na het eten graag een pijp opstaken voor de spijsvertering zouden straks binnenkomen, waarbij ieder zijn eigen pijp en favoriete stoel zou opeisen.

Grey zat een ogenblik fronsend voor zich uit te kijken. 'Waarom werd... de persoon in kwestie verdacht?'

'Dat kan ik je niet vertellen.' Quarry haalde een schouder op en liet in het midden of zijn stilzwijgen een kwestie van onwetendheid was of van officiële geheimhouding.

'Juist. Dus het kan zijn dat mijn broer in Frankrijk zit – maar misschien ook niet?'

Een flauwe glimlach liet het witte litteken op Quarry's wang trillen. 'Dat weet jij beter dan ik, Grey.'

De bediende was weer verdwenen om de andere humidors te halen; enkele leden hadden een voorraadje van hun eigen tabaksmelange en snuif op de club. Hij hoorde al geluiden uit de eetzaal komen van over de vloer schrapende stoelen en gesprekjes na het eten.

Grey leunde naar voren, klaar om op te staan. 'Maar jullie hebben hem vast wel laten volgen – O'Connell, bedoel ik. Ik neem aan dat iemand hem in Londen goed in de gaten heeft gehouden.'

'O ja.' Quarry richtte zich op, veegde as van de knieën van zijn broek en trok zijn verkreukelde vest omlaag. 'Daar heeft Hal iemand voor gevonden. Heel discreet, op een strategische plek. Een lakei in dienst van een vriend van de familie – dat wil zeggen, van jouw familie.'

'En die vriend is...'

'De Honorable Joseph Trevelyan.' Nadat hij zich uit zijn stoel had gehesen, verliet Quarry de rookkamer, het aan Grey, die het inmiddels niet alleen meer duizelde van de tabaksrook, overlatend om hem al dan niet te volgen.

Eigenlijk was het allemaal akelig logisch, dacht hij terwijl hij Quarry volgde. Trevelyans familie en die van Grey onderhielden al eeuwenlang vriendschappelijke banden, en Joseph Trevelyans vriendschap met Hal was een van de redenen van diens verloving met Olivia.

Het was geen hechte vriendschap; eerder een die gebaseerd was op gemeenschappelijke kennissen, clubs en politieke belangen dan op persoonlijke affectie. Maar als Hal op zoek was geweest naar een betrouwbare man om op O'Connells spoor te zetten, had hij daarvoor natuurlijk buiten het leger moeten zoeken – want je kon nooit weten welke connecties O'Connell had, zowel binnen het regiment als daarbuiten. Waarschijnlijk had Hal daar met zijn vriend Trevelyan over gesproken, die hem vervolgens zijn eigen lakei had aanbevolen... en het was gewoon een kwestie van bittere ironie dat hij, Grey, nu genoodzaakt was zich in Trevelyans persoonlijke aangelegenheden te mengen.

Voor de ingang van de Beefsteak had de portier een huurrijtuig aangehouden; Quarry zat er al in en wenkte Grey ongeduldig.

'Schiet op, schiet op! Ik verga van de honger. Zullen we naar Kettrick's gaan? Daar hebben ze een verrukkelijke palingpastei. Ik heb echt trek in palingpastei, misschien met een paar flinke kroezen donker bier erbij om de rook een beetje weg te spoelen, wat jij?'

Grey knikte, klom in het rijtuig en legde zijn hoed naast zich neer, zodat hij niet geplet zou worden. Quarry stak zijn hoofd uit het raampje, riep iets naar de koetsier, trok het weer naar binnen en liet zich met een zucht in de smoezelige kussens zakken.

'Welnu,' vervolgde Quarry, zijn stem enigszins verheffend om boven het geratel en gepiep van het rijtuig uit te komen, 'die man, Trevelyans lakei – Byrd is zijn naam, Jack Byrd – huurde een kamer pal tegenover dat hoertje bij wie O'Connell was ingetrokken. Vervolgens heeft hij de sergeant zes weken lang overal gevolgd, dwars door heel Londen.'

Grey keek uit het raampje; het was al een paar dagen mooi weer geweest, maar daar leek nu toch verandering in te komen. In de verte hoorde hij het gerommel van de donder en hij voelde de regen in de lucht, die zijn gezicht verkoelde en zijn longen verfriste.

'Wat is er volgens die Byrd gebeurd in de nacht dat O'Connell is vermoord?'

'Niets.' Toen een naar regen ruikende windvlaag door de koets waaide, drukte Quarry zijn pruik wat steviger op zijn hoofd.

'Is hij O'Connell kwijtgeraakt?'

Er verscheen een wrange trek op Quarry's brede gezicht. 'Nee, we zijn Jack Byrd kwijtgeraakt. Sinds de nacht dat O'Connell is vermoord, heeft niemand nog een levensteken van hem vernomen.'

Het rijtuig minderde vaart en de koetsier klakte met zijn tong naar zijn paarden toen ze de hoek omgingen naar The Strand. In afwachting van hun aankomst op de plaats van bestemming trok Grey zijn mantel om zijn schouders en pakte zijn hoed.

'Er is geen lichaam gevonden?'

'Nee. Hetgeen natuurlijk suggereert dat datgene wat O'Connell is overkomen niet het gevolg was van een simpele knokpartij.'

Grey wreef over zijn gezicht en voelde de rasperige stoppels op zijn kaken. Hij had honger en zijn kleren waren smoezelig na alles wat hij vandaag had gedaan. Het klamme gevoel ervan irriteerde hem.

'En dat zou weer betekenen dat Scanlon geen schuld heeft aan het gebeurde – want waarom zou hij zich druk maken om Byrd?' Hij wist niet of hij nu blij moest zijn met deze vaststelling of niet. Hij *wist* dat de apotheker op de een of andere manier tegen hem had gelogen – maar tegelijkertijd voelde hij toch wel enige sympathie voor mevrouw O'Connell. Haar situatie zou wel erg penibel worden als Scanlon voor moord werd gearresteerd en opgehangen of gedeporteerd – en zo mogelijk nog penibeler indien zij zelf beschuldigd zou worden van medeplichtigheid aan de zaak.

Op de bank tegenover hen speelde zich een veelkleurig spel van licht en schaduw af toen zij langzaam langs een groepje flambouwdragers klosten, dat een gezelschap naar huis begeleidde. Hij zag Quarry, die kennelijk al net zo prikkelbaar was van de honger als hijzelf, zijn schouders ophalen.

'Als Scanlon heeft gezien dat Byrd O'Connell volgde, kan het zijn dat hij Byrd ook meteen uit de weg heeft geruimd – maar waarom zou hij dan de moeite hebben genomen om het lijk te verbergen? Een knokpartij kan net zo gemakkelijk meerdere lijken opleveren. Dat gebeurt vaak genoeg.'

'Maar als het nu iemand anders was?' zei Grey langzaam. 'Iemand die O'Connell uit de weg geruimd wilde hebben, misschien omdat hij te hoge eisen stelde, of omdat ze bang waren dat hij hen zou verraden?'

'Een meesterspion? Of in elk geval zijn vertegenwoordiger. Zou kunnen. Maar ook in dat geval – waarom het lichaam verbergen als hij Byrd ook om zeep heeft geholpen?'

Het alternatief lag voor de hand. 'Hij heeft Byrd niet vermoord. Hij heeft hem omgekocht.'

'Niet onwaarschijnlijk. Toen ik van O'Connells dood hoorde, heb ik er meteen een man op uitgestuurd om de kamer te doorzoeken waar hij woonde, maar hij heeft niets gevonden. En Stubbs heeft goed om zich heen gekeken in de kamer van de weduwe toen jullie daar waren – maar ook daar was nog geen stukje papier te vinden.'

Hij had Stubbs wel zien rondsnuffelen terwijl hij afspraken maakte voor de betaling van O'Connells pensioen aan de weduwe, maar had er op dat moment geen bijzondere aandacht aan besteed. Maar het was waar; mevrouw O'Connells kamer was Spartaans ingericht en boeken of papieren waren er niet te bekennen.

'Waar zochten ze naar?'

Het berengegrom dat bij wijze van antwoord uit de schaduwen klonk, had van Quarry kunnen zijn, maar het kon ook zijn maag zijn die uiting gaf aan zijn honger.

'We weten niet precies hoe het eruitziet,' gaf Quarry schoorvoetend toe. 'Maar het is in elk geval iets wat op papier staat.'

'Weten jullie dat niet? Maar wat is het dan voor iets – of mag ik dat ook niet weten?'

Quarry keek hem aan en trommelde langzaam met zijn vingers op de zitplaats naast hem. Toen haalde hij zijn schouders op; de pot op met al die officiële geheimhouding.

'Vlak voordat we terugkeerden uit Frankrijk, heeft O'Connell de rekwisities van de bevoorradingsdienst meegenomen naar Calais. Hij was laat – alle andere regimenten hadden hun formulieren al dagen eerder ingeleverd. Die stommeling van een klerk had de hele stapel gewoon op zijn bureau laten liggen, hoe vind je zoiets! Goed, het kantoor was afgesloten, maar dan nog...'

Toen de klerk terugkwam van een uitgebreide lunch, was de deur geforceerd, het bureau overhoop gehaald – en elk stukje papier in het hele kantoor verdwenen.

'Ik had niet gedacht dat één man al het papier dat in zo'n kantoor te vinden is zou kunnen dragen,' zei Grey, half als grapje.

Quarry maakte een ongeduldig handgebaar. 'Het was de werkkamer van de klerk, niet het grote kantoor zelf. Verder lag er helemaal niets belangrijks – maar wel de kwartaalrekwisities van alle Britse regimenten tussen Calais en Praag...'

Grey perste zijn lippen op elkaar en knikte begrijpend. Dit was een ernstige zaak. Informatie over troepenbewegingen en voorbereidingen was uiterst gevoelig, maar zulke plannen konden worden veranderd als bekend werd dat de informatie in verkeerde handen was gevallen. Maar de hoeveelheden munitie die een regiment nodig had kon niet worden veranderd – en deze informatie kon een vijand vrijwel tot op het allerlaatste geweer vertellen over hoeveel manschappen en over welke wapens elk regiment beschikte.

'En toch,' wierp hij tegen, 'moet het een enorme berg paperassen zijn geweest. Niet iets wat een man gemakkelijk onder zijn jas kan verstoppen.'

'Nee, hij zal er een grote rugzak voor nodig hebben gehad, of een plunjezak – iets van dien aard – om het allemaal in mee te nemen. Maar dat iemand het heeft meegenomen staat vast.'

Natuurlijk was er onmiddellijk groot alarm geslagen en was er een uitgebreide zoektocht op touw gezet, maar Calais was een middeleeuwse doolhof van een stad en er was niets gevonden.

'Intussen was O'Connell verdwenen – met toestemming overigens; hij had drie dagen verlof gekregen toen hij de rekwisities innam. We gingen naar hem op zoek en vonden hem op de tweede dag. Hij stonk naar de drank en zag eruit alsof hij al die tijd niet had geslapen.'

'Hetgeen niet ongebruikelijk was.'

'Inderdaad. Maar je kon ook verwachten dat een man er zo uit zou zien die twee dagen en nachten achtereen in een gehuurde kamer bezig was geweest een uittreksel te maken van die berg papier, teneinde er iets kleiners en handzamers van te maken – terwijl hij de rekwisities gaandeweg in het vuur gooide.'

'Dus ze zijn niet meer teruggevonden? De originelen?'

'Nee. We hebben O'Connell zorgvuldig in de gaten gehouden; hij heeft absoluut geen kans meer gehad de informatie aan iemand door te spelen – en wij achten het onwaarschijnlijk dat hij dat al had gedaan voordat wij hem vonden.'

'Omdat hij nu dood is – en omdat Jack Byrd is verdwenen.'

'*Rem acu tetigisti,'* antwoordde Quarry snuivend, niet geheel ontevreden met zichzelf.

Grey glimlachte onwillekeurig. 'Je hebt de zaak met een naald geraakt,' betekende het; 'je hebt de spijker op de kop geslagen.' Waarschijnlijk het enige Latijn dat Quarry zich nog herinnerde van zijn schooltijd, behalve *cave canem*.

'En was O'Connell de enige verdachte?'

'Nee, verdomme. Dat maakt het nu juist zo moeilijk. Het enige bewijs dat we tegen hem hadden was het feit dat hij ter plekke was, dus we konden hem niet zomaar arresteren en hem net zo lang laten zweten tot hij de waarheid vertelde. Tenminste zes andere mannen – allemaal van verschillende regimenten, verdomme! – waren op het bewuste tijdstip eveneens ter plekke.'

'Ik begrijp het. Dus de andere regimenten onderzoeken nu in alle stilte *hun* potentiële zwarte schapen?'

'Inderdaad. Aan de andere kant,' voegde Quarry er verstandig aan toe, 'zijn die andere vijf nog in leven. Hetgeen ook een aanwijzing zou kunnen zijn, nietwaar?'

De koets kwam tot stilstand en de geluiden en geuren van *Kettrick's Eel Pye House* dreven door het raampje naar binnen: gelach en gepraat, het gesis van voedsel en het gerammel van houten borden en pasteiblikken. De zilte geur van paling in gelei en bier en de opbeurende geur van met deeg bestoven pasteien omringde hen, warm en aangenaam, overgoten met een sausje van alcoholische gezelligheid.

'Weten we met zekerheid hoe O'Connell is omgebracht? Heeft iemand van het regiment het lichaam gezien?' vroeg Grey plotseling, toen Quarry zwaar op het trottoir stapte.

'Nee,' zei Quarry, zonder om te kijken, maar onmiddellijk en vastberaden op de deur afstevenend. 'Dat ga jij morgen doen, voordat ze de rotzak begraven.'

Grey wachtte tot de pasteien op tafel stonden voordat hij een poging ondernam Quarry's beslissing aan te vechten dat hij, Grey, met onmiddellijke ingang van al zijn andere taken was ontheven teneinde een onderzoek in te stellen naar de activiteiten en de dood van sergeant Timothy O'Connell.

'Waarom ik?' vroeg Grey verbaasd. 'Deze zaak lijkt me toch ernstig genoeg om de aandacht van de hoogste officier te verdienen – en dat ben jij, Harry,' zei hij, 'of misschien Bernard.'

Quarry hield, met zijn mond vol palingpastei, genietend zijn ogen gesloten. Hij kauwde langzaam, slikte en opende toen met tegenzin zijn ogen.

'Bernard – ha, ha. Heel grappig.' Hij veegde de kruimels van zijn borst. 'Wat mij betreft... tja, normaal gesproken zou ik het moeten doen. Maar het probleem is dat ik ook in Calais was toen de rekwisities werden gestolen. Ik had het dus zelf kunnen doen. Niet dat ik het gedaan heb, maar het had gekund.'

'Maar welk normaal denkend mens zou jou nu verdenken, Harry?'

'En jij denkt dat het Ministerie van Oorlog normaal kan denken?' Quarry trok een cynische wenkbrauw op en bracht zijn lepel naar zijn mond.

'Ik begrijp wat je bedoelt. Maar toch...'

'Crenshaw was met verlof naar huis,' zei Quarry. Hij had het over een van de kapiteins van het regiment. 'Hij hoorde in Engeland te zijn, maar wie zegt dat hij niet stiekem terug is gekomen naar Calais?'

'En kapitein Wilmot? Jullie kunnen toch niet allemaal met verlof zijn geweest!'

'O, Wilmot bevond zich in het kamp, waar hij behoorde te zijn, allemaal heel keurig en boven elke verdenking verheven. Maar hij heeft afgelopen maandag een aanval van het een of ander gekregen op zijn club. Een beroerte, zegt de dokter. Kan niet lopen, kan niet praten, kan geen lijken bekijken.' Quarry wees met zijn lepel naar Grey's borst. 'Jij moet het doen.'

Grey deed zijn mond open om verder te protesteren, maar toen hij geen goede argumenten meer kon verzinnen, stopte hij er in plaats daarvan maar een hap pastei in, waarop hij somber begon te kauwen.

Met de gebruikelijke ironie van het lot, had het schandaal dat hem in ongenade had doen vallen en naar Ardsmuir had verbannen, hem nu boven elke verdenking verheven als enige hoge regimentsofficier in functie die onmogelijk iets te maken kon hebben gehad met de verdwijning van de rekwisities van Calais. Op het moment dat de papieren verdwenen was hij al teruggekeerd uit zijn Schotse ballingschap, dat was waar – maar hij had aantoonbaar in Londen gezeten en had zich pas een maand geleden formeel weer bij zijn regiment gevoegd.

Harry was een genie in het ontduiken van vervelende karweitjes, maar in de huidige situatie moest Grey toegeven dat Harry niet helemaal ongelijk had.

Het was zoals gewoonlijk stampvol bij Kettrick's, maar zij hadden een tafeltje gevonden in een stil hoekje, en hun uniformen hielden de andere gasten op veilige afstand. Het gekletter van lepels en pasteiblikken, het geschraap en gekras van schuivende banken, en de luidruchtige conversatie die tegen de lage, houten balken weerkaatste bood meer dan voldoende achtergrondrumoer voor een gesprek onder vier ogen. Niettemin boog Grey zich naar voren en liet zijn stemgeluid zakken.

'Weet die gentleman uit Cornwall over wie wij eerder al spraken dat zijn bediende *incommunicabilis* is?' vroeg Grey omzichtig.

Quarry knikte terwijl hij zich luid smakkend te goed deed aan zijn palingpastei. Hij hoestte een kruimeltje los uit zijn keel en nam een grote slok uit zijn pul donker bier.

'O ja. Wij dachten dat de bediende in kwestie wellicht was afgeschrikt door wat er met de sergeant was gebeurd – en in dat geval was het heel logisch geweest dat hij was teruggegaan naar... de plek waar hij werkte.' Quarry keek Grey met opgetrokken wenkbrauwen aan, ten teken dat hij de noodzaak van geheimhouding best begreep – waar zag Grey hem wel voor aan? 'Ik heb Stubbs er naar toe gestuurd om navraag te doen – hij was in geen velden of wegen te bekennen. Onze vriend uit Cornwall is erg ongerust.'

Grey knikte en hun gesprek viel even stil terwijl de beide mannen zich op hun maaltijd concentreerden. Grey veegde met een stukje brood zijn lege pannetje uit, niet bereid om ook maar een druppel van de smakelijke bouillon te laten ontsnappen, terwijl Quarry, na het verorberen van twee pasteien en drie kroezen bier, gemoedelijk boerde en besloot een persoonlijker onderwerp aan te snijden.

'Over Cornwall gesproken, heb je al iets gedaan aan die aanstaande aangetrouwde neef van je? Heb je al een afspraak gemaakt om hem mee te nemen naar een bordeel?'

'Hij zegt dat hij nooit in bordelen komt,' antwoordde Grey, die helemaal geen zin had om aan het huwelijk van zijn nichtje te denken. Christus, had hij met spionnen en een vermeende moord niet genoeg aan zijn hoofd?

'En jij laat hem met je nicht trouwen?' Quarry fronste zijn zware wenkbrauwen. 'Hoe weet je dan dat hij niet ook nog eens impotent is, of homoseksueel?'

'Daar ben ik vrij zeker van,' zei Lord John, de plotselinge, idiote opwelling onderdrukkend om te zeggen dat de Honorable meneer Trevelyan in elk geval niet naar *hem* had staan loeren bij de pispot.

Eerder die dag was hij bij Trevelyan langsgegaan met een uitnodiging voor een diner en verschillende wellustige pleziertjes, waarmee Trevelyan op gepaste wijze afscheid kon nemen van zijn vrijgezellenleven. Trevelyan had ingestemd met een gezellig etentje, maar beweerde zijn moeder op haar sterfbed te hebben beloofd zich nimmer in te laten met prostituées.

Quarry keek hem verbaasd aan.

'Wat voor moeder heeft het op haar sterfbed in vredesnaam over hoeren? Dat zou jouw moeder toch zeker nooit doen?'

'Ik heb geen flauw idee,' zei Grey. 'Die situatie heeft zich gelukkig nog niet voorgedaan. Maar ik denk,' zei hij, in een poging over iets anders te beginnen, 'dat er wel degelijk mannen zijn die niets voelen voor dergelijke verzetjes...'

Quarry keek hem aan met een blik waaruit twijfel sprak. 'Dat zullen er niet veel zijn,' zei hij. 'En Trevelyan hoort daar zeker niet bij.'

'Je lijkt wel erg zeker van je zaak,' zei Grey, lichtelijk gepikeerd.

'Dat ben ik ook.' Quarry leunde met een zelfingenomen lachje achterover. 'Ik heb hier en daar eens navraag gedaan – nee, nee, ik ben heel discreet geweest, maak je niet druk. Trevelyan komt vaak in een huis in Meacham Street. Goede smaak; ben er zelf ook wel eens geweest.'

'O?' Grey schoof zijn lege pasteipannetje opzij en keek Quarry belangstellend aan. 'Maar waarom denk je dan dat hij niet met mij mee wil?'

'Misschien is hij bang dat jij het aan Olivia vertelt en het arme kind haar illusies ontneemt.' Quarry deed Trevelyans mogelijke motieven af met een nonchalant schouderophalen. 'Hoe dan ook – waarom ga je niet eens een praatje maken met de hoeren daar? Volgens de man die ik heb gesproken ziet hij Trevelyan daar minstens twee keer per maand – grote kans dat het meisje met wie hij het laatst is geweest je kan vertellen of hij de sief heeft of niet.'

'Ja, misschien,' zei Grey langzaam.

Quarry vatte dit op als onmiddellijke instemming, sloeg de laatste slokken van zijn bier achterover, boerde en zette zijn kroes neer. 'Mooi zo. Dan gaan we er overmorgen heen.'

'Overmorgen?'

'Morgen ga ik bij mijn broer dineren – mijn schoonzuster krijgt Lord Worplesdon te eten.'

'Gestoomd, gekookt of *en croûte* gebakken?'

Quarry bulderde van het lachen en zijn toch al rode gezicht kleurde nog dieper rood van de pret.

'Dat is een goeie, Johnny! Die moet ik tegen Amanda vertellen – trouwens, zal ik vragen of ze jou ook uitnodigt? Ze mag je erg graag, dat weet je.'

'Nee, nee,' zei Grey haastig. Hij was bijzonder gesteld op Quarry's schoonzuster, Lady Joffrey, maar was zich er maar al te zeer van bewust dat zij hem niet alleen als vriend beschouwde, maar ook als een prooi – een potentiële echtgenoot voor een van haar ontelbare zusjes en nichtjes. 'Ik heb morgen al iets. Maar dat bordeel dat jij hebt ontdekt –'

'Je hebt gelijk, nooit tot morgen uitstellen wat je vandaag kunt doen,' zei Harry, zijn bank naar achteren schuivend. 'Maar jij hebt vanavond je rust nodig als je morgen lijken gaat bekijken. En trouwens,' voegde hij eraan toe terwijl hij zijn mantel om zijn schouders sloeg, 'ik ben nooit op mijn best na palingpastei. Ik word er zo winderig van.'

4 Kennismaking met een lakei

De volgende ochtend zat Grey in zijn slaapkamer, ongeschoren en gekleed in zijn nachthemd, zijden kamerjas, en slippers, thee te drinken en met zichzelf te overleggen of de gezaghebbende voordelen van het dragen van een uniform opwogen tegen de mogelijke consequenties – zowel vanuit modieus als sociaal oogpunt – van het dragen ervan als je naar de achterbuurten van Londen ging om een drie dagen oud lijk te bekijken. Hij werd in zijn overpeinzingen gestoord door zijn nieuwe adjudant, soldaat Adams, die de slaapkamerdeur opende en zonder plichtplegingen naar binnen stapte.

'Er is iemand, mylord,' zei Adams, en sprong keurig in de houding.

Grey, die zo vroeg op de dag nooit op zijn best was, nam humeurig nog een slok van zijn thee en knikte. Adams, die Grey nog niet kende en voor wie de functie van persoonlijke oppasser van een officier nog helemaal nieuw was, vatte dit op als instemming, deed een stap opzij en wenkte de persoon in kwestie om binnen te komen.

'Wie ben jij?' Grey keek verbaasd naar de jongeman die opeens voor hem stond.

'Tom Byrd, mylord,' zei de jongeman en boog beleefd, met zijn hoed in zijn hand. Hij was klein, stevig gebouwd, met een hoofd dat zo rond was als een kanonskogel, en nog jong genoeg voor sproeten op zijn blanke, ronde wangen en de brug van zijn stompe neus. Ondanks zijn jeugd straalde hij echter een opmerkelijke vastberadenheid uit.

'Byrd. Byrd. O, Byrd!' Lord Johns hersenactiviteit begon traag op gang te komen. Tom Byrd. Waarschijnlijk was deze jonge man op de een of andere manier verwant aan de verdwenen Jack Byrd. 'Wat kom je – o. Heeft meneer Trevelyan je misschien gestuurd?'

'Ja, mylord. Kolonel Quarry heeft hem gisteravond een boodschap gestuurd, waarin hij vertelde dat u zich zou gaan buigen over de kwestie van... ahum.' Hij schraapte luidruchtig zijn keel, met een blik op Adams, die de scheerkwast had gepakt en daar ijverig mee door de scheerkom klopte, zodat er flink wat schuim ontstond. 'Meneer Trevelyan zei dat ik u moest gaan helpen, met alles waarmee ik u maar van dienst kan zijn.'

'O? Juist ja; heel vriendelijk van hem.' Grey moest een beetje lachen om Byrds plechtige manier van doen, maar was bepaald onder de indruk van zijn discretie. 'Welke taken ben je bij meneer Trevelyan gewend te vervullen, Tom?'

'Ik ben lakei, sir.' Byrd stond kaarsrecht voor hem, de kin geheven in een poging een paar centimeter langer te lijken; lakeien werden meestal niet alleen aangenomen voor wat ze konden, maar ook om hun uiterlijk, en ze waren meestal lang en goedgebouwd; Byrd was ongeveer even groot als Grey zelf.

Grey wreef over zijn bovenlip, zette toen zijn theekopje neer en keek naar Adams, die de zeepkom had neergezet en nu met het scheermes in zijn ene hand en de scheerriem in de andere stond, zo te zien niet precies wetend hoe hij die twee samen moest gebruiken. 'Vertel me eens, Byrd, heb je ervaring als lijfknecht?'

'Nee, mylord – maar ik kan wel scheren.' Tom Byrd vermeed het om naar Adams te kijken, die de scheerriem inmiddels had neergelegd en nu fronsend de scherpte van het scheermes testte tegen de rand van zijn schoenzool.

'Zo, kan je dat?'

'Zeker, mylord. Mijn vader is barbier, en wij jongens schoren altijd de stoppels van de gebroeide varkens die hij kocht om kwasten van te maken. Als een soort oefening.'

'Hmm.' Grey keek naar zichzelf in de spiegel boven de ladekast. Zijn baard was slechts een tint of twee donkerder dan zijn blonde haar, maar groeide heel hard, en in het ochtendlicht glinsterden de stoppels zo dik als stro op zijn kaken. Nee, hij kon werkelijk geen scheerbeurt overslaan.

'Goed dan,' zei hij, zich erbij neerleggend. 'Adams – geef dat scheermes maar aan Tom hier, als je wilt. Ga dan mijn oudste uniform afborstelen en zeg tegen de koetsier dat ik hem nodig heb. Meneer Byrd en ik gaan een lijk bekijken.'

Een nacht in het water bij Puddle Dock en twee dagen in een schuur achter het politiebureau in Bow Street hadden niet bepaald een gunstig effect gehad op Timothy O'Connells uiterlijk, dat toch al nooit zijn sterkste punt was geweest. Maar hij was in elk geval nog herkenbaar – hetgeen niet kon worden gezegd van de man die op een stuk zeildoek langs de muur lag en zich zo te zien had opgehangen.

'Draai hem eens voor me om, alsjeblieft,' zei Grey, sprekend door een in wintergroenolie gedrenkte zakdoek, die hij tegen de onderste helft van zijn gezicht gedrukt hield.

De twee gevangenen die opdracht hadden gekregen hem naar dit geïmproviseerde mortuarium te vergezellen kregen een opstandige blik in hun ogen – zij hadden O'Connell al uit zijn goedkope kist moeten tillen en zijn lijkwade moeten uittrekken, zodat Grey hem kon inspecteren – maar een bars bevel van de dienstdoende agent bracht hen schoorvoetend in beweging.

Het lichaam was in elk geval provisorisch gewassen. De verwondingen van zijn laatste gevecht waren duidelijk te zien, ook al was het lichaam opgezwollen en de huid ernstig verkleurd.

Met de zakdoek stevig voor zijn gezicht, boog Grey zich wat verder over hem heen om de kneuzingen op zijn rug te bekijken. Hij wenkte Tom Byrd, die tegen de muur van de schuur gedrukt stond, zijn sproeten donker afstekend op zijn bleke gezicht.

'Zie je dat?' Hij wees op de zwarte vlekken op de rug en de billen van het lijk. 'Ik denk dat hij is getrapt en geschopt.'

'Ja, sir?' zei Byrd zwakjes.

'Ja. Maar zie je dat de huid aan de dorsale zijde helemaal is verkleurd?'

Byrd keek hem aan met een blik waaruit sprak dat hij helemaal niets zag, inclusief een reden voor zijn eigen bestaan.

'Zijn rug,' zei Grey. '*Dorsum* is het Latijnse woord voor rug.'

'O, ja,' zei Byrd, wiens hersens opeens weer begonnen te werken. 'Dat kan ik duidelijk zien, mylord.'

'Dat betekent dat hij na zijn dood een tijdje op zijn rug heeft gelegen. Ik heb mannen van het slagveld zien dragen om te worden begraven; de delen die het laagst hebben gelegen zijn altijd op die manier verkleurd.'

Byrd knikte en leek een beetje misselijk te worden.

'Maar hij is gevonden met zijn gezicht omlaag in het water, nietwaar?' Grey wendde zich tot de politieman.

'Inderdaad, mylord. De lijkschouwer heeft hem al bekeken,' voegde de man er behulpzaam aan toe. 'Gewelddadige doodsoorzaak.'

'Juist,' zei Grey. 'Aan de voorkant heb ik geen ernstige verwondingen gezien die de dood tot gevolg kunnen hebben gehad, en die zie ik hier ook niet, jij wel, Byrd? Hij is dus niet neergestoken, niet doodgeschoten, niet gewurgd...'

Byrd wankelde op zijn benen, maar herstelde zich en mompelde iets over '... hoofd, misschien?'

'Misschien. Hier, pak vast.' Grey drukte de zakdoek in Byrds klamme hand, draaide zich toen om en begon, met ingehouden adem, heel voorzichtig in O'Connells haar te voelen. Hij stelde vast dat er een onhandige poging was gedaan het haar van het lijk in een keurige militaire staartvlecht te fatsoeneren – het was om een kussentje van lamswol gedraaid en met een leren riempje bijeengebonden, hoewel degene die het had gedaan waarschijnlijk geen rijstmeel had gehad om het netjes te poederen. Het lichaam was afgelegd door iemand die om de man had gegeven – niet mevrouw O'Connell dus, dacht hij, maar iemand.

De hoofdhuid begon los te laten en verschoof onaangenaam onder zijn tastende vingers. Hij voelde verscheidene bulten, waarschijnlijk van de slagen of trappen... ja, daar. Het bot van de schedel liet zich op twee plekken op een misselijkmakende manier indrukken, en Grey voelde zijn vingertoppen vochtig worden.

Byrd maakte een klein kokhalzend geluidje toen Grey zijn hand terugtrok, en rende de schuur uit, de zakdoek stijf tegen zijn mond gedrukt.

'Droeg hij zijn uniform toen hij werd gevonden?' vroeg Grey aan de politieman. Hij was zijn zakdoek kwijt, dus veegde hij zijn vingers zorgvuldig af aan de lijkwade terwijl hij de twee gevangenen met een knikje een teken gaf dat zij het lijk weer terug konden brengen in zijn originele staat.

'Nee, sir.' De agent schudde zijn hoofd. 'Hij droeg alleen een hemd. Dat hij een soldaat was konden we aan zijn haar zien, en nadat we hier en daar wat hebben rondgevraagd vonden we iemand die zijn naam en regiment kende.'

Grey spitste onmiddellijk zijn oren. 'Wilt u daarmee zeggen dat hij bekend was in de buurt waar hij is gevonden?'

De agent fronste zijn wenkbrauwen. 'Nu u het zegt,' zei hij, over zijn kin wrijvend om beter na te kunnen denken. 'Eens even zien... ja, sir, dat was inderdaad het geval. Toen we hem uit het water haalden en ik zag dat hij een soldaat was, ben ik naar de Oak and Oyster gegaan om navraag te doen, want dat is de dichtstbijzijnde zaak waar de soldaten vaak komen. Ik heb een paar van de mensen daar meegenomen om hem te bekijken; als ik het me goed herinner, was het het barmeisje van de Oyster die hem herkende.'

Het lichaam werd omgedraaid en een van de gevangenen wilde, met zijn lippen stijf opeengeklemd tegen de stank, juist de lijkwade over het gezicht trekken, toen Grey hem met een handgebaar tegenhield. Hij boog zich fronsend over de kist en volgde met zijn vinger de contouren van de plek op O'Connells voorhoofd. Het was inderdaad een hakafdruk, duidelijk zichtbaar op de asgrauwe huid. Hij kon de spijkerkoppen tellen.

Hij knikte en richtte zich weer op. Het lichaam was dus verplaatst, dat was wel duidelijk. Maar waar vandaan? Als de sergeant tijdens een vechtpartij was gedood, zoals het geval leek te zijn, was er misschien wel een rapport opgemaakt over het voorval.

'Zou ik uw chef kunnen spreken, sir?'

'Dat is hoofdagent Magruder, sir – hier even omlopen en dan het eerste kantoor links. Bent u helemaal klaar met het lichaam, sir?' Hij gebaarde al naar de gevangenen om O'Connell weer te bedekken en het deksel van de kist dicht te spijkeren.

'O... ja. Ik denk het wel.' Grey zweeg even en dacht na. Hoorde hij nu misschien het een of andere ceremoniële gebaar te maken bij wijze van afscheid van een krijgsmakker? Hij zag echter niets in dat uitdrukkingsloze, opgezwollen gelaat dat hem uitnodigde tot een dergelijk gebaar, en hij wist zeker dat het de politieman een zorg zou zijn. Tenslotte gaf hij een kort knikje in de richting van het lijk, een shilling voor de moeite aan de politieman en ging weg.

Hoofdagent Magruder was een kleine, sluw uitziende man, met kleine oogjes die voortdurend heen en weer schoten tussen de deuropening en zijn bureau, voor het geval er iets aan zijn aandacht zou ontsnappen. Grey putte hier moed uit, hopend dat er inderdaad maar weinig dingen waren die aan de aandacht van de hoofdagent en zijn Bow Street Runners ontsnapten.

De politieman wist wat Grey kwam doen. Grey zag de behoedzaamheid in de kleine oogjes – en ook de schichtige blik zo nu en dan naar het kantoor van de politierechter, naast het zijne. Kennelijk was hij bang dat Grey naar de politierechter, Sir John Fielding, zou gaan, met alle lastige gevolgen van dien.

Grey kende Sir John niet persoonlijk, maar was er vrij zeker van dat zijn moeder hem kende. Op dit moment zag hij er echter nog niet de noodzaak van in hem bij de zaak te betrekken. Omdat hij wel besefte wat er in Magruder omging, deed Grey zijn best een houding van ontspannen innemendheid en nederige dankbaarheid aan te nemen voor de hulp die hij van de politie mocht ontvangen.

'Ik ben u erg dankbaar, sir, voor uw behulpzaamheid. Ik durf bijna geen verder beroep te doen op uw welwillendheid – maar zou ik u misschien nog enkele vraagjes mogen stellen?'

'O, natuurlijk, sir.' Magruder keek nog steeds behoedzaam, maar ontspande zich nu enigszins, allang blij dat hem niet werd gevraagd een tijdrovend en hoogstwaarschijnlijk zinloos onderzoek in te stellen.

'Ik heb begrepen dat sergeant O'Connell waarschijnlijk zaterdagavond om het leven is gebracht. Weet u wellicht van eventuele ongeregeldheden die die bewuste avond in die buurt hebben plaatsgevonden?'

Er verscheen een grijns op Magruders gezicht. 'Ongeregeldheden, majoor? Zodra het donker wordt is die hele buurt één zooitje ongeregeld, sir. Berovingen, zakkenrollerij, knokpartijen en opstootjes, ruzies tussen hoeren en hun klanten, inbraken, diefstal, kroeggevechten, vandalisme, brandstichting, diefstal van paarden, insluipingen, overvallen...'

'Ik begrijp het. Maar we zijn er vrij zeker van dat niemand sergeant O'Connell in brand heeft gestoken, of hem heeft aangezien voor een dame van lichte zeden.' Grey glimlachte om elk vermoeden van sarcasme de kop in te drukken. 'Ik probeer alleen maar de mogelijkheden te beperken.' Hij spreidde verontschuldigend zijn handen. 'Ik doe alleen maar mijn plicht, begrijpt u wel?'

'O, natuurlijk.' Magruder had wel enig gevoel voor humor; zijn kleine ogen lichtten op van pret en verzachtten de harde lijnen van zijn gezicht. Hij keek van de papieren op zijn bureau naar de gang, waardoor de stemmen van de gevangenen en het gerammel van tralies achter in het gebouw weergalmden, en keek toen weer naar Grey.

'Ik zal het er met de agent die die nacht dienst had over hebben; de rapporten doornemen. Als ik iets tegenkom dat nuttig kan zijn voor uw onderzoek, majoor, zal ik u dat laten weten, goed?'

'Dat zou ik bijzonder op prijs stellen, sir.' Grey stond op en de twee mannen namen beleefd afscheid van elkaar.

Tom Byrd zat buiten op de stoep, nog steeds een beetje bleek om zijn neus, maar wel opgeknapt. Hij sprong meteen overeind en liep achter Grey aan.

Zou Magruder met nuttige informatie komen? vroeg Grey zich af. Er waren zoveel mogelijkheden. Magruder had het over beroving gehad. Misschien... maar gezien O'Connells woeste temperament leek het Grey niet waarschijnlijk dat een bende straatrovers hem had uitgekozen – er liepen wel makkelijker slachtoffers rond.

Maar wat als O'Connell erin was geslaagd de meesterspion – als die bestond, voegde Grey er in gedachten aan toe – te ontmoeten, zijn documenten aan hem had overhandigd en een som geld had ontvangen?

Hij overwoog de mogelijkheid dat de meesterspion O'Connell had vermoord om zijn geld terug te krijgen of een risicofactor het zwijgen op te leggen – maar waarom had hij in dat geval O'Connell niet gewoon meteen vermoord en de documenten meegenomen? Welnu... als O'Connell zo verstandig was geweest de documenten niet bij zich te dragen, en de meesterspion wist dit, zou hij er hoogstwaarschijnlijk voor hebben gezorgd de goederen eerst in handen te krijgen, alvorens de nodige stappen te ondernemen om zich van de boodschapper te ontdoen.

Tevens was het zo dat als iemand anders erachter was gekomen dat O'Connell in het bezit was van een aardige som geld, hij kon zijn vermoord tijdens een beroving die verder niets te maken had met de gestolen rekwisities. Maar de manier waarop het lichaam was toegetakeld suggereerde dat degene die de moord had gepleegd er zeker van wilde zijn dat O'Connell dood was. Toevallige berovers zouden zich daar niet druk om hebben gemaakt; die zouden O'Connell een klap op zijn kop hebben gegeven en ervandoor zijn gegaan, zich niet bekommerend om de vraag of hij nog leefde of niet.

Een meesterspion zou zich daar wel van hebben willen verzekeren. Aan de andere kant – zou een meesterspion gebruik hebben gemaakt van de diensten van derden? Want het was wel duidelijk dat O'Connell tegenover meer dan één aanvaller had gestaan – en aan de toestand van zijn handen te zien had hij zijn sporen op hen achtergelaten.

'Wat denk jij, Tom?' vroeg hij, meer als een manier om zelf zijn gedachten op een rijtje te zetten dan omdat hij Byrds mening wilde weten. 'Als geheimhouding een belangrijke overweging was, had de moordenaar dan niet beter een wapen kunnen gebruiken? Een man doodslaan gaat over het algemeen met een hoop lawaai gepaard. Dat trekt immers alleen maar een heleboel ongewenste aandacht, denk je ook niet?'

'Zeker, mylord. Dat zal best. Maar aan de andere kant...'

'Ja?' Hij keek over zijn schouder naar Byrd, die zijn pas versnelde om naast Grey te komen lopen.

'Nou, het is alleen dat... let wel, ik hebt – heb, bedoel ik – nog nooit een man dood zien slaan. Maar wanneer je een varken wilt doden, krijg je alleen maar een heleboel verschrikkelijk gekrijs als je het verkeerd doet.'

'Verkeerd doet?'

'Ja, mylord. Als je het goed doet, is er niet meer voor nodig dan één goedgeplaatste klap. Het varken heeft niet eens in de gaten wat er gebeurt en maakt nauwelijks geluid. Maar wanneer je het door iemand laat doen die niet weet hoe het moet, of die niet sterk genoeg is...' Byrd trok een gezicht bij de gedachte aan zoveel onbenul. 'Dan krijg je een kabaal waarbij horen en zien je vergaat. Aan de overkant van de zaak van mijn vader zit een slager,' legde hij uit. 'Ik heb vaak genoeg gezien hoe ze varkens doodmaken.'

'Daar zit wat in, Tom,' zei Grey langzaam. Als beroving of moord het doel was geweest, had de moordenaar dat met veel minder gedoe kunnen bereiken. Ergo, wat Tim O'Connell was overkomen was hoogstwaarschijnlijk een ongeluk geweest tijdens een knokpartij of een opstootje... Maar het feit bleef dat het lichaam was verplaatst nadat de dood was ingetreden. Waarom?

Zijn overpeinzingen werden onderbroken door het geluid van een geagiteerde woordenwisseling in het steegje dat naar de achterzijde van de gevangenis voerde.

'Wat doe jij hier, Ierse hoer?'

'Ik heb het volste recht om hier te zijn – en dat kan ik van jou niet zeggen, smerige dievegge!'

'Pokkewijf!'

'Vuil kreng!'

Toen hij de bron van het lawaai bereikte, zag Grey Timothy O'-Connels gesloten kist midden op straat staan, omringd door mensen. In het midden van de menigte stond de zwangere gestalte van mevrouw O'Connell, gehuld in een zwarte omslagdoek, met gebalde vuisten tegenover een andere vrouw, eveneens in het zwart gekleed.

De dames waren niet alleen, zag hij; Scanlon de apotheker deed vergeefse pogingen mevrouw O'Connell weg te trekken bij haar tegenstandster, daarbij geholpen door een grote, grof gebouwde Ierse priester. De tweede vrouw had eveneens versterkingen meegebracht, in de persoon van een kleine, dikke geestelijke, met een hoog halsboordje en een roestbruine mantel, die zich eerder leek te amuseren om de uitgewisselde beleefdheden dan dat hij zich er druk om maakte. Een aantal andere mensen, waarschijnlijk rouwdragers die voor de begrafenis van sergeant O'Connell waren gekomen, verdrongen zich in het steegje achter de beide vrouwen.

'Neem die ellendige vrienden van je maar weer mee en maak dat je wegkomt! Hij was mijn man, niet de jouwe!'

'Ja, en wat een liefhebbende echtgenote ben jij voor hem geweest! Je gaf niet eens genoeg om hem om de modder van zijn gezicht te komen wassen toen ze hem uit het water haalden! Ik ben degene geweest die hem netjes heeft afgelegd en ik ben degene die hem gaat begraven! Echtgenote! Ha!'

Tom Byrd stond met open mond te kijken onder de overhangende dakrand van de schuur. Hij keek Grey met grote ogen aan.

'En ik heb zijn kist betaald – denk je dat ik jou daarmee aan de haal laat gaan? Grote kans dat je het lijk aan een paardenslager geeft en de kist verkoopt, inhalig kreng! Een man van zijn vrouw afpakken zodat je hem helemaal kaal kunt plukken –'

'Hou je smoel!'

'Hou zelf je grote bek!' gilde de weduwe O'Connell, en haalde wild uit naar de andere vrouw, die haar behendig wist te ontwijken. Toen hij de toeschouwers van beide zijden zag opdringen, sprong Grey tussen de beide vrouwen in.

'Mevrouw,' begon hij terwijl hij mevrouw O'Connell vastberaden bij haar arm greep. 'U moet –' Zijn vermaning werd onderbroken door een snelle elleboogstoot in zijn maag die hij absoluut niet had zien aankomen. Hij wankelde een stap naar achteren en trapte per ongeluk op de teen van de priester, die op één been op en neer begon te springen, onder het slaken van godslasterlijke kreten in, naar Grey veronderstelde, de Ierse taal.

Deze werden echter al snel overstemd door de godslasteringen die de beide dames elkaar, in een onsamenhangende stortvloed van beledigingen, naar het hoofd slingerden.

De eerste klap op een wang klonk als een pistoolschot, en vervolgens barstte er een oorverdovend gekrijs los toen de vrouwen klauwend en schoppend met elkaar op de vuist gingen. Grey probeerde de mouw van de andere vrouw te grijpen, maar die werd uit zijn hand getrokken en hij kwam hard in aanraking met een muur. Vervolgens liet iemand hem struikelen, zodat hij zijn evenwicht verloor en tegen de schuur viel.

Grey wankelde, maar sprong onmiddellijk weer op en trok in een vloeiende beweging, die het metaal liet zingen, zijn zwaard. Het ijle geluid sneed door het kabaal in de steeg als een mes door boter, en zorgde ervoor dat de vrouwen elkaar loslieten. In het ogenblik stilte dat volgde, ging Grey tussen de vrouwen in staan en keek met een woedende blik van de een naar de ander.

Hij wist dat hij in elk geval tijdelijk een eind aan het gevecht had gemaakt en wendde zich tot de onbekende vrouw. Zij was stevig gebouwd en had zwart krullend haar, waarop zij een breedgerande hoed droeg die haar gezicht verhulde, maar niet haar houding, die uitermate strijdlustig was.

'Mag ik misschien uw naam weten, mevrouw? En de reden van uw komst?'

'Ze is gewoon een goedkope slet, wat anders?' klonk mevrouw O'Connels stem achter hem, vol minachting, maar beheerst.

Nadat hij het verhitte antwoord van de andere vrouw had afgekapt met een gebiedende beweging van zijn zwaard, wierp hij een geërgerde blik over zijn schouder.

'Ik stelde de vraag aan deze dame – als u mij toestaat, mevrouw O'Connell.'

'Het is mevrouw Scanlon, mylord.' De stem van de apotheker was meer dan beleefd, maar er klonk ook een bepaalde zelfgenoegzaamheid in door.

'Pardon?' Volkomen verrast draaide hij zich om naar Scanlon en de weduwe. Kennelijk was de andere vrouw al even geschokt, want behalve een luid 'Wat?' achter hem, zei ze niets.

Scanlon hield Francine O'Connell bij de arm; hij pakte haar wat steviger vast en maakte een buiging voor Grey.

'Ik heb de eer u voor te stellen aan mijn vrouw, sir,' zei hij ernstig. 'Wij zijn gisteren voor de burgerlijke stand getrouwd, en vader Doyle hier heeft de plechtigheid voltrokken.' Hij knikte naar de grote Ier, die terugknikte, maar intussen de punt van Grey's degen nauwlettend in de gaten hield.

'Zo, dus je kon niet wachten tot die ouwe Tim onder de aarde lag, hè? En wie is er hier dan de slet, dat zou ik wel eens willen weten, met je opgezwollen pens!'

'Ik ben een getrouwde vrouw – twee keer getrouwd zelfs! En jij, schaamteloze –'

'Och, Francie, Francie.' Scanlon sloeg zijn armen om zijn woedende vrouw en troonde haar mee. 'Laat nu maar, lieveling, laat nu maar. Je wilt toch niet dat de kleine iets overkomt, wel?'

Bij deze herinnering aan haar kwetsbare toestand hield Francine op, hoewel ze wel bleef staan briesen, een beetje als een stier die indringers uit zijn weiland heeft gejaagd en vast van plan is erop toe te zien dat ze wegblijven.

Toen Grey zich weer omdraaide naar de andere vrouw, wilde ze net haar mond opendoen. Hij zette de punt van zijn degen tegen haar borst, waarmee hij haar protesten in de kiem smoorde en haar een kort en verschrikt *'Iek!'* ontlokte.

'En wie mag u dan wel zijn?' vroeg hij, aan het eind van zijn geduld.

'Iphigenia Stokes,' antwoordde zij verontwaardigd. 'Hoe durft u mij zomaar te bedreigen?' Ze deed een stap naar achteren en sloeg naar zijn zwaard met een hand die er grof en rood uitzag, iets dat niet verhuld kon worden door de zwarte handschoenen zonder vingers die zij droeg.

'En wie bent *u*?' Grey haalde uit naar de kleine geestelijke, die stilletjes van de voorstelling had staan genieten op een veilig plekje achter een ton.

'Ik?' De geestelijke keek verbaasd op, maar boog welwillend. 'Eerwaarde Cobb, sir, dominee van St. Giles. Mij is gevraagd de begrafenisplechtigheid te leiden van wijlen meneer O'Connell, op verzoek van juffrouw Stokes, die naar ik heb begrepen een innige vriendschap met de overledene onderhield.'

'*Wat?* Een verrekte *protestant?*' Francine O'Connell-Scanlon richtte zich bevend van woede tot haar volle lengte op. Meneer Cobb keek behoedzaam in haar richting, maar leek zichzelf veilig genoeg te voelen op zijn plekje, want hij maakte een beleefde buiging voor haar.

'De teraardebestelling zal plaatsvinden op het kerkhof van St. Giles, mevrouw – dus als u en uw man de plechtigheid willen bijwonen?'

Hierop begon de hele Ierse afvaardiging zich naar voren te dringen, kennelijk met de bedoeling de kist te grijpen en met grof geweld mee te nemen. Het gezelschap van juffrouw Stokes kwam echter eveneens onverdroten naar voren en enkele van de mannen trokken zelfs alvast planken uit een ingezakte schutting om hun als knuppels te dienen.

Juffrouw Stokes moedigde haar troepen aan met kreten als 'katholieke hoer!' terwijl meneer Scanlon maar geen besluit leek te kunnen nemen en niet alleen zijn vrouw probeerde weg te trekken uit de menigte, maar tegelijkertijd met zijn vrije vuist in de richting van de protestanten zwaaide en een bonte verzameling Ierse verwensingen ten gehore bracht.

Met visioenen van een bloedig handgemeen voor ogen, sprong Grey boven op de kist, zwaaide woest met zijn zwaard om zich heen en dreef iedereen terug.

'Tom!' riep hij. 'Ga de politie halen!'

Tom Byrd had niet op instructies gewacht, maar was kennelijk meteen al versterkingen gaan halen; Grey had het woord 'politie' nog maar nauwelijks uitgesproken of hij hoorde het geluid van rennende voetstappen al aankomen. Hoofdagent Magruder en enkele van zijn mannen stormden, gewapend met knuppels en pistolen, het steegje binnen, op de voet gevolgd door een hijgende Tom Byrd.

Toen zij de gewapende agenten zagen aankomen, gingen de vechtende begrafenisgasten ogenblikkelijk uiteen, terwijl de messen als bij toverslag verdwenen en de knuppels met onverschillige nonchalance op de grond werden gegooid.

'Hebt u problemen, majoor?' riep Magruder, die duidelijk geamuseerd heen en weer keek tussen de twee concurrerende weduwen en Grey op zijn hachelijke plek.

'Nee, sir... dank u,' antwoordde een hijgende Grey beleefd. Hij voelde de goedkope planken van de kist akelig kraken onder zijn gewicht en het zweet gutste over zijn rug. 'Maar als u zo vriendelijk zou willen zijn daar nog even te blijven staan?'

Hij haalde diep adem en stapte voorzichtig van de kist. Hij was door een plas gerold; het zitvlak van zijn broek was kletsnat en hij voelde dat de mouwnaad onder zijn rechteroksel het had begeven. Verdomme, wat nu?

Hij neigde naar de eenvoud van een Salomonsoordeel dat allebei de vrouwen een helft van Tim O'Connell zou toekennen, en verwierp dit idee alleen omdat het te veel tijd zou vergen en omdat zijn degen volkomen ongeschikt was om een dergelijke verdeling mee te verrichten. Als de weduwen hem echter nog meer problemen bezorgden, zou hij Tom er ogenblikkelijk op uit sturen om een slagershakmes te gaan halen, dat nam hij zich heilig voor.

Hij zuchtte, stak zijn degen weg en wreef met een wijsvinger over het plekje tussen zijn wenkbrauwen.

'Mevrouw Scanlon.'

'Ja?' De zwellingen in haar gezicht waren al iets afgenomen; haar ogen waren nog steeds spleetjes, maar nu van achterdocht en woede.

'Toen ik twee dagen geleden bij u langskwam, weigerde u het geldbedrag dat de kameraden van uw man bijeen hadden gebracht omdat u geloofde dat uw man zich in de hel bevond en omdat u geen geld wenste te verspillen aan missen en kaarsen. Is dat correct?'

'Jazeker,' gaf zij schoorvoetend toe. 'Maar –'

'Goed dan. Indien u ervan overtuigd bent dat hij zich op dit moment in infernale regionen bevindt,' zei Grey, 'dan is dat ongetwijfeld een permanente verblijfplaats. Zijn lichaam op een bepaalde plaats, of met katholieke rituelen begraven, zal dan zeker geen verandering meer brengen in zijn ongelukkig lot.'

'Wij weten natuurlijk nooit zeker of de ziel van een zondaar naar de hel is gegaan,' wierp de priester tegen, die opeens zijn vooruitzichten op een beloning voor de teraardebestelling van O'Connell in gevaar zag komen. 'Gods wegen zijn voor ons mensen ondoorgrondelijk, en voor hetzelfde geld heeft die arme Tim O'Connell op het allerlaatste moment spijt gekregen van zijn slechtheid, een volmaakte Acte van Berouw afgelegd, en is hij in de armen van de engelen regelrecht naar het paradijs gedragen!'

'Uitstekend.' Grey greep, zoals een luipaard zijn prooi bespringt, deze onvoorzichtige speculatie onmiddellijk met beide handen aan. 'Als hij in het paradijs is, heeft hij al helemaal geen behoefte meer aan aardse bemiddeling. Dus' – hij maakte een overdreven vormelijke buiging voor de Scanlons en hun priester – 'volgens u is de overledene òf verdoemd òf verlost, maar in elk geval één van die twee. Terwijl *u*' – hij richtte zich tot juffrouw Stokes – 'van mening bent dat Tim O'Connell zich wellicht in de een of andere tussenfase bevindt waar bemiddelende handelingen wellicht nog enig effect kunnen hebben?'

Juffrouw Stokes bleef hem een ogenblik met half openhangende mond staan aankijken.

'Ik wil hem gewoon netjes begraven,' zei ze, opeens heel gedwee. 'Sir.'

'Welnu. Ik vind dat u, mevrouw' – hij wierp een scherpe blik op de kersverse mevrouw Scanlon – 'tot op zekere hoogte uw wettelijke rechten in deze kwestie hebt verspeeld nu u met meneer Scanlon bent getrouwd. Als juffrouw Stokes u nu eens de kosten van de kist vergoedt, gaat u daar dan mee akkoord?'

Grey keek naar de Ierse afvaardiging en zag dat iedereen hem onvriendelijk aankeek, maar niemand zei iets. Scanlon keek eerst naar de priester, toen naar zijn vrouw en tenslotte naar Grey en knikte vervolgens bijna onmerkbaar.

'Neem hem maar mee,' zei Grey tegen juffrouw Stokes terwijl hij met een kort gebaar naar de kist een stapje naar achteren deed. Daarna liep hij met zijn hand op zijn zwaard op Scanlon af, maar hoewel er hier en daar wel wat werd gemopperd en gesputterd, leek geen van de Ieren van plan te zijn verder te gaan dan wat gemompelde beledigingen toen juffrouw Stokes' metgezellen bezit namen van het zwaar bevochten stoffelijk overschot.

'Mag ik u feliciteren met uw huwelijk, sir?' zei hij hoffelijk.

'Dank u vriendelijk, sir,' zei Scanlon, al even beleefd. Naast hem stond Francine te koken van woede onder haar grote zwarte hoed.

Zwijgend keken ze toe hoe Tim O'Connell werd weggedragen. Iphigenia Stokes hield zich verrassend waardig in haar triomf, vond Grey; zij keek niet naar de verslagen Ieren en maakte geen enkele opmerking in hun richting, en haar gezelschap volgde haar voorbeeld en tilde de kist in stilte op. Juffrouw Stokes nam haar plaats als rouwende weduwe in en de kleine stoet zette zich in beweging. Op het laatste moment waagde de eerwaarde meneer Cobb zich aan een korte blik achterom en wuifde bij wijze van afscheid heel even naar Grey.

'God hebbe zijn ziel,' zei vader Doyle vroom en sloeg een kruisje toen de kist aan het eind van de steeg uit het zicht verdween.

'Dat God hem laat rotten in de hel,' zei Francine O'Connell-Scanlon. Ze wendde haar gezicht af en spuwde op de grond. 'En *haar* ook.'

Het middaguur had nog niet geslagen en de herbergen waren nog grotendeels verlaten. Hoofdagent Magruder en zijn mannen gingen graag in op de uitnodiging iets te gaan drinken in de Blue Swan, als beloning voor hun hulp, waarna zij weer aan het werk gingen. Nu kon Grey tenminste zijn jas uittrekken en een rustig plekje opzoeken voor enige herstelwerkzaamheden aan zijn kleding.

'Zo te zien ben je al even handig met naald en draad als met een scheermes, Tom.' Grey zat op zijn gemak onderuitgezakt op een bank in de verlaten gelagkamer van de herberg en begon weer wat bij te komen met een tweede pint donker bier. 'En dan heb ik het nog niet eens over je snelheid, zowel van begrip als wat betreft voetenwerk. Als jij niet meteen naar Magruder was gegaan, had ik nu waarschijnlijk met gestrekte oren in die steeg gelegen, zo koud als de tarbot van gisteren.'

Tom Byrd zat over de uniformjas gebogen die hij probeerde te repareren bij het slechte licht dat door een glas-in-loodraam naar binnen viel. Hij keek niet op van zijn werk, maar er verspreidde zich langzaam een tevreden grijns over zijn platte, brede gezicht.

'Tja, ik zag natuurlijk wel dat u de situatie goed in de hand had, mylord,' zei hij tactvol, 'maar het waren wel erg veel Ieren, om nog maar niet te spreken van die Fransozen.'

'Fransozen?' Grey drukte een vuist tegen zijn mond om een oprisping te onderdrukken. 'Wat, dacht je dat die vrienden van juffrouw Stokes Fransen waren? Waarom?'

Byrd keek verbaasd op. 'Nou, omdat ze Frans met elkaar spraken – in elk geval een paar van hen. Twee kerels met donker, krullend haar, die eruitzagen alsof ze familie waren van juffrouw Stokes.'

Nu was het Grey's beurt om verbaasd te zijn. Hij fronste peinzend zijn wenkbrauwen en probeerde zich vergeefs te herinneren of er gedurende de onverkwikkelijke affaire opmerkingen in het Frans waren gemaakt. De twee donkere mannen die Tom beschreef waren hem wel opgevallen. Zij hadden vlak achter hun – zuster, nicht? – gestaan, en Tom had gelijk; er was een onmiskenbare familiegelijkenis, alleen hadden zij meer weg gehad van –

Opeens bedacht hij zich iets. 'O,' zei hij, 'klonk het misschien een beetje zo?' Hij citeerde een korte passage van Homerus en deed zijn best er een plat Engels accent in aan te brengen.

Toms gezicht lichtte op en hij knikte heftig, met een uiteinde van het garen in zijn mond.

'Ik vroeg me al af hoe ze aan Iphigenia was gekomen,' zei Grey glimlachend. 'Ze zag er immers niet uit als een vrouw met een vader die de klassieken had bestudeerd. Het is Grieks, Tom,' verduidelijkte hij, toen hij zag dat zijn jonge lijfknecht er niets van begreep. 'Waarschijnlijk hebben juffrouw Stokes en haar broers – als ze dat zijn – een Griekse moeder of grootmoeder, want dat Stokes een Engelse naam is staat vast.'

'O, Grieks,' zei Tom onzeker, kennelijk niet geheel op de hoogte van de verschillen tussen die taal en enig ander Frans dialect. 'Natuurlijk, mylord.' Hij trok voorzichtig een stukje draad van zijn lip en schudde de plooien van de jas uit. 'Zo, mylord; ik zal niet zeggen dat hij zo goed als nieuw is, maar u kunt hem in elk geval dragen zonder dat de voering eruit komt.'

Grey knikte dankbaar en schoof een volle kroes bier in Toms richting. Hij trok de gerepareerde jas voorzichtig aan en inspecteerde de gescheurde naad. Het was niet bepaald kleermakerswerk, maar de reparatie zag er stevig genoeg uit.

Hij vroeg zich af of het de moeite zou lonen om Iphigenia Stokes eens wat nader te onderzoeken; als ze inderdaad familiebanden had in Frankrijk, zou dat te maken kunnen hebben met O'Connells verraad – als hij een verrader was geweest – en had het hem wellicht een manier verschaft om zich van de informatie uit Calais te ontdoen. Maar Grieks... dat suggereerde dat vader Stokes misschien een zeeman was geweest. En eerder op een koopvaardijschip dan bij de marine, als hij een buitenlandse vrouw had meegenomen.

Ja, het leek hem wel nuttig om de familie Stokes eens onder de loep te nemen. Varen zat vaak in de familie en hoewel hij gezien de omstandigheden de mensen maar heel oppervlakkig had kunnen bestuderen, had hij toch het idee dat een paar van de mannen in het gezelschap van Stokes eruit hadden gezien als zeelui; hij wist zelfs zeker dat een van hen een gouden ring in zijn oor had gehad. En zeelui hadden de mogelijkheid informatie uit Engeland mee te smokkelen, hoewel in dat geval –

'Mylord?'

'Ja, Tom?' Hij fronste bij de verstoring van zijn overpeinzingen, maar antwoordde toch vriendelijk.

'Ik zat te denken... toen ik die dooie vent zag, bedoel ik –'

'Sergeant O'Connell, bedoel je?' verbeterde Grey hem. Hij hoorde een overleden krijgsmakker niet graag 'die dooie vent' noemen, of hij nu een verrader was geweest of niet.

'Ja, mylord.' Tom nam een grote slok van zijn bier en keek Grey toen recht in de ogen. 'Denkt u dat mijn broer ook dood is?'

Op die vraag had hij even niet gerekend. Hij trok de schouders van zijn jas recht en bedacht wat hij moest zeggen. Eerlijk gezegd dacht hij niet dat Jack Byrd dood was; hij was het met Harry Quarry eens dat de man zich waarschijnlijk had aangesloten bij degenen die Tim O'Connell hadden vermoord – of dat hij de sergeant zelf had omgebracht. Geen van beide mogelijkheden was echter erg geruststellend voor Jack Byrds broer.

'Nee,' zei hij langzaam. 'Dat denk ik niet. Als hij was vermoord door degenen die sergeant O'Connels dood op hun geweten hebben, denk ik dat zijn lichaam wel ergens in de buurt was gevonden. Ik kan geen reden verzinnen waarom ze het zouden willen verstoppen, jij wel?'

De schouders van de jongen ontspanden zich enigszins en hij schudde zijn hoofd, waarna hij nog een slok bier nam.

'Nee, mylord.' Hij veegde met de rug van zijn hand zijn mond af. 'Maar – als hij niet dood is, waar denkt u dan dat hij is?'

'Dat weet ik niet,' antwoordde Grey naar waarheid. 'Ik hoop dat we daar snel achter zullen komen.' Opeens bedacht hij zich dat als Jack Byrd nog in Londen was, diens broer hem, bewust of onbewust, misschien kon helpen achter zijn verblijfplaats te komen.

'Kan jij misschien plekken bedenken waar je broer naar toe kan zijn gegaan? Als hij... bang zou zijn, of zoiets? Of als hij het gevoel zou hebben in gevaar te zijn?'

Tom Byrd wierp hem een scherpe blik toe en hij realiseerde zich dat de jongen veel intelligenter was dan hij aanvankelijk had aangenomen.

'Nee, mylord. Als hij hulp nodig zou hebben... nou, wij zijn thuis met zes broers en dan is er nog mijn vader, en de twee broers van mijn vader en hun zoons; wij zorgen voor elkaar. Maar hij is niet thuis geweest; dat weet ik zeker.'

'Een flink nest met Byrds dus. Heb je je familie nog wel gesproken, dan?' Grey voelde voorzichtig onder de panden van zijn jas; zijn zitvlak was bijna opgedroogd en hij ging tegenover Byrd zitten.

'Ja, mylord. Mijn zus – zij is het enige meisje – kwam afgelopen zondag naar het huis van meneer Trevelyan, met een boodschap voor Jack. Dat was toen meneer Trevelyan zei dat hij sinds de avond van meneer O'Connells dood niets meer van Jack had gehoord.' De jongen schudde zijn hoofd. 'Als Jack in een situatie verzeild zou zijn geraakt waar hij geen raad mee wist en waar pa en wij hem ook niet bij hadden kunnen helpen, dan zou hij naar meneer Trevelyan zijn gegaan. Maar dat heeft hij niet gedaan. Als er iets is gebeurd, dan denk ik dat het heel plotseling is gegaan.'

Een gerinkel in de gang kondigde de terugkeer van het barmeisje aan en voorkwam dat Grey kon antwoorden – wat maar goed was ook, aangezien hij toch niets zinnigs te zeggen had.

'Heb je honger, Tom?' De verse pasteitjes die de vrouw bij zich had waren gloeiend heet en roken smakelijk genoeg, maar Grey's neus was nog verdoofd van de wintergroenolie en de herinnering aan O'Connells lijk lag nog vers genoeg in zijn gedachten om hem elke eetlust te ontnemen.

Hetzelfde leek voor Byrd te gelden, want hij schudde nadrukkelijk zijn hoofd.

'Goed dan. Geef deze dame dan haar naald maar terug, en een fooitje voor haar behulpzaamheid – dan gaan we.'

Grey had de koets niet laten wachten, dus liepen ze terug naar Bow Street, waar ze misschien vervoer konden vinden. Byrd slenterde een eindje achter Grey aan en schopte tegen steentjes; kennelijk maakte hij zich zorgen om zijn broer.

'Was het de gewoonte van je broer regelmatig verslag uit te brengen aan meneer Trevelyan?' vroeg Grey, over zijn schouder kijkend. 'Terwijl hij sergeant O'Connell in de gaten hield, bedoel ik?'

Tom haalde met een ongelukkig gezicht zijn schouders op. 'Kweenie, mylord. Jack heeft me niet verteld waar hij mee bezig was; alleen dat het een speciale opdracht was van meneer Joseph, en dat hij daarom een tijdje van huis zou zijn.'

'Maar nu weet je het wel? Wat hij deed, en waarom?'

Even gleed er een argwanende blik over het gezicht van de jongen. 'Nee, mylord. Meneer Trevelyan heeft alleen gezegd dat ik u moest gaan helpen. Hij heeft er niet bij gezegd waarmee.'

'Juist, ja.' Grey vroeg zich af hoeveel hij de jongen kon vertellen. Het was vooral de ongeruste blik op Tom Byrds gezicht die hem deed besluiten hem alles dan maar te vertellen. Dat wil zeggen, behalve de precieze aard van datgene wat O'Connell vermoedelijk had ontvreemd en Grey's persoonlijke vermoedens wat betreft de rol van Jack Byrd in de kwestie.

'Dus u denkt niet dat die dooie – sergeant O'Connell, bedoel ik – u denkt niet dat hij per ongeluk een klap op zijn hoofd heeft gekregen, mylord?' Byrds sombere bui was opgeklaard; zijn wangen hadden weer wat kleur gekregen en hij liep monter door, geheel opgaand in de details van Grey's verhaal.

'Tja, kijk eens, Tom, dat weet ik nog steeds niet helemaal zeker. Ik had eigenlijk gehoopt een aanwijzing op het lichaam te vinden waaruit zou blijken dat iemand sergeant O'Connell met voorbedachten rade heeft vermoord, maar ik heb niets van dien aard aangetroffen. Aan de andere kant...'

'Aan de andere kant was degene die hem op zijn gezicht heeft getrapt niet erg op hem gesteld,' maakte Tom de gedachte scherpzinnig voor hem af. '*Dat* was geen ongeluk, mylord.'

'Nee, dat was het zeker niet,' antwoordde Grey droogjes. 'Maar dat is gebeurd toen hij al dood was, niet in het vuur van de strijd.'

Tom zette grote ogen op. 'Hoe weet u dat? Mylord?' voegde hij er haastig aan toe.

'Heb je die hakafdruk van dichtbij bekeken? Een paar van de spijkerkoppen hadden de huid gepenetreerd, maar er was geen bloed te zien.'

Tom keek hem aan met een blik waaruit zowel verbazing als argwaan sprak; waarschijnlijk dacht hij dat Grey het woord ter plekke verzon om hem te plagen, maar hij zei alleen: 'O?'

'Inderdaad, o.' Grey vond het vervelend per ongeluk de tekortkomingen van Toms woordenschat aan het licht te hebben gebracht, maar besloot het niet erger te maken dan het was en zich dus maar niet te verontschuldigen.

'Doden bloeden niet, zie je – behalve wanneer ze een bijzonder ernstige verwoning hebben opgelopen, zoals het verlies van een ledemaat, en kort daarop worden opgetild. Dan komt er natuurlijk wel wat bloed uit, maar bloed stolt zodra het afkoelt, en –'

Toen hij Tom weer wit zag wegtrekken, kuchte hij en gooide het over een andere boeg. 'Nu denk jij natuurlijk dat de spijkerprikken wel hebben gebloed, maar dat het is weggewassen?'

'O. Eh... ja,' zei Tom zwakjes.

'Dat zou kunnen,' gaf Grey toe, 'maar het is niet erg waarschijnlijk. Hoofdwonden bloeden heel erg – als een rund, zoals ze wel zeggen.'

'Wie dat zegt heeft waarschijnlijk nog nooit een rund zien bloeden,' zei Tom, zich dapper herstellend. 'Ik wel. Het blijft stromen. Je zou er een vat mee kunnen vullen – en wel twee ook!'

Grey knikte. Kennelijk was het niet de gedachte aan bloed waar de jongen niet goed tegen kon.

'Ja, zo gaan die dingen. Ik heb heel goed gekeken, maar geen opgedroogd bloed in het haar van het lijk gevonden en ook niet op het gezicht – hoewel het lichaam verder vrij oppervlakkig was gewassen. Dus ik ben er vrij zeker van dat de hakafdruk pas is gemaakt toen de sergeant al enige tijd was gestopt met ademhalen.'

'Nou, Jack heeft het in elk geval niet gedaan!'

Grey keek hem verbaasd aan. Nu begreep hij wat de jongen dwars zat; behalve zijn bezorgdheid om de vermissing van zijn broer, was Tom kennelijk bang dat Jack Byrd schuldig was aan moord – of er in elk geval van werd verdacht.

'Maar dat wil ik ook helemaal niet suggereren,' antwoordde hij voorzichtig.

'Ik weet zeker dat hij het niet heeft gedaan! Ik kan het bewijzen, mylord!' Meegesleept door zijn hartstochtelijke betoog, greep Byrd hem bij zijn mouw. 'Jack heeft schoenen met vierkante hakken, mylord! Die dooie vent heeft een trap gehad van iemand met ronde hakken! En nog van hout ook, terwijl Jacks schoenen leren hakken hebben!'

Hij zweeg even, hijgend van inspanning, en keek Grey met grote ogen aan, hopend dat hij het met hem eens zou zijn.

'Ik begrijp het,' zei Grey langzaam. De jongen hield nog steeds zijn arm vast. Hij legde zijn eigen hand over die van de jongen en gaf er een zacht kneepje in. 'Ik ben blij dat te horen, Tom. Heel erg blij.'

Byrd bleef hem even onderzoekend staan aankijken en vond toen kennelijk wat hij zocht, want hij slaakte een zucht van verlichting en liet met een beverig knikje Grey's mouw los.

Even later bereikten ze Bow Street en Grey zwaaide met zijn arm om een rijtuig aan te houden, blij met een excuus om het gesprek te staken. Want ook al wist hij zeker dat Tom de waarheid sprak over de schoenen van zijn broer, het feit bleef dat de verdwijning van Jack Byrd nog steeds de voornaamste reden was om aan te nemen dat O'Connells dood geen ongeluk was geweest.

Harry Quarry zat aan zijn bureau te eten en tegelijkertijd wat papierwerk te doen, maar schoof zowel zijn bord als zijn paperassen opzij om te luisteren naar Grey's verslag van sergeant O'Connells dramatische verscheiden.

'"Hoe waagt u het mij zomaar aan te raken?" Zei ze dat echt?' Hij gierde het uit en veegde de tranen van plezier uit zijn ogen. 'Jezus, Johnny, jij hebt een leukere dag gehad dan ik, dat kan ik je wel vertellen!'

'Ik wil het onderzoek naar de persoonlijke aspecten van deze zaak met alle plezier aan je overdragen,' verzekerde Grey hem, zich naar voren buigend om een radijsje uit de restanten van Quarry's maaltijd te vissen. Hij had sinds het ontbijt niets meer gegeten en was uitgehongerd. 'Dat vind ik helemaal niet erg.'

'Nee, nee,' verzekerde Quarry hem. 'Ik pieker er niet over om je deze kans te ontnemen. Wat vind je ervan dat Scanlon en de weduwe kwamen opdagen om O'Connell te begraven?'

Grey haalde zijn schouders op, kauwde op het radijsje en veegde intussen opgedroogde moddervlekken van de panden van zijn jas.

'Hij is nog maar net met O'Connells weduwe getrouwd, een paar dagen na de dood van de sergeant. Ik denk dat hij geen argwaan wilde wekken en hoopte dat mensen hem niet van de moord op de man zouden verdenken als hij het lef had met een vroom gezicht voor de begrafenis te komen opdraven en er zelfs voor te betalen, compleet met priester en alles wat er verder bij komt kijken.'

'Mm.' Quarry knikte, pakte een beboterde asperge van zijn bord en stak die in zijn geheel in zijn mond. 'Pjezeschoenengezien?'

'Scanlons schoenen? Nee, daar kreeg ik de kans niet voor, met die twee harpijen die probeerden elkaar de ogen uit te krabben. Stubbs heeft nog wel naar zijn handen gekeken, toen we in zijn winkel waren. Als Scanlon O'Connell om zeep heeft geholpen, dan heeft iemand anders het zware werk voor hem opgeknapt.'

'Denk je dat hij het gedaan heeft?'

'God mag het weten. Ga jij die muffin nog opeten?'

'Ja,' zei Quarry, en nam er een hap van. Nadat hij de muffin in twee grote happen had verorberd, leunde hij achterover in zijn stoel en keek naar zijn bord alsof hij hoopte er nog iets eetbaars op aan te treffen. 'Dus die nieuwe lijfknecht van je beweert dat zijn broer het niet gedaan kan hebben? Ja, logisch dat hij dat zegt, nietwaar?'

'Misschien – maar voor hem gelden dezelfde argumenten als voor Scanlon; er is meer dan één persoon voor nodig geweest om O'Connell te vermoorden. Voor zover wij weten was Jack Byrd helemaal alleen – en ik kan me gewoon niet voorstellen dat een lakei in zijn eentje de moord op Tim O'Connell kan hebben gepleegd.'

Bij gebrek aan iets beters brak Quarry een afgekloven kippenpoot in tweeën en begon het merg eruit te zuigen.

'Goed,' vatte hij samen terwijl hij zijn vingers aflikte, 'waar het dus op neerkomt is dat Tim O'Connell door twee of meerdere mannen is vermoord, waarna iemand op zijn gezicht heeft getrapt. Vervolgens hebben ze hem een tijdje laten liggen. Enige tijd later echter heeft iemand – misschien degene die hem had vermoord, of iemand anders – hem opgetild en vanaf Puddle Dock in de Fleet Ditch gegooid.'

'Precies. Ik heb de dienstdoend agent gevraagd zijn rapporten door te kijken om te zien of er in de nacht van de moord ergens vechtpartijen zijn gemeld. En verder...' Grey wreef over zijn voorhoofd, vechtend tegen zijn vermoeidheid. 'Verder moeten we volgens mij eens goed naar die Iphigenia Stokes en haar familie kijken.'

'Je denkt toch niet dat zij het heeft gedaan, wel? Een afgewezen vrouw en dat soort dingen – en ze heeft natuurlijk die broers die zeelui zijn. Alle zeelui dragen schoenen met houten zolen; leer is veel te glibberig aan dek.'

Grey keek hem verrast aan. 'Hoe kom jij aan die wijsheid, Harry?'

'Ik ben eens van Edinburgh naar Frankrijk gevaren met een paar nieuwe schoenen met leren zolen,' zei Harry terwijl hij een blaadje sla optilde en er hoopvol onder gluurde. 'De hele reis storm en tot zes keer toe bijna een been gebroken.'

Grey plukte het slablaadje uit Quarry's hand en at het op. 'Daar zeg je wat,' zei hij, de sla doorslikkend. 'En het zou meteen de persoonlijke haat verklaren die uit het misdrijf blijkt. Maar nee, ik kan me niet voorstellen dat juffrouw Stokes de sergeant heeft laten vermoorden. Ik zie Scanlon er wel voor aan zich een houding van godvruchtige deelneming aan te meten om niet verdacht te lijken – maar haar niet. Zij was volkomen oprecht in haar wens om O'Connell fatsoenlijk te begraven; daar ben ik van overtuigd.'

'Mmm.' Quarry wreef peinzend over het litteken op zijn wang. 'Misschien. Maar het zou ook kunnen dat haar mannelijke familieleden erachter zijn gekomen dat O'Connell getrouwd was, en hem voor de familie-eer een kopje kleiner hebben gemaakt. In dat geval zou het zelfs kunnen dat ze het haar niet eens hebben verteld.'

'Daar had ik nog niet aan gedacht,' moest Grey toegeven.

Na er even over nagedacht te hebben, vond hij het om verschillende redenen een aantrekkelijk idee. Het zou een prima verklaring zijn voor de fysieke omstandigheden van de dood van de sergeant; niet alleen de klappen die hij gekregen had, van meerdere personen, maar ook de boosaardigheid van de hakafdruk. En als de moord had plaatsgevonden in of in de buurt van juffrouw Stokes' woning, was het natuurlijk noodzakelijk geweest het lichaam op veilige afstand te dumpen, hetgeen zou verklaren waarom het na het intreden van de dood was verplaatst.

'Dat is helemaal niet zo'n gek idee, Harry. Mag ik Stubbs, Calvert en Jowett hebben om te helpen met het onderzoek?'

'Wie je maar wilt. En intussen blijf je natuurlijk ook naar Jack Byrd zoeken.'

'Jazeker.' Grey doopte zijn wijsvinger in een plasje jus, het enige wat nog op het bord lag, en likte hem af. 'Ik denk dat we de Scanlons verder niet meer hoeven lastigvallen, hoewel ik best iets meer zou willen weten over zijn kennissen en waar zij zaterdagavond waren. Hoe dan ook – hoe zit het eigenlijk met die hypothetische meesterspion?'

Quarry blies zijn wangen bol en slaakte een diepe zucht. 'Daar ben ik mee bezig. Als er iets uitkomt, zal ik het je meteen vertellen. Intussen' – hij schoof zijn stoel naar achteren, stond op en veegde de kruimels van zijn vest – 'moet ik naar een etentje.'

'Weet je zeker dat je je eetlust niet hebt bedorven?' vroeg Grey sarcastisch.

'Ha, ha,' zei Quarry terwijl hij zijn pruik op zijn hoofd zette en zich voorover boog om in de spiegel te kijken die aan de muur bij zijn bureau hing. 'Je denkt toch zeker niet dat een mens iets te *eten* krijgt tijdens een etentje?'

'Die indruk had ik eigenlijk wel. Vergis ik me?'

'Tja, je krijgt natuurlijk wel iets,' bekende Quarry, 'maar dat duurt altijd uren. Vóór het diner is het niks anders dan een slokje wijn en kleine toastjes met kappertjes – daar hou je nog geen vogeltje mee in leven.'

'Wat voor vogeltje?' vroeg Grey, met een blik op Quarry's gespierde maar aanzienlijke achterwerk. 'Een vette gans?'

'Zin om mee te gaan?' Quarry richtte zich weer op en trok zijn jas aan. 'Het kan nog, hoor.'

'Nee, dank je.' Grey stond op en rekte zich uit. Hij voelde elk botje in zijn rug kraken van inspanning. 'Ik ga naar huis, voordat ik omkom van de honger.'

5 Eine Kleine Nachtmusik

Het was al helemaal donker toen Grey terugkeerde naar het huis van zijn moeder in Jermyn Street. Ondanks zijn honger was hij opzettelijk laat naar huis gegaan, aangezien hij geen zin had zijn moeder of Olivia onder ogen te komen voordat hij had besloten hoe hij de kwestie met Joseph Trevelyan ging aanpakken.

Hij was echter niet laat genoeg. Tot zijn ergernis zag hij achter alle ramen nog licht branden en bij de voordeur stond een lakei in livrei, die kennelijk de taak had uitgenodigde gasten binnen te laten en ongenode gasten te weren. Binnen hoorde hij iemand zingen, begeleid door de klanken van een fluit en een klavecimbel.

'O, God. Het is toch geen woensdag, wel, Hardy?' smeekte hij, de trap oplopend naar de lakei, die hem vriendelijk toelachte en met een buiging de deur voor hem openhield.

'Jazeker, mylord. De hele dag al, ben ik bang.'

Over het algemeen had hij wel plezier in zijn moeders wekelijkse muziekavondjes. Op dit moment was hij echter niet in de stemming voor gezelligheid. Het liefst zou hij naar de Beefsteak gaan en daar de nacht doorbrengen – maar dat betekende dat hij weer helemaal terug moest, de hele stad door, en hij was werkelijk uitgehongerd.

'Ik glip wel snel de keuken binnen,' zei hij tegen Hardy. '*Niet* tegen de gravin zeggen dat ik er ben.'

'Natuurlijk niet, mylord.'

Hij sloop zachtjes de foyer binnen en bleef even staan om de situatie in ogenschouw te nemen. Vanwege het warme weer stonden de deuren in de grote salon wijd open, om te voorkomen dat de gasten zouden stikken. De muziek, een naargeestig Duits duet met een refrein van '*Den Tod*' – 'O, Dood' – zou het geluid van zijn voetstappen gemakkelijk overstemmen, maar hij zou wel voor iedereen zichtbaar zijn tijdens de twee seconden die hij nodig had om door de foyer naar de gang te rennen die naar de keukens voerde.

De geuren van gebraden vlees en gestoomde pudding die hem tegemoet kwamen vanaf de andere kant van het huis, deden hem het water in de mond lopen, en hij slikte.

Door de half open deur van de bibliotheek, aan de andere kant van de foyer, zag hij Thomas, een van de andere lakeien, staan. De lakei stond met zijn rug naar de deuropening, met in zijn handen een Zwabische legerhelm, opzichtig verguld en versierd met een enorme bos geverfde pluimen. Hij stond zich kennelijk af te vragen waar hij het potsierlijke voorwerp moest laten.

Grey drukte zich tegen de muur en sloop verder de foyer in. Hij had een plan. Als hij de aandacht van Thomas kon trekken, kon hij de lakei als schild gebruiken om de foyer over te steken, zodat hij het trappenhuis kon bereiken en de veiligheid van zijn eigen kamer kon opzoeken, waarna Thomas vervolgens heel discreet een dienblad met eten uit de keuken kon gaan halen.

Dit ontsnappingsplan werd echter gedwarsboomd door de plotselinge verschijning van zijn nicht Olivia boven aan de trap, elegant in amberkleurige zijde, het blonde haar glanzend onder een kanten kapje.

'John!' riep ze stralend uit toen zij hem zag. 'Je bent er! Ik hoopte zo dat je op tijd thuis zou zijn!'

'Op tijd waarvoor?' vroeg hij, met een onheilspellend gevoel.

'Om te zingen, natuurlijk.' Ze kwam huppelend de trap af en pakte hem vol genegenheid bij zijn arm. 'We hebben een Duitse avond – en jij zingt de *Lieder* zo mooi, Johnny!'

'Met vleien bereik je niets,' zei hij, onwillekeurig glimlachend. 'Ik kan niet zingen, en ik kom om van de honger. Bovendien is het toch zeker al bijna afgelopen?' Hij knikte naar de staande klok bij de trap, die een paar minuten over elf aanwees. Het souper werd bijna altijd om half twaalf opgediend.

'Als jij gaat zingen, blijven ze beslist allemaal luisteren. Dan kan je daarna eten. Tante Bennie heeft werkelijk een fantastische lichte maaltijd georganiseerd – de grootste pudding die ik ooit heb gezien, met jeneverbessen, en lamskoteletjes met spinazie, en coq au vin, en ook nog een soort absoluut walgelijke worstjes – voor de Duitsers, begrijp je...'

Bij deze verleidelijke opsomming van heerlijkheden begon Grey's maag luid te rammelen. Hij zou echter nog steeds hebben geweigerd, ware het niet dat hij juist op dat moment een bejaarde dame met een bosje struisvogelveren in haar keurige pruik door de openslaande deuren van de salon binnen zag komen.

De menigte barstte los in een luid applaus, maar de dame leek zijn aanwezigheid te voelen en keek om en Grey zag haar gezicht onmiddellijk oplichten van plezier.

'Ze had al gehoopt dat je zou komen,' fluisterde Olivia achter hem.

Niets aan te doen. Met uitermate gemengde gevoelens nam hij Olivia bij de arm en begeleidde haar naar beneden terwijl Hectors moeder zich de salon uit haastte om hem te begroeten.

'Lady Mumford! Uw dienaar, madame.' Hij boog zich glimlachend over haar hand, maar zij moest niets van dit formele gedrag hebben.

'Onzin, lieverd,' zei ze, met die warme hese stem, waarin hij echo's van die van haar overleden zoon herkende. 'Wees een grote jongen en geef me een fatsoenlijke zoen.'

Hij richtte zich op en zoende haar gehoorzaam op haar wang. Zij legde haar handen op zijn wangen en gaf hem een stevige kus op zijn mond. De omhelzing bezorgde hem godzijdank geen herinneringen aan die van Hector, maar bracht hem niettemin behoorlijk van zijn stuk.

'Je ziet er goed uit, John,' zei Lady Mumford terwijl ze een stap naar achteren deed en hem onderzoekend opnam met Hectors blauwe ogen. 'Maar wel een beetje moe. Je hebt het zeker wel druk, nu het regiment zich weer opmaakt voor vertrek?'

'Inderdaad,' antwoordde hij, zich afvragend of heel Londen ervan op de hoogte was dat het 47ste een nieuwe standplaats kreeg. Natuurlijk was Lady Mumford bijna haar hele leven bij het regiment betrokken geweest; zelfs nu haar echtgenoot en zoon allebei dood waren, bleef ze een moederlijke belangstelling koesteren.

'India, heb ik gehoord,' vervolgde Lady Mumford terwijl ze met een lichte frons aan de stof van zijn uniformjas voelde. 'Je hebt toch wel al een nieuw uniform besteld, mag ik hopen? Een mooie, dunne katoen van de allerfijnste kwaliteit voor je hemd en je jas en een linnen kniebroek. Je wilt toch geen zomer onder de Indiase zon meemaken terwijl je tot aan je nek in Engelse wol bent gekleed? Geloof mij nu maar, lieverd; ik ben met Mumford mee geweest toen hij in '35 in India was. Die hitte, de vliegen, het voedsel, we hebben het allebei bijna niet overleefd. Ik heb een hele zomer in mijn onderjurk rondgelopen terwijl ik bedienden water over mijn hoofd liet gieten. Die arme, oude Wally had minder geluk, die liep te zweten in zijn uniform – we hebben de vlekken er nooit meer uitgekregen. Hij dronk niets anders dan whisky en kokosmelk – onthoud dat, jongen, wanneer je daar bent. Voedzaam en opwekkend, zie je, en veel beter voor de maag dan cognac.'

In het besef dat hij slechts de plaats innam van de haar ontvallen geliefden – de schimmen van Hector en zijn vader – onderging hij dit spervuur geduldig. Hij wist dat Lady Mumford het nodig had om te kunnen praten; hij wist echter uit ervaring dat hij niet noodzakelijkerwijze hoefde te luisteren. Hij nam haar hand liefhebbend tussen de zijne, knikte, maakte zo nu en dan zachte geïnteresseerde of instemmende geluidjes, en nam intussen over Lady Mumfords in kant gehulde schouders de rest van het gezelschap in ogenschouw.

Het was de gebruikelijke mengeling van aristocratie en leger, met een enkele vreemde eend in de bijt uit de Londense literaire wereld. Zijn moeder hield veel van boeken en verzamelde graag schrijvers om zich heen, die in onverzorgde hordes op haar avondjes verschenen en haar voor haar overvloedige diners bedankten met met inktvlekken besmeurde manuscripten – en heel af en toe een echt boek – opgedragen aan haar welwillende begunstiging.

Grey keek behoedzaam om zich heen of hij de lange, bleke gestalte van Doctor Johnson ergens zag, die de gewoonte had tijdens het diner het woord te nemen en een declamatie ten gehore te brengen van het een of andere nieuwe epos in wording, elke leemte in de compositie verhullend met grote, dramatische gebaren, waarbij de kruimels in het rond vlogen, maar zo te zien was de woordenboekenschrijver vanavond afwezig. Gelukkig maar, dacht Grey, die zich meteen iets beter voelde. Hij was bijzonder op Lady Mumford gesteld en ook op muziek, maar een verhandeling over de etymologie van de volkstaal was hem echt te veel na de dag die hij achter de rug had.

Aan de andere kant van de kamer zag hij zijn moeder staan, die toezicht hield op de serveertafels terwijl zij tegelijkertijd in gesprek was met een lange militair – aan zijn uniform te zien de Zwabische eigenaar van de gepluimde helm die Grey in de bibliotheek had gezien.

Benedicta, douairière gravin Melton, was aanzienlijk kleiner dan haar jongste zoon, hetgeen haar heel ongemakkelijk ter ooghoogte van het middelste vestknoopje van de Zwaab plaatste. Toen zij een stapje naar achteren zette, omdat haar nek pijn ging doen van het omhoog kijken, kreeg ze John in het oog en onmiddellijk lichtte haar gezicht op van blijdschap. Ze hief met een rukje haar kin op, maakte haar ogen groot en perste haar lippen opeen in een moederlijk bevel waarmee ze, zo duidelijk alsof ze het hardop had gezegd, tegen hem zei: *Kom jij eens met deze verschrikkelijke man praten, zodat ik me om de andere gasten kan bekommeren!*

Grey reageerde met een soortgelijke grimas en een flauw schouderophalen, ten teken dat de beleefdheid vereiste dat hij nog even bleef waar hij was.

Zijn moeder rolde geërgerd haar ogen omhoog en keek toen snel om zich heen, op zoek naar een ander slachtoffer. Toen Grey de richting van haar dreigende blik volgde, zag hij dat deze op Olivia bleef rusten, die het bevel van haar tante correct interpreteerde, na een woord van verontschuldiging haar gesprekspartner verliet en de gravin gehoorzaam te hulp kwam.

'Maar met je ondergoed moet je wachten, dat moet je in India laten maken,' instrueerde Lady Mumford hem. 'In Bombay koop je katoen voor een fractie van de prijs in Londen, en de ongekende luxe van katoen op je huid, lieve jongen, vooral bij overmatige transpiratie... Je zit per slot van rekening niet te wachten op gemene uitslag.'

'Niet bepaald, nee,' mompelde hij, hoewel hij nauwelijks luisterde naar wat ze zei. Want juist op dit onzalige moment viel zijn oog op de man bij wie zijn nichtje zich zojuist had verontschuldigd – een heer in groen brokaat en een gepoederde pruik die haar met peinzend getuite lippen stond na te kijken.

'O, is dat meneer Trevelyan?' Toen ze zijn strakke blik over haar schouder zag, had Lady Mumford zich omgedraaid om te zien wat zijn aandacht zo afleidde. 'Wat doet hij daar, zo helemaal in zijn eentje?'

Voordat Grey iets kon zeggen, had Lady Mumford hem al bij de arm gegrepen om hem vastberaden mee te sleuren naar de heer in kwestie.

Trevelyan had zich gekleed met zijn gebruikelijke elan; zijn knopen waren verguld, stuk voor stuk met een kleine smaragd in het midden, en zijn manchetten waren afgezet met goud kant, terwijl alles was geparfumeerd met een subtiele lavendelgeur. Grey droeg nog steeds zijn oudste uniform, lelijk gekreukt en smoezelig geworden van zijn uitstapjes van vandaag, en terwijl hij over het algemeen geen pruiken droeg, had hij nu niet eens tijd gehad om zijn haar te fatsoeneren, laat staan om het netjes in een staart te binden en te poederen. Hij voelde een losse pluk achter zijn oor bungelen.

Grey voelde zich dus niet erg op zijn gemak, maar maakte een buiging en mompelde wat onbeduidende beleefdheden terwijl Lady Mumford Trevelyan tot in de details begon te ondervragen over zijn aanstaande huwelijk.

Bij het zien van de wellevende manier waarop deze laatste antwoordde, vond Grey het steeds moeilijker te geloven dat hij bij de kamerpotten werkelijk had gezien wat hij meende te hebben gezien. Trevelyan gedroeg zich hoffelijk en goed gemanierd en vertoonde niet het geringste teken van innerlijke onrust. Misschien had Quarry toch wel gelijk: een speling van het licht, fantasie, gewoon een puistje, een moedervlek misschien –

'Ho, majoor Grey! Wij kennen elkaar nog niet, dacht ik? Ik ben Von Namtzen.'

Alsof Trevelyans aanwezigheid al niet lastig genoeg was, viel er een schaduw over Grey en zag hij dat zij gezelschap hadden gekregen van de lange Zwaab, die hem met zijn havikachtige blonde trekken vriendelijk toelachte. Achter Von Namtzen stond Olivia Grey hem hulpeloze blikken toe te werpen.

Grey, die het niet prettig vond als mensen zo dicht bij hem kwamen staan, zette beleefd een stapje naar achteren, maar het was vergeefs. De Zwaab stapte enthousiast naar voren en greep hem in een broederlijke omhelzing.

'Wij zijn bondgenoten!' verkondigde Von Namtzen vol drama tegen alle aanwezigen. 'De leeuw van Engeland en de hengst van Hannover, wie kan daar nog tussen komen?'

Hij liet Grey los, die tot zijn ergernis zag dat zijn moeder de situatie behoorlijk grappig leek te vinden.

'Zo! Majoor Grey, ik heb vanmiddag de eer gehad getuige te zijn van de artillerie-oefeningen in Woolwich Arsenal, in gezelschap van uw kolonel Quarry!'

'Zo zo,' mompelde Grey terwijl hij opeens zag dat een van zijn vestknoopjes ontbrak. Was hij het bij de gebeurtenissen bij de gevangenis kwijtgeraakt, of kwam het door deze gepluimde maniak?

'Wat een gebulder! Ik was er helemaal doof van,' verzekerde Von Namtzen de andere gasten met een stralend gezicht. 'Ik heb de Russische kanonnen ook gehoord, in St. Petersburg – pah! Die stelden niets voor; scheten waren het, hierbij vergeleken.'

Een van de dames giechelde achter haar waaier. Dit leek Von Namtzen aan te moedigen en hij zette zich aan een uitgebreide verhandeling over de militaire persoonlijkheid, waarbij hij zijn ongezouten mening gaf over de kwaliteit van de legers van verschillende naties. Hoewel de opmerkingen van de kapitein duidelijk tot Grey waren gericht en regelmatig werden afgewisseld met uitroepen als: 'Vindt u ook niet, majoor?', klonk zijn stem zo galmend dat hij alle andere gesprekken in zijn directe omgeving overstemde, met als resultaat dat hij al gauw werd omringd door een gezelschap aandachtige toehoorders. Zelf wist Grey zich tot zijn opluchting onopvallend terug te trekken. Deze opluchting was echter van korte duur; op het moment dat hij een glas wijn van een hem voorgehouden dienblad pakte, merkte hij dat hij pal naast Joseph Trevelyan stond en bovendien alleen was met de man, aangezien zowel Lady Mumford als Olivia naar de tafels waren gegaan waarop het eten stond uitgestald.

'De Engelsen?' zei Von Namtzen, in antwoord op een of andere vraag van mevrouw Haseltine. 'Vraag een Fransman wat hij van het Engelse leger vindt, en hij zal u vertellen dat de Engelse soldaat onhandig, lomp en onbehouwen is.'

Grey en Trevelyan keken elkaar aan met een onverwacht wederzijds begrip, verenigd in hun onuitgesproken mening over de Zwaab.

'U zou een Engelse soldaat ook kunnen vragen wat hij van de Fransen vindt,' fluisterde Trevelyan in Grey's oor. 'Maar ik betwijfel of het antwoord geschikt zou zijn voor een salon.'

Grey begon onwillekeurig te lachen. Dit was een tactische misser, want hij trok er meteen Von Namtzens aandacht weer mee.

'Hoe dan ook,' vervolgde Von Namtzen, met een hoffelijk knikje over de hoofden van de andere gasten heen naar Grey, 'wat er verder ook over hen beweerd kan worden, de Engelsen zijn... altijd strijdlustig.'

Grey hief beleefd zijn glas, zonder acht te slaan op zijn moeder, die een vuurrode kleur had gekregen, zoveel moeite kostte het haar haar emoties te bedwingen.

Hij wendde zich half van de Zwaab en de gravin af en stond toen oog in oog met Trevelyan; een ongemakkelijke positie, gezien de omstandigheden. Omdat hij het toch ergens over moest hebben, bedankte hij Trevelyan voor het feit dat deze Byrd naar hem toe had gestuurd.

'Byrd?' zei Trevelyan verbaasd. 'Jack Byrd? Hebt u hem gezien dan?'

'Nee,' antwoordde Grey, eveneens verbaasd. 'Ik heb het over Tom Byrd. Een van uw andere lakeien – hij zegt dat hij een broer is van Jack.'

'Tom Byrd?' Trevelyan fronste zijn donkere wenkbrauwen. 'Hij is inderdaad een broer van Jack Byrd – maar hij is geen lakei. Bovendien... heb ik hem nergens naar toe gestuurd. Gaat u me nu vertellen dat hij zich aan u heeft opgedrongen onder het voorwendsel dat *ik* hem zou hebben gestuurd?'

'Hij beweerde dat kolonel Quarry u een boodschap had gestuurd, om u op de hoogte te brengen van... recente ontwikkelingen,' zei hij behoedzaam terwijl hij een passerende kennis toeknikte. 'En dat u hem vervolgens opdracht had gegeven mij bij mijn onderzoek te helpen.'

Trevelyan zei iets dat Grey meende te herkennen als een godslastering in het Cornisch, en zijn smalle gezicht kleurde rood onder zijn gezichtspoeder. Terwijl hij snel om zich heen keek, trok hij Grey even apart en fluisterde hem toe: 'Harry Quarry heeft me inderdaad laten weten wat er is voorgevallen – maar ik heb niets tegen Byrd gezegd. Tom Byrd is nota bene de jongen die bij mij de laarzen poetst! Niet bepaald iemand die ik in vertrouwen zou nemen!'

'Ik begrijp het.' Grey wreef met de rug van zijn hand langs zijn bovenlip, een onwillekeurige glimlach onderdrukkend bij de herinnering aan de manier waarop Tom Byrd zich tot zijn volle lengte had opgericht en had beweerd lakei te zijn. 'Hij moet er dus op de een of andere manier zelf zijn achter gekomen dat ik belast was met... een bepaald onderzoek. Waarschijnlijk maakt hij zich ernstig zorgen om zijn broer,' voegde hij eraan toe, zich herinnerend hoe bleek en stilletjes de jongeman was geweest bij het verlaten van de gevangenis in Bow Street.

'Dat zal best,' zei Trevelyan, die dit kennelijk niet als een verzachtende omstandigheid beschouwde. 'Maar dat is toch geen excuus. Ik vind het echt ongelooflijk! Als hij er zelf achter is gekomen, dan moet hij in mijn werkkamer zijn geweest en mijn correspondentie hebben gelezen – de brutaliteit! Ik zou hem moeten laten arresteren. En vervolgens zonder mijn toestemming uit mijn huis vertrekken en zich aan u opdringen... Dit is ronduit schandalig! Waar is hij? Breng hem onmiddellijk bij me! Ik zal hem laten geselen en hem zonder getuigschrift de laan uitsturen!'

Trevelyan werd steeds roder. Zijn woede was absoluut gerechtvaardigd, en toch voelde Grey er eigenaardig genoeg weinig voor Tom Byrd aan hem uit te leveren. De jongen moest zich ervan bewust zijn geweest dat hij zijn baantje – en mogelijk zelfs zijn leven – op het spel zette, en toch had hij niet geaarzeld het te doen.

'Een ogenblik alstublieft, sir.' Hij boog voor Trevelyan en liep naar Thomas, die met een dienblad vol drankjes tussen de mensen door liep – en geen moment te vroeg.

'Wijn, mylord?' Thomas hield hem het dienblad uitnodigend voor.

'Ja, als je niets sterkers hebt.' Grey pakte een willekeurig glas en dronk het leeg op een manier die weinig respect toonde voor het wijnjaar, maar wel heel erg noodzakelijk was voor zijn gemoedstoestand. Daarna pakte hij nog een glas. 'Is Tom Byrd in huis?'

'Zeker, mylord. Ik heb hem net nog in de keukens gezien.'

'Aha. Zou jij er dan voor willen zorgen dat hij daar voorlopig blijft?'

'Natuurlijk, mylord.'

Thomas verdween met zijn dienblad en Grey draaide zich, met in elke hand een wijnglas, langzaam om naar Trevelyan. 'Het spijt me,' zei hij, een van de glazen aan Trevelyan aanbiedend. 'De jongen schijnt te zijn verdwenen. Hij zal wel bang zijn geworden dat zijn bedrog zou worden ontdekt.'

Trevelyan had nog steeds een kleur van verontwaardiging, hoewel hij zijn woede inmiddels wist te beheersen. 'Ik moet u mijn verontschuldigingen aanbieden,' zei hij stijfjes. 'Ik betreur deze jammerlijke situatie ten zeerste. Dat een van mijn bedienden u op zo'n manier heeft misleid – een onvergeeflijk bedrog, dat niet te rechtvaardigen valt, onder geen enkele voorwaarde.'

'Ach, ik heb geen last van hem gehad,' zei Grey mild, 'en hij heeft me op zijn manier zelfs geholpen.' Hij streek onopvallend met een duim over zijn kaak en voelde dat die nog steeds glad was.

'Dat maakt niet uit. Hij is met onmiddellijke ingang ontslagen,' zei Trevelyan, met een harde trek om zijn mond. 'En ik smeek u mijn verontschuldigingen te aanvaarden voor deze vervelende overlast.'

Trevelyans reactie verbaasde Grey niet. Wat hem wel verbaasde was de reden voor Tom Byrds gedrag; de jongen moest wel erg gek zijn op zijn broer – en gezien de omstandigheden neigde Grey naar een zekere sympathie voor hem. Ook was hij onder de indruk van de fantasie waarmee de jongen zijn plan had gemaakt – om nog maar niet te spreken over diens stoutmoedigheid het plan ook werkelijk ten uitvoer te brengen.

Nadat hij Trevelyans verontschuldigingen had weggewuifd, probeerde hij over iets anders te beginnen. 'Hebt u vanavond van de muziek genoten?' vroeg hij.

'Muziek?' Trevelyan keek hem een ogenblik niet-begrijpend aan, maar hervond al snel zijn goede manieren. 'Jazeker. Uw moeder heeft een uitstekende smaak – wilt u haar dat namens mij vertellen?'

'Natuurlijk. Eerlijk gezegd verbaast het me ietwat dat mijn moeder nog tijd heeft voor het organiseren van dit soort gelegenheden,' zei Grey, met een handgebaar naar de harpiste, die de achtergrondmuziek verzorgde voor de tafelgesprekken. 'Mijn vrouwelijke familieleden hebben het de laatste tijd zo druk met voorbereidingen voor het huwelijk dat ik niet had verwacht dat ze nog ergens anders tijd voor zouden hebben.'

'O?' Trevelyan fronste zijn wenkbrauwen, in gedachten kennelijk nog bezig met de kwestie van de Byrds. Toen begon het hem te dagen en glimlachte hij, hetgeen zijn hele gezicht transformeerde. 'O, ja, dat zal best. Vrouwen zijn altijd dol op bruiloften.'

'Het huis is van onder tot boven gevuld met bruidsmeisjes, rollen kant en naaisters,' vervolgde Grey luchthartig, intussen Trevelyans gezicht nauwlettend in de gaten houdend, op zoek naar aanwijzingen voor schuldgevoelens of aarzeling. 'Ik kan nergens meer gaan zitten zonder het gevaar te lopen me te bezeren aan spelden en naalden. Maar ik neem aan dat het er bij u thuis ook zo aan toegaat?'

Trevelyan lachte en Grey zag dat hij ondanks zijn alledaagse trekken toch een bepaalde charme bezat.

'Inderdaad,' gaf hij toe. 'Met uitzondering van de bruidsmeisjes. Dat blijft me gelukkig bespaard. Maar binnenkort is het allemaal achter de rug.' Terwijl hij dit zei keek hij met een vaag verlangende blik in Olivia's richting. Dit verraste Grey en stelde hem toch wel een beetje gerust.

Het gesprek eindigde in een uitwisseling van beleefdheden, en Trevelyan nam afscheid van hem, waarna hij, alvorens te vertrekken, nog even met Olivia ging praten. Grey keek hem na, niet zonder bewondering voor de gemakkelijke manier waarop hij met mensen omging, en zich afvragend of een man die wist dat hij een geslachtsziekte onder de leden had zo zorgeloos over zijn aanstaande huwelijk kon praten. Maar hij kon natuurlijk niet om het feit heen dat Quarry dat bordeel in Meacham Street had gevonden – hetgeen nogal in tegenspraak was met Trevelyans vrome belofte aan zijn stervende moeder.

'Godzijdank, hij is eindelijk weg.' Zijn eigen moeder was ongemerkt naast hem komen staan en wuifde zich tevreden koelte toe met haar waaier terwijl ze toekeek hoe kapitein Von Namtzens pluimen van de bibliotheek in de richting van de voordeur dansten.

'Ellendige Duitser,' merkte ze op, met een vriendelijke glimlach een buiging makend voor meneer en mevrouw Hartsell, die eveneens naar huis gingen. 'Heb je die afschuwelijke pommade geroken die hij gebruikt? Ik weet niet wat het voor smerigs was, patchoeli misschien, of civet?' Ze draaide haar hoofd opzij en snuffelde argwanend aan een blauw-damasten schouder. 'Werkelijk, de man stinkt alsof hij rechtstreeks uit een hoerenkast komt. En hij blééf maar aan me zitten, het zwijn.'

'Wat weet jij van hoerenkasten?' wilde Grey weten. Opeens zag hij de glinstering in de ogen van de gravin en haar opkrullende mondhoeken. Zijn moeder was dol op retorische vragen. 'Nee, laat maar,' zei hij haastig. 'Ik wil het niet weten.'

De gravin tuitte liefjes haar lippen, vouwde toen met een klap haar waaier dicht en drukte hem tegen haar lippen ten teken dat ze haar mond zou houden. 'Heb jij al gegeten, Johnny?' vroeg ze, de waaier weer openklappend.

'Nee,' zei hij, zich opeens herinnerend dat hij verging van de honger. 'Daar heb ik nog geen tijd voor gehad.'

'Aha.' De gravin wenkte een van de lakeien naderbij, koos een klein pasteitje uit van zijn dienblad en overhandigde het aan haar zoon. 'Ja, ik zag je met Lady Mumford. Lief van je; het oude mensje is zo dol op je.'

Het oude mensje. Lady Mumford was hooguit een jaar ouder dan de gravin. Grey mompelde een antwoord, gehinderd door het pasteitje. Het was rundvlees met paddestoelen, verrukkelijk in bladerdeeg.

'Maar waarover was je zo hevig in gesprek met Joseph Trevelyan?' vroeg de gravin, haar waaier opheffend ten afscheid van de dames Humber. Ze keek haar zoon aan, trok één wenkbrauw op en begon te lachen. 'Kijk nu toch eens, John, je bloost ervan – je zou bijna denken dat meneer Trevelyan je een oneerbaar voorstel heeft gedaan!'

'Ha, ha,' zei Grey terwijl hij een hap doorslikte, en de rest van het pasteitje ook maar meteen in zijn mond stak.

6 Een bezoek aan het klooster

Uiteindelijk brachten ze pas zaterdagavond een bezoek aan het bordeel in Meacham Street.

De portier wierp Quarry een vriendelijk knikje van herkenning toe – een welkom dat hem ook werd bereid door de hoerenmadam, een vrouw met een brede mond en een dikke kont in een ongewone groen-fluwelen japon, gecompleteerd door een verrassend respectabel ogend met kant afgezet kapje en een halsdoek van dezelfde stof waarmee de japon en het keurslijfje waren afgezet.

'Als we daar Mooie Harry niet hebben!' riep ze uit met een stem die bijna net zo zwaar was als die van Harry zelf. 'Je hebt ons verwaarloosd, ouwe jongen.' Ze gaf Quarry een vriendschappelijke por tussen zijn ribben en trok haar bovenlip op als een oud paard, waarbij ze twee grote, gele tanden ontblootte, zo te zien de twee laatste in haar bovenkaak. 'Hoewel ik geloof dat we je dat maar moesten vergeven, vind je niet, omdat je zo'n lekker ding voor ons meebrengt als deze gentleman hier.'

Zij wendde haar eigenaardig innemende glimlach tot Grey en nam in één sluwe oogopslag zijn zilveren knopen en de fijne batist van zijn kraag en manchetten in zich op.

'En hoe mag jij wel heten, lieve jongen?' vroeg ze terwijl ze hem stevig bij de arm greep en met zich meetrok naar haar kleine salon. 'Ik weet zeker dat ik je hier nooit eerder heb gezien; anders zou ik me die knappe kop zeker herinneren!'

'Dit is Lord John Grey, Mags,' zei Quarry terwijl hij zijn mantel uittrok en over een stoel gooide alsof hij hier thuis was. 'Een hele goede vriend van mij, begrijp je?'

'O, natuurlijk, natuurlijk. Eens even zien wie het meest geschikt is voor je vriend...'

Mags nam Grey op met de keurende blik van een paardenhandelaar op marktdag; hij kreeg het er een beetje benauwd van en vermeed haar blik door belangstelling te veinzen voor de inrichting van de kamer, die op z'n minst excentriek te noemen was.

Hij had al eerder bordelen bezocht, hoewel niet vaak. Dit bordeel was een klasse beter dan de gebruikelijke, met schilderijen aan de muren en een echt Turks tapijt voor een mooie schoorsteenmantel, waarop een verzameling duimschroeven, boeien, tongboren en andere gereedschappen stonden uitgestald waarvan hij niet eens wilde weten waarvoor ze werden gebruikt. Een lapjespoes lag languit uitgestrekt tussen deze voorwerpen, met haar ogen dicht en één pootje lui bungelend boven de vlammen.

'Mooie verzameling, hè?' Mags kwam naast hem staan en knikte naar de schoorsteenmantel. 'Die kleine daar komt uit Newgate; ik heb de boeien van de geselpaal in Bridewell gekocht toen er vorig jaar een nieuwe werd geplaatst.'

'Ze zijn niet om te gebruiken,' fluisterde Quarry in zijn andere oor. 'Gewoon voor de show. Maar als je van dat soort dingen houdt, hebben ze hier een meisje, ene Josephine –'

'Wat een mooie kat,' zei Grey, nogal hard. Hij stak een wijsvinger uit en kriebelde het beestje onder zijn kin. Het liet zich zijn aandacht een ogenblik welgevallen, deed toen zijn felgele ogen open en beet hem.

'Kijk maar liever een beetje uit voor onze Batty,' zei Mags terwijl Grey zijn hand met een uitroep van pijn terugtrok. 'Ze is nogal onbetrouwbaar.' Ze schudde toegeeflijk haar hoofd naar de poes, die alweer lag te doezelen, en schonk twee grote glazen donkerbruin bier in, die ze haar gasten overhandigde.

'Nan zijn we helaas kwijtgeraakt sinds je hier voor het laatst was,' zei ze tegen Quarry. 'Maar ik denk dat Peg je wel zal bevallen, een heel lief meisje uit Devonshire.'

'Blond?' vroeg Quarry geïnteresseerd.

'Maar natuurlijk! En tieten als meloenen.'

Quarry dronk snel zijn glas leeg, zette het neer en liet een bescheiden boer. 'Prachtig.'

Grey slaagde erin Quarry's aandacht te trekken toen deze zich omdraaide om achter Mags aan naar de deur te lopen. 'En Trevelyan dan?' vroeg hij geluidloos.

'Straks,' fluisterde Quarry terug en verdween met een knipoog naar de gang.

Grey zoog peinzend op zijn gewonde vinger. Quarry zou wel gelijk hebben; de kans om informatie los te krijgen was vast groter zodra ze wat geld hadden uitgegeven – en het was natuurlijk verstandig de hoeren persoonlijk te ondervragen; waarschijnlijk lieten de meisjes onder vier ogen meer los dan wanneer de hoerenmadam er met haar professionele discretie bij zat. Hij hoopte alleen maar dat Harry eraan zou denken zijn blondje naar Trevelyan te vragen.

Hij doopte zijn gewonde vinger in het bier en wierp een boze blik naar de poes, die nu op haar rug tussen de duimschroeven lag te rollen, elke nietsvermoedende gast uitnodigend haar zachte buikje te aaien.

'Wat ik al niet voor mijn familie over heb,' mompelde hij somber, en bereidde zich voor op een avondje dubieus plezier.

Hij vroeg zich wel af vanuit welke motieven Harry dit uitstapje had voorgesteld. Hij had geen idee hoeveel Harry van zijn voorkeuren wist of vermoedde. Er waren wel dingen gezegd tijdens de affaire met de Hellfire Club, maar hij had geen idee hoeveel Harry bij die gelegenheid had opgevangen en ook niet hoe hij er tegenover stond.

Aan de andere kant, gezien wat hij van Quarry's eigen karakter en voorkeuren wist, was het niet erg waarschijnlijk dat hij hier bijbedoelingen mee had. Harry hield gewoon van hoeren – nu ja, van alle vrouwen eigenlijk; hij was niet zo kieskeurig.

Toen de hoerenmadam even later terugkwam, stond Grey gefascineerd naar de schilderijen te kijken. Het waren mythologische voorstellingen van middelmatige kwaliteit, maar er sprak een opmerkelijke inventiviteit uit van de kant van de kunstenaar. Grey rukte zijn blik los van een grote voorstelling van een centaur in een amoureuze verstrengeling met een jonge vrouw en besloot Mags' suggesties voor te zijn.

'Jong,' zei hij vastberaden. 'Heel jong. Maar geen kind,' voegde hij er haastig aan toe. Hij haalde zijn vinger uit het glas en likte hem af. 'En wat goede wijn, alstublieft. Veel wijn.'

Tot zijn verrassing was de wijn inderdaad goed; een volle, fruitige rode wijn, waarvan hij de herkomst niet herkende. De hoer was jong, zoals hij had gevraagd, maar eveneens een verrassing.

'Je vindt het toch niet erg dat het een Schotse is, lieverd?' Mags gooide de kamerdeur open en hij zag een mager, donkerharig meisje in elkaar gedoken op het bed zitten, gehuld in een wollen omslagdoek, ondanks de goed brandende open haard. 'Sommige mannen knappen af op dat barbaarse accent, maar ze is een gehoorzaam meisje, Nessie – als je haar zegt dat ze zich *stumm* moet houden, dan doet ze dat.'

De hoerenmadam zette de karaf wijn en de glazen op een klein tafeltje en schonk het hoertje een vriendelijke maar niettemin dreigende glimlach, waarop het meisje haar op haar beurt een vijandige blik toewierp.

'Helemaal niet,' mompelde Grey terwijl hij de madam met een

hoffelijke buiging uitgeleide deed. 'Ik weet zeker dat we het goed met elkaar zullen kunnen vinden.'

Hij deed de deur dicht en draaide zich om naar het meisje. Ondanks zijn ogenschijnlijke kalmte was hij toch wel een beetje nerveus.

'*Stumm*?' vroeg hij.

'Dat is het Duitse woord voor stom,' zei het meisje terwijl ze hem nauwlettend opnam. Ze gaf een rukje met haar hoofd naar de deur, waardoor de hoerenmadam was verdwenen. 'Zij is een Duitse, hoewel je dat niet zou zeggen als je haar hoort praten. Magda, heet ze. Maar ze noemt de portier Stummle – en hij kan niet praten. Zo, dus je wilt dat ik mijn klep houd?' Ze legde een hand op haar mond en de half toegeknepen ogen erboven deden hem denken aan de kat, vlak voordat die hem te grazen nam.

'Nee,' zei hij. 'Dat hoeft helemaal niet.'

Sterker nog, de manier waarop ze praatte had een ongewone – en volkomen onverwachte – golf van emoties bij hem losgemaakt. Een krankzinnige mengeling van herinneringen, opwinding en angst. Het was niet alleen maar een prettig gevoel – maar hij wilde koste wat kost dat ze door zou gaan met praten.

'Nessie,' zei hij terwijl hij een glas wijn voor haar inschonk. 'Die naam heb ik eerder gehoord – hoewel hij toen niet op een persoon sloeg.'

Haar ogen bleven spleetjes, maar ze nam het glas van hem aan. 'Ben ik soms geen persoon? Het is een afkorting van Agnes.'

'Agnes?' Hij lachte. Het was niet alleen haar accent – die stugge, argwanende manier waarop ze haar ogen tot spleetjes vernauwde was zo ongelooflijk Schots dat hij helemaal in vervoering raakte. 'Ik dacht dat het de benaming van de plaatselijke bevolking voor een legendarisch monster was, waarvan men geloofde dat het in Loch Ness leefde.'

De toegeknepen ogen werden opeens groot van verbazing. 'Heb je daarvan gehoord? Ben je in Schotland geweest?'

'Jazeker.' Hij nam een flinke slok van zijn eigen wijn, die warm en wrang aanvoelde tegen zijn gehemelte. 'In het noorden. In Ardsmuir. Weet je waar dat is?'

Kennelijk wist ze dat; ze liet zich van het bed glijden en deinsde voor hem terug, haar wijnglas zo stijf in haar hand geklemd dat hij bang was dat het zou breken.

'Eruit,' zei ze.

'Wat?' Hij staarde haar niet-begrijpend aan.

'Eruit!' Een magere arm schoot te voorschijn uit de plooien van haar omslagdoek en ze wees met haar wijsvinger naar de deur.

'Maar –'

'Soldaten vind ik al erg genoeg, maar mannen van Billy de Slager moet ik niet, klaar uit!'

Haar hand verdween weer onder de omslagdoek en kwam even later weer te voorschijn met iets kleins en glimmends. Lord John verstijfde.

'Mijn beste jongedame,' begon hij terwijl hij langzaam zijn wijnglas neerzette en intussen het mes in de gaten hield. 'Ik ben bang dat je je vergist. Ik –'

'O, nee. Ik vergis me helemaal niet.' Ze schudde haar hoofd, zodat haar donkere krullen als een stralenkrans om haar hoofd dwarrelden. Ze had haar ogen weer half toegeknepen en haar gezicht was lijkbleek, met twee vuurrode vlekken op haar jukbeenderen. 'Mijn Da en twee broers zijn gesneuveld bij Culloden, *duine na galladh!* Als je het waagt die Engelse pik van je uit je broek te halen, dan zweer ik dat ik hem eraf snij!'

'Dat was ik absoluut niet van plan,' verzekerde hij haar naar waarheid, zijn beide handen opheffend ten teken dat hij geen kwaad in de zin had. 'Hoe oud ben je?' Ze was zo klein en mager dat ze wel elf leek, maar als haar vader bij Culloden was gevallen, moest ze toch iets ouder zijn.

De vraag leek haar een moment uit het veld te slaan. Ze keek hem onzeker aan, hoewel haar hand met het mes niet beefde. 'Veertien. Maar je hoeft niet te denken dat ik niet weet hoe ik hiermee om moet gaan!'

'Daar zou ik je beslist niet van willen betichten, jongedame.'

Er viel een ongemakkelijke stilte, waarin zij elkaar behoedzaam aan bleven kijken, aangezien ze geen van beiden wisten hoe het nu verder moest. Hij begon bijna te lachen; ze was zo onzeker, en tegelijkertijd zo vastberaden, maar haar woede was zo oprecht dat hij haar onmogelijk kon uitlachen.

Nessie likte haar lippen af en maakte een onzekere, stekende beweging naar hem. 'Ik zei dat je moest maken dat je wegkwam.'

Terwijl hij naar het mes bleef kijken, liet hij langzaam zijn handen zakken en reikte naar zijn wijnglas.

'Geloof me, jongedame, als je er geen zin in hebt, zal ik de laatste zijn om je ergens toe te dwingen. Maar ik zou het zonde vinden om zo'n uitstekende wijn te verspillen. Zou je niet in elk geval je glas leegdrinken?'

Ze was het glas in haar andere hand helemaal vergeten. Ze keek er verbaasd naar, maar keek toen onmiddellijk weer op. 'Dus je wilt me niet neuken?'

'Absoluut niet,' verzekerde hij haar, volkomen oprecht. 'Ik zou het echter bijzonder op prijs stellen als je nog even met me wilde blijven praten. Dat wil zeggen – ik neem aan dat je niet wilt dat ik mevrouw Magda er meteen bij roep?'

Hij wees met een opgetrokken wenkbrauw naar de deur en zij beet op haar onderlip. Hij mocht dan weinig ervaring hebben in bordelen, hij was er vrij zeker van dat een hoerenmadam niet blij was met een hoer die niet alleen een klant weigerde, maar hem ook zonder aantoonbare reden met een mes bedreigde.

'Mmphm,' zei ze, en liet het mes met tegenzin zakken.

Opeens werd hij overvallen door een onverwachte golf van opwinding, en hij wendde zich van haar af om het te verbergen. Jezus, dat grove Schotse geluid had hij sinds zijn laatste bezoek aan Helwater niet meer gehoord, en hij had zeker niet verwacht dat het zo'n effect op hem zou hebben als het met zo'n meisjesachtig stemmetje werd gemaakt, in plaats van met de dreigende ondertoon waaraan hij gewend was.

Hij sloeg zijn wijn achterover en schonk zijn glas nog eens vol terwijl hij achteloos over zijn schouder vroeg: 'Vertel me eens – hoe ben je eigenlijk in Londen verzeild geraakt, gezien je zonder enige twijfel sterke en gerechtvaardigde gevoelens ten opzichte van Engelse soldaten?'

Ze perste haar lippen stijf op elkaar en fronste haar donkere wenkbrauwen, maar even later ontspande ze zich voldoende om een slok van haar wijn te nemen.

'Je wilt niet weten hoe ik hoer ben geworden?' vroeg ze. 'Alleen waarom ik hier ben?'

'Me dunkt dat die eerste vraag, hoewel niet onbelangrijk, je eigen zaak is,' zei hij beleefd. 'Maar aangezien de tweede vraag mijn interesse heeft – ja, dat wil ik graag weten.'

'Je bent wel een hele rare.' Ze dronk snel haar glas leeg en hield hem intussen argwanend in de gaten. Toen liet ze haar glas met een zucht van tevredenheid zakken en likte haar rode lippen af.

'Geen slecht spul,' zei ze, enigszins verrast. 'Die fles komt zeker uit de persoonlijke voorraad van mevrouw – Duitse wijn. Schenk me nog maar eens in, dan zal ik het je vertellen, als je het dan zo graag weten wilt.'

Hij deed wat ze vroeg en schonk zijn eigen glas ook nog eens vol. Het was inderdaad goede wijn; goed genoeg om maag en ledematen te verwarmen, zonder de geest al te zeer te bedwelmen. De wijn zorgde ervoor dat de spanning die hij sinds het moment dat hij het bordeel had betreden in zijn nek en schouders had gevoeld langzaam begon weg te ebben.

Op het Schotse hoertje leek de wijn eveneens een gunstig effect te hebben. Ze dronk zo gulzig dat ze haar glas twee keer leeg dronk terwijl ze haar verhaal vertelde – een verhaal dat ze ongetwijfeld eerder had verteld, gezien de uitvoerige details en de dramatische anekdotes die ze erin verwerkte.

Uiteindelijk was het echter een simpel verhaal. Toen het leven in de Highlands na Culloden en Cumberlands verwoestingen vrijwel onmogelijk was geworden, was haar enig overgebleven broer naar zee gegaan en waren zij en haar moeder naar het zuiden gekomen. Ze hadden moeten bedelen om hun brood, en wanneer het bedelen niet genoeg opleverde, had haar moeder zich af en toe genoodzaakt gezien haar lichaam te verkopen.

'En toen kwamen we *hem* tegen,' zei ze, met een wrange grijns, 'in Berwick.'

Hij was een Engelse soldaat geweest, Harte genaamd, die zojuist uit de dienst was ontslagen en hen 'in bescherming' had genomen – een term die Harte interpreteerde door Nessies moeder in een klein huisje onder te brengen, waar zij zijn vrienden en bekenden uit het leger in alle rust aangenaam kon bezighouden.

'Hij begreep hoeveel hij eraan kon verdienen en dus ging hij zo nu en dan "op jacht" en kwam dan weer terug met de een of andere arme jonge vrouw die hij uitgehongerd langs de kant van de weg had gevonden. Hij fluisterde lieve woordjes in hun oor, kocht schoenen voor hen en gaf hen goed te eten, en voor ze het wisten lagen ze drie keer per avond met hun benen wijd voor de soldaten die hun eigen echtgenoten overhoop hadden geschoten – en binnen twee jaar reed Bob Harte in zijn eigen vierspan.'

Misschien bevatte haar verhaal een kern van waarheid – misschien ook niet. Het leek Grey wel duidelijk dat het beroep van hoer gebaseerd was op leugenachtigheid. En als je de beroepsmatige beweringen van een hoer al niet kon geloven, dan kon je zeker ook niet veel geloof hechten aan andere dingen die ze zei.

Toch was het een boeiend verhaal – hetgeen ook precies de bedoeling was, bedacht hij cynisch. Hij onderbrak haar echter niet. Afgezien van de noodzaak haar op haar gemak te stellen als hij straks nog informatie van haar wilde, genoot hij er gewoon van haar te horen praten.

'Wij leerden Bob Harte kennen toen ik een jaar of vijf was,' zei ze, een vuist tegen haar mond drukkend om een oprisping te onderdrukken. 'Hij wachtte tot ik elf was – toen kreeg ik mijn maandelijkse stonde en... en toen...' Ze zweeg en knipperde met haar ogen, alsof ze naar inspiratie zocht.

'En toen heeft je moeder hem, om jouw maagdelijkheid te beschermen, vermoord,' opperde Grey. 'En toen werd ze natuurlijk gearresteerd en opgehangen, waarop jij je genoodzaakt zag datgene te gaan doen wat ze jou, door haar eigen leven op te offeren, had willen besparen?' Hij hief zijn glas in een ironische heildronk en leunde achterover in zijn stoel.

Tot zijn verrassing barstte ze in lachen uit.

'Nee,' zei ze, met haar hand onder haar neus wrijvend, die een beetje rood was geworden, 'maar dat geeft niet. Alles beter dan de waarheid, vind je niet? Maar ik zal hem wel onthouden.' Ze hief haar glas en dronk het leeg.

Hij pakte de fles, maar die was leeg. Tot zijn verbazing was ook de tweede fles leeg.

'Ik haal wel een nieuwe,' zei Nessie onmiddellijk. Ze sprong van het bed en was de kamer al uit voordat hij kon protesteren. Hij zag dat ze het mes had laten liggen; het lag op tafel, naast een afgedekt mandje. Toen hij zich naar voren boog en de doek van het mandje tilde, zag hij dat het een pot met de een of andere glibberige zalf bevatte en verscheidene interessante voorwerpen, een paar met een voor de hand liggende functie, maar ook een paar waarvan de bedoeling hem volkomen ontging.

Hij had net een van de meest herkenbare instrumenten opgepakt en zat de uitvoering ervan te bewonderen – die opmerkelijk gedetailleerd was, tot en met de gezwollen aderen op het bronzen oppervlak – toen zij met een grote kruik tegen haar borst geklemd de kamer weer binnenkwam.

'O, is dat wat je leuk vindt?' vroeg ze, met een knikje naar het ding in zijn hand.

Zijn mond ging open, maar gelukkig kwamen er geen woorden uit. Hij liet het zware voorwerp los en het raakte hem pijnlijk op zijn bovenbeen alvorens met een bons op het tapijt te vallen.

Nessie schonk twee glazen wijn in en nam een slok uit het hare, waarna ze zich bukte om het ding op te rapen.

'O, mooi, je hebt hem al een beetje opgewarmd,' zei ze goedkeurend. 'Dat brons is altijd ijskoud.' Met haar volle glas in haar ene hand en de bronzen fallus in de andere, kroop ze op haar knieën over het bed en nestelde zich in de kussens. Terwijl ze af en toe een slokje wijn nam, hield ze het instrument in haar andere hand en gebruikte de punt om haar onderjurk langzaam omhoog te schuiven over haar magere dijen.

'Wil je dat ik erbij praat?' vroeg ze, op zakelijke toon. 'Of wil je gewoon kijken en moet ik net doen of je er niet bent?'

'Nee!' Opeens hervond Grey zijn spraakvermogen en zijn stem klonk harder dan zijn bedoeling was geweest. 'Ik bedoel – nee. Alsjeblieft. Niet... niet doen.'

Zij keek eerst verbaasd, toen lichtelijk geïrriteerd, maar tenslotte ging ze rechtop zitten.

'Wat wil je dan?' Ze streek haar krullen naar achteren en keek hem onderzoekend aan. 'Ik zou er een beetje aan kunnen sabbelen,' zei ze met tegenzin. 'Maar alleen als je hem eerst goed wast. Met zeep.'

Opeens voelde Grey dat hij toch wel erg veel had gedronken, en veel sneller dan zijn bedoeling was geweest. Hij schudde zijn hoofd en zocht in zijn jas.

'Nee, dat niet. Wat ik wil –' Hij haalde het miniatuurtje van John Trevelyan te voorschijn dat hij uit de slaapkamer van zijn nicht had ontvreemd, en legde het voor haar op bed. 'Ik wil weten of deze man iets onder de leden heeft – syfilis.'

Nessies tot spleetjes geknepen ogen werden groot van verbazing. Ze keek eerst naar het miniatuurtje en vervolgens naar Grey.

'En jij denkt dat ik dat aan zijn *gezicht* kan zien?' vroeg ze, ongelovig.

Nadat zij een wat uitvoeriger uitleg had gekregen, ging Nessie op haar hurken zitten en begon peinzend het miniatuur van Trevelyan te bestuderen.

'Dus je wilt niet dat hij met je nichtje trouwt als hij de sief heeft, hm?'

'Zo ligt de situatie ongeveer, ja.'

Ze knikte Grey ernstig toe. 'Lief zeg. En dat voor een Engelsman!'

'Engelsen zijn ook in staat tot loyaliteit, hoor,' verzekerde hij haar droogjes. 'Al was het alleen maar aan hun familie. Ken je de man?'

'Ik heb hem zelf nooit gehad, maar, ja, volgens mij heb ik hem hier wel eens gezien.' Met één oog dichtgeknepen, bekeek ze het portretje nogmaals. Ze wiebelde een beetje heen en weer en Grey begon te vrezen dat zijn wijnstrategie ten onder zou gaan aan zijn eigen succes.

'Hm!' zei ze, en knikte. Nadat ze het miniatuurtje in de hals van haar onderjurk had geschoven – gezien haar magere lijfje, vroeg hij zich af hoe het daar bleef zitten – liet ze zich van het bed glijden en pakte een zachtblauwe omslagdoek van een haakje.

'De meeste meisjes zullen op dit moment wel bezig zijn, maar ik zal eens een praatje gaan maken met de meisjes die nog in de selong zitten, goed?'

'De... o, de salon. Ja, dat zou heel fijn zijn. Maar kan je het alsjeblieft wel een beetje discreet aanpakken?'

Met lichtelijk aangeschoten waardigheid richtte ze zich tot haar volle lengte op. 'Natuurlijk kan ik dat. Laat je wel een slokje wijn voor me over?'

Ze wuifde naar de kruik, trok de omslagdoek om zich heen en heupwiegde de kamer uit op een manier die beter paste bij iemand met heupen.

Met een zucht liet Grey zich weer in zijn stoel vallen en schonk nog een glas wijn in. Hij had geen idee wat deze kwaliteitswijn hem ging kosten, maar hij was het waard.

Hij hield het glas tegen het licht. Mooie kleur en een uitstekende neus – fruitig en diep. Hij nam nog een slokje en overdacht de voortgang die hij tot dusverre had geboekt. Met een beetje geluk had hij zo meteen een antwoord op zijn vraag betreffende Trevelyan – hoewel hij misschien nog een keer terug zou moeten komen als Nessie niet de meisjes te spreken kon krijgen die recentelijk het bed met hem hadden gedeeld.

Hij had echter geen moeite met het vooruitzicht terug te moeten komen naar het bordeel, want hij had het idee dat hij en Nessie elkaar inmiddels wel begrepen. Wel vroeg hij zich af wat zij zou hebben gedaan als hij werkelijk uit was geweest op een fysiek onderonsje, in plaats van informatie. Zij had bijzonder oprecht geleken in haar bezwaren om een van Cumberlands mannen te gerieven – en in alle eerlijkheid, vond hij die bezwaren niet eens onredelijk.

De Highland campagne die op Culloden was gevolgd, was zijn allereerste geweest en voor de dingen die hij had gezien zou hij zich zeker hebben geschaamd, ware het niet dat hij destijds alles niet volledig tot zich had laten doordringen. Hij was verdoofd geweest van de schok, en tegen de tijd dat hij werkelijk het slagveld moest betreden, bevond hij zich in Frankrijk en moest hij het opnemen tegen een eervolle vijand – niet tegen de vrouwen en kinderen van een verslagen tegenstander.

Culloden was in zekere zin zijn eerste slag geweest – hoewel hij er niet zelf had gevochten, dank zij de gewetensbezwaren van zijn oudere broer, die hem had meegenomen om hem kennis te laten maken met het militaire leven, maar weigerde hem te laten vechten.

'Als je denkt dat ik de kans wil lopen om straks je verminkte lichaam mee naar huis te moeten nemen, naar moeder, dan ben je niet goed bij je hoofd,' had Hal hem grimmig voorgehouden. 'Je hebt geen aanstelling; het is niet je plicht om het slagveld op te gaan en je kop eraf te laten schieten, dus ga je dat ook niet doen. Als je het waagt om ook maar één voet buiten het kamp te zetten, laat ik sergeant O'Connell je voor het oog van het hele regiment een afranseling geven, dat beloof ik je.'

Met de domme kop van een zestienjarige had hij dit beschouwd als een monsterlijke onrechtvaardigheid. En toen hij uiteindelijk toestemming kreeg om het slagveld op te gaan, in de nasleep van de strijd, had hij dat gedaan met wild bonzend hart en zijn pistool ijskoud in zijn zwetende hand.

Hij en Hector hadden het er van tevoren over gehad, dicht tegen elkaar aan liggend op een bed van zacht gras onder de sterrenhemel, een eindje bij de anderen vandaan. Hector had twee mannen gedood, van aangezicht tot aangezicht – en wie weet hoeveel meer in het rokerige strijdgewoel.

'Je weet het nooit precies,' had Hector uitgelegd. Hij was vier jaar ouder dan Grey en had een aanstelling als luitenant tweede klas. 'Tenzij je recht tegenover iemand staat, met een bajonet, of je zwaard. Anders is het één en al zwarte rook en lawaai en heb je geen idee wat je doet. Het enige wat je kan doen is je officier in de gaten houden, naar voren rennen wanneer hij dat zegt, vuren en opnieuw laden – en soms zie je een Schot ter aarde storten, maar je weet nooit of het jouw kogel is geweest waardoor hij is geraakt. Voor hetzelfde geld is hij in een molshoop gestapt!'

'Maar wanneer het van heel dichtbij is – dan weet je het toch wel?' Hij had Hector een por gegeven met zijn knie. 'Vertel eens hoe het was? Je eerste? En waag het niet me te vertellen dat je het niet meer weet!'

Hector had hem vastgepakt en in de spieren van zijn bovenbeen geknepen tot hij het uitgilde, waarna hij hem lachend tegen zich aan had getrokken, tot Johns gezicht in de holte van zijn schouder lag.

'Goed dan, ik weet het nog wel. Maar je moet even wachten.' Hij zweeg een ogenblik en John voelde zijn warme adem in het haar boven zijn oor. Het was nog te vroeg in het jaar voor muggen, maar de wind streek fris en koel over hen heen en kietelde hun huid met de puntjes van het wuivende gras.

'Het was – nu ja, het ging heel snel. Luitenant Bork had mij en een andere knaap naar een klein groepje bomen gestuurd om te kijken of daar iets aan de hand was, en ik liep voorop. Opeens hoorde ik achter me een soort plof en een kuchend geluid en ik dacht dat Meadows – die achter mij liep – was gestruikeld. Ik keek om om te zeggen dat hij niet zoveel lawaai moest maken, en daar lag hij op de grond, met zijn hoofd in een plas bloed en een Schot liet net de kei vallen waarmee hij Meadows had geslagen en bukte zich om zijn geweer op te rapen.

Het zijn net beesten, weet je; één en al haren en viezigheid, meestal op blote voeten en half naakt. Toen deze man opkeek en mij zag, probeerde hij zijn musket te pakken om mij daarmee de hersens in te slaan, maar Meadows was er bovenop gevallen en ik – nou ja, ik stortte me luid gillend op hem. Ik dacht er geen seconde over na; het was net als bij de oefeningen – alleen voelde het heel anders toen de bajonet in zijn lichaam drong.'

John had een lichte huivering door het lichaam voelen trekken dat tegen hem aan lag en sloeg een arm om Hectors middel om hem gerust te stellen.

'Was hij meteen dood?' vroeg hij.

'Nee,' zei Hector zacht en John voelde hem slikken. 'Hij viel achterover en belandde zittend op de grond en – en ik liet het geweer los, dus zat hij daar met die bajonet in zijn lijf, en de kolf van het geweer – die rustte op de grond en voorkwam dat hij voorover zakte.'

'Wat heb je toen gedaan?' Hij streelde Hectors borst en probeerde op een onhandige manier hem te troosten, maar dat was op dat moment onmogelijk.

'Ik wist dat ik iets moest doen – hem op de een of andere manier de genadeslag moest toebrengen – maar ik wist niet hoe. Ik kon niet anders dan als de eerste de beste onnozele hals toekijken terwijl hij me aanstaarde vanuit dat smerige gezicht, en ik...'

Hector slikte nogmaals, moeizaam.

'Ik huilde,' zei hij, en opeens kwam alles eruit. 'Ik bleef maar zeggen: "Het spijt me, het spijt me zo" en ik kon niet ophouden met huilen. En hij schudde zo'n beetje zijn hoofd en zei iets tegen me, maar dat was in dat barbaarse Schots-Gaelisch, en ik wist niet of hij had begrepen wat ik zei, of dat hij me vervloekte, of misschien wel iets aan me vroeg, water of zo... ik had water bij me...'

Hectors stem stierf weg, maar John merkte aan zijn moeizame ademhaling dat hij zijn tranen maar nauwelijks kon bedwingen. Hij greep Johns bovenarm vast, zo hard dat er een blauwe plek achterbleef, maar John bleef doodstil liggen tot Hectors ademhaling kalmeerde en hij zijn greep ontspande.

'Het leek heel lang te duren,' zei hij, en schraapte zijn keel. 'Hoewel dat in werkelijkheid waarschijnlijk niet zo was. Na een tijdje zakte zijn hoofd naar voren, heel langzaam, en bleef zo hangen.'

Hij haalde een keer diep adem, alsof hij de herinnering van zich af wilde zetten en trok John geruststellend tegen zich aan.

'Ja, de eerste vergeet je nooit. Maar ik weet zeker dat het voor jou gemakkelijker zal zijn – jij doet het vast veel beter.'

Grey ging, met zijn wijnglas in zijn hand, op Nessies bed liggen en nam een slok. Hij staarde omhoog naar het beroete plafond, maar zag in plaats daarvan de grauwe luchten boven Culloden. Het was inderdaad makkelijker geweest – om te doen, in elk geval, niet om zich te herinneren.

'Jij gaat met Windoms detachement mee,' had Hal gezegd terwijl hij hem een lang pistool overhandigde. 'Aan jou de taak om de *coup de grâce* toe te brengen, als je nog overlevenden aantreft. Een schot door het oog is het beste, maar achter het oor kan ook heel goed, als je de blik niet kunt verdragen.'

Zijn broers gezicht was gespannen en heel bleek onder de zwarte vegen van het kruit en de rook; Hal was nog maar vijfentwintig, maar leek nu wel vijftig, met zijn uniform door de regen tegen zijn lichaam geplakt en smerig van de modder van het veld. Hij deelde zijn bevelen uit met een kalme, heldere stem, maar Grey voelde de hand van zijn broer beven toen deze hem het pistool gaf.

'Hal,' zei hij, toen zijn broer zich omdraaide.

'Ja?' Hal keek om, geduldig maar met een lege blik in zijn ogen.

'Gaat het wel goed met je, Hal?' vroeg hij zacht, zodat niemand anders hem zou horen.

Hal leek dwars door hem heen te kijken, naar een plek heel in de verte; het kostte hem zichtbaar moeite om zijn blik terug te halen van die verre plek en in plaats daarvan naar het gezicht van zijn jongere broer te kijken.

'Ja hoor,' zei hij. Zijn mondhoeken trilden, alsof hij geruststellend wilde glimlachen, maar hij was te uitgeput. Hij legde een hand op Johns schouder en kneep er hard in; vreemd genoeg had John het gevoel dat hij zijn broer moed insprak, in plaats van andersom.

'Onthoud één ding goed, Johnny – het is een daad van barmhartigheid. Barmhartigheid,' herhaalde hij, heel zacht, waarna hij zijn hand liet vallen en wegliep.

Het was misschien twee uur voor zonsondergang toen korporaal

Windoms detachement het veld opging, ploeterend door modder en moerasplanten die aan hun laarzen vast bleven kleven. Het regende niet meer, maar een ijskoude wind plakte zijn vochtige mantel tegen zijn lichaam. Hij herinnerde zich de mengeling van vrees en opwinding in zijn buik, die langzaamaan werden verdrongen door de gevoelloosheid van zijn vingers en de angst dat hij er niet in zou slagen het pistool opnieuw te laden als hij het meer dan één keer moest gebruiken. In het begin hoefde hij het echter nog helemaal niet te gebruiken; alle mannen die zij tegenkwamen waren al dood. Het waren bijna allemaal Schotten, hoewel hier en daar een rode jas vurig afstak tussen de grauwe moerasplanten. De Engelse gevallenen werden vol respect afgevoerd, op draagbaren. De vijand werd op grote hopen gegooid. Met vingers die blauw waren van de kou en verwensingen mompelend in witte ademwolkjes, sleepten de soldaten de lichamen als evenzovele gevelde boomstammen voort, de naakte ledematen als bleke takken, stijf en onhandig te hanteren. Hij wist niet of hij geacht werd bij dit werk te helpen, maar niemand leek het van hem te verwachten. Met zijn pistool in zijn hand liep hij achter de andere soldaten aan. Hij kreeg het steeds kouder.

Hij had al eerder slagvelden gezien, bij Preston en Falkirk, hoewel daar niet zoveel doden waren gevallen. De ene dode verschilde echter niet veel van de volgende en na enige tijd had hij er niet zoveel last meer van.

Hij was zelfs zo verdoofd van de kou dat hij niet eens echt schrok toen een van de soldaten riep: 'Hé, Kleintje! Ik heb er een voor je!' Zijn door de kou traag geworden hersens kregen niet eens de tijd de woorden tot zich door te laten dringen, toen hij al oog in oog stond met de man, de Schot.

Hij had zich zo half en half voorgesteld dat iedereen die nu nog op het slagveld was en niet dood was, bewusteloos zou zijn; en dat de executie dus niet meer zou inhouden dan bij het lichaam neerknielen, het pistool plaatsen, de trekker overhalen, opstaan en weer laden.

Deze man zat echter rechtop in de hei, met zijn gewicht op zijn handen steunend en met het verbrijzelde been dat hem het vluchten onmogelijk had gemaakt in een onnatuurlijke hoek en bedekt met bloed voor zich uit gestrekt. Hij keek Grey aan, zijn donkere ogen levendig en waakzaam. Hij was nog jong, misschien van Hectors leeftijd. De ogen gleden van Grey's gezicht naar het wapen in zijn hand en weer terug. De man hief zijn kin in de lucht en klemde zijn kaken op elkaar.

Achter het oor kan ook heel goed, als je de blik niet kunt verdragen.

Hoe? Hoe moest hij achter zijn oor komen terwijl hij er zo bij zat? Grey hief onhandig zijn pistool, stapte opzij en bukte een eindje. De man draaide zijn hoofd om en volgde hem met zijn ogen.

Grey bleef staan – maar hij kon niet stoppen, de soldaten keken toe.

'H-hoofd of hart?' vroeg hij, en deed zijn best om met vaste stem te spreken. Zijn handen beefden; maar het was ook zo verschrikkelijk koud.

De man sloot heel even zijn donkere ogen, maar deed ze toen weer open en keek hem doordringend aan. 'Christus, wat kan mij dat nou schelen?'

Hij hief het pistool, dat een beetje beefde, en richtte het zorgvuldig op de borstkas van de man. De Schot perste zijn lippen opeen en verplaatste zijn gewicht op één hand. Voordat Grey in de gaten had wat er gebeurde, had hij met zijn vrije hand Grey's pols vastgegrepen.

Grey schrok zo dat hij niet probeerde zich los te trekken. Hijgend van inspanning en tandenknarsend van de pijn, leidde de Schot de loop van het pistool naar zijn voorhoofd, precies tussen zijn ogen. En staarde hem aan.

Wat Grey zich het duidelijkst herinnerde waren niet de ogen, maar de aanraking van de vingers, nog kouder dan de zijne, die zachtjes zijn pols omklemden. Er school geen enkele kracht meer in de aanraking, maar het maakte een einde aan het beven van zijn hand. De vingers drukten, heel zachtjes. Barmhartigheid.

Een uur later waren ze in het donker teruggekeerd en had hij gehoord dat Hector dood was.

De kaars was al een tijdje aan het sputteren. Er lag een nieuwe kaars op tafel, maar hij maakte geen aanstalten die te pakken. In plaats daarvan bleef hij liggen kijken hoe het vlammetje doofde en dronk zijn wijn verder in de naar muskus ruikende duisternis.

Ergens in de donkere uren voor zonsopgang, werd hij wakker met een barstende hoofdpijn. De kaars was uit en even was hij zo gedesoriënteerd dat hij niet meer wist waar hij was – of met wie. Er lag iets warms tegen hem aan gekruld en zijn hand lag op naakte huid.

De mogelijkheden fladderden in zijn gedachten op als een koppel opgeschrikte kwartels, maar verdwenen op het moment dat hij diep inademde en een goedkoop luchtje rook, dure wijn, en een vrouwenlichaam. Meisje. Ja, natuurlijk. Het Schotse hoertje.

Even bleef hij liggen, nog steeds in de war, en probeerde zich in de onbekende duisternis te oriënteren. Daar – een dunne streep grijs waar het geblindeerde raam was, één tint lichter dan de nacht hierbinnen. Deur... waar was de deur? Hij draaide zijn hoofd om en zag een flauwe lichtflikkering op de vloerplanken, de laatste gloed van een druipende kaars op de gang. Hij herinnerde zich vaagjes iets van rumoer, gezang en gestamp van beneden, maar dat was inmiddels opgehouden. Het was stil in het bordeel, maar wel een eigenaardige, ongemakkelijke stilte, als de onrustige slaap van een dronken man. Over drinken gesproken... hij bewoog zijn tong en probeerde voldoende speeksel uit zijn uitgedroogde, plakkerige slijmvliezen te persen om te kunnen slikken. Zijn hart bonkte met een onaangename hardnekkigheid die hem het gevoel gaf dat zijn ogen bij elke hartenklop pijnlijk uitpuilden.

Het was warm en benauwd in de kamer, maar een flauwe luchtstroom uit de richting van het gesloten raam streek als een koele vinger over zijn lichaam en bezorgde hem kippenvel op zijn benen en borst. Hij was naakt, maar kon zich niet herinneren dat hij zich had uitgekleed.

Zij lag op zijn arm. Met voorzichtige bewegingen, om haar niet wakker te maken, maakte hij zich van het meisje los. Hij bleef nog even op het bed zitten, greep met een geluidloos gekreun naar zijn hoofd en stond toen op, met het gevoel dat hij goed moest oppassen dat het er niet afviel.

Christus! Waarom had hij in vredesnaam zoveel van dat verschrikkelijke bocht gedronken? Het was beter geweest als hij gewoon met het meisje naar bed was gegaan, dacht hij, zich op de tast een weg door de kamer banend, dwars door fel schitterende witte lichtflitsen die de binnenkant van zijn schedel verlichtten als vuurwerk boven de Theems. Zijn voet raakte de tafelpoot en hij tastte blindelings in het rond tot hij de kamerpot had gevonden.

Enigszins opgelucht, maar nog steeds verschrikkelijk dorstig, zette hij hem even later weer neer en zocht de lampetkan. Het water in de kan was warm en smaakte metaalachtig, maar hij dronk er zo gretig van dat het langs zijn kin en borst stroomde. Hij bleef net zo lang drinken tot zijn ingewanden tegen de lauwwarme stortvloed begonnen te protesteren.

Hij veegde met een hand zijn gezicht af en smeerde het water over zijn borst. Toen opende hij de luiken en ademde de koele, grijze lucht met diepe, bevende teugen in. Beter.

Hij draaide zich om om zijn kleren te zoeken, maar realiseerde zich opeens dat hij niet zonder Quarry kon vertrekken. Het vooruitzicht het hele huis te moeten doorzoeken, deuren open te gooien en hoeren en hun klanten in hun slaap te verrassen, was meer dan hij in zijn huidige toestand onder ogen kon zien. Nu ja, de hoerenmadam zou Harry er straks, wanneer het licht werd, toch wel uitzetten. Er zat niets anders op dan wachten.

En als hij dan toch moest wachten, kon hij dat net zo goed liggend doen; zijn ingewanden rommelden en borrelden onheilspellend en zijn benen voelden slap.

Het meisje was ook naakt. Zij lag opgekruld op haar zij, met haar rug naar hem toe, zo glad en bleek als een spiering op het hakblok van een visverkoper. Hij kroop voorzichtig op het bed en ging naast haar liggen. Zij bewoog en mompelde iets, maar werd niet wakker.

Het was veel koeler nu het licht begon te worden en de luiken open stonden. Hij had wel iets over zich heen willen trekken, maar het meisje lag boven op het gekreukte laken. Ze bewoog opnieuw en hij zag dat ze kippenvel had. Ze was nog dunner dan ze de vorige avond had geleken; hij zag de schaduwen van haar ribben, en de schouderbladen leken wel scherpe vleugels in haar schonkige, smalle rug.

Hij draaide zich op zijn zij en trok haar tegen zich aan terwijl hij met één hand het klamme laken onder haar vandaan trok en over hen beiden heen legde – zowel om haar magere lijfje te bedekken als voor de twijfelachtige warmte.

Haar losse haar was dik en krullend en voelde zacht aan tegen zijn gezicht. Het gevoel bracht hem in verwarring, hoewel het even duurde voordat hij besefte waarom. Zij had ook zulk haar gehad – de Vrouw. Frasers vrouw. Grey wist wel hoe ze heette – dat had Fraser hem verteld – maar in gedachten bleef hij haar koppig 'de Vrouw' noemen. Alsof het haar schuld was – en de schuld van haar hele sekse.

Maar dat was in een ander land, dacht hij, het magere hoertje nog wat dichter tegen zich aan trekkend, *en trouwens, die vrouw is dood.* Dat had Fraser zelf gezegd.

Maar hij had de blik in Jamie Frasers ogen gezien. Fraser was niet minder van zijn vrouw gaan houden omdat ze dood was – net zomin als Grey ooit zou ophouden van Hector te houden. Maar de herinnering was één ding, het vlees was nu eenmaal iets heel anders; het lichaam was gewetenloos.

Hij legde een arm over het ranke lichaam van het meisje en hield haar stevig vast. Ze had amper borsten en een smal, jongensachtig kontje en hij voelde een brandend gevoel van verlangen, aangewakkerd door de wijn, omhoog trekken via de binnenkant van zijn dijen.

Waarom niet? dacht hij. Hij betaalde er immers voor?

Maar wat had zij gezegd? *Ben ik soms geen persoon?* En zij was geen van beide personen naar wie hij verlangde.

Hij sloot zijn ogen en kuste heel zachtjes haar schouder. Toen viel hij weer in slaap, wegdoezelend op de verwarde wolken van haar haar.

7 Groen fluweel

Toen hij wakker werd was het helemaal licht en hoorde hij beneden in het bordeel ook geluiden. Het meisje was verdwenen – nee, toch niet. Toen hij zich omdraaide, zag hij haar, gekleed in haar onderjurk, bij het raam staan. Met haar lippen geconcentreerd opeengeklemd stond ze haar haar te vlechten, waarbij ze de weerspiegeling in de kamerpot als spiegel gebruikte.

'Ben je eindelijk wakker?' vroeg ze, haar spiegelbeeld bekijkend. 'Ik dacht al dat ik een stopnaald onder je teennagel zou moeten steken om je wakker te porren.' Nadat ze de vlecht met een rood lint had vastgemaakt, draaide ze zich grijnzend naar hem om. 'Trek in een lekker ontbijtje?'

'Ik moet er niet aan denken.' Hij kwam langzaam overeind en drukte een hand tegen zijn voorhoofd.

'O, voelen we ons niet zo lekker vanochtend?' Ze zette een bruin glazen fles en een paar houten bekers op de wastafel, schonk een van de bekers vol met iets wat de kleur van slootwater had en drukte hem in zijn handen. Vervolgens schonk ze zichzelf een ruime hoeveelheid in en dronk het op alsof het water was.

Het was geen water. Naar de geur te oordelen kon het wel eens terpentijn zijn. Maar hij liet zich niet overtroeven door een veertienjarig hoertje en sloeg de inhoud van de beker in één keer achterover.

Geen terpentijn; vitriool leek het. De vloeistof brandde zich een roodgloeiende weg door zijn slokdarm, regelrecht naar zijn darmen, en zond een wolk van helse dampen door de holtes van zijn hoofd. Whisky, dat was het, hele pure, onvermengde whisky.

'Ja, goed spul, hè?' zei ze goedkeurend terwijl ze hem aankeek. 'Wil je er nog eentje?'

Niet in staat een woord uit te brengen, knipperde hij met zijn tranende ogen en hield zijn beker op. Na een tweede gloeiende borrel beschikte hij weer over voldoende tegenwoordigheid van geest om te informeren waar zijn verdwenen kleren waren gebleven.

'O, ja. Die zijn hier.' Zo monter als een musje sprong ze overeind en trok een wandpaneel open, waarachter zijn uniform en onderkleding keurig aan kleerhangers waren opgehangen.

'Heb jij me uitgekleed?'

'Zie jij hier nog iemand anders dan?' Ze hield een hand boven haar ogen en tuurde overdreven de hele kamer af. Hij schonk er geen aandacht aan en trok zijn hemd over zijn hoofd.

'Waarom?'

Even meende hij een glimlach in haar ogen te zien, hoewel hij haar lippen niet bereikte.

'Je had zoveel gedronken dat ik zeker wist dat je er 's nachts uit zou moeten om te pissen en dat je er dan waarschijnlijk meteen vandoor zou gaan. Maar als je de hele nacht bij me zou blijven, zou Magda in elk geval niemand anders meer voor me naar boven sturen.' Ze haalde haar schouders op en haar onderjurk gleed van haar schouder. 'Ik heb in geen maanden zo lekker geslapen.'

'Het stemt mij bijzonder dankbaar dat ik u een dienst heb kunnen bewijzen, madame,' zei Grey droogjes terwijl hij zijn broek aantrok. 'En op hoeveel komt een hele nacht in jouw charmante gezelschap me te staan?'

'Twee pond,' zei ze prompt. 'Als je wilt kunnen we meteen afrekenen.'

Met één hand op zijn portefeuille wierp hij haar een scheve blik toe. 'Twee pond? Me dunkt dat je eerder tien shilling zal bedoelen.'

'Tien shilling?' Ze deed een vergeefse poging beledigd te kijken, zodat hij meteen begreep dat hij er niet ver vanaf zat met zijn schatting. 'Nou goed... één pond zes dan. Of misschien één tien' – ze keek hem aan en liet haar kleine roze tongetje peinzend langs haar bovenlip glijden – 'als ik voor je uit kan vinden waar hij naar toe gaat?'

'Waar wie naar toe gaat?'

'Die knaap uit Cornwall waar je het over had – Trevelyan.'

Grey's hoofdpijn leek opeens een stuk minder. Hij staarde haar een ogenblik aan en reikte toen in zijn portefeuille. Hij haalde drie pondbiljetten te voorschijn en gooide ze in haar schoot.

'Vertel me wat je weet.'

Agnes klemde haar dijen tegen elkaar, met het geld en haar handen ertussen, en haar ogen glinsterden van plezier.

'Wat ik weet is dat hij hier inderdaad regelmatig komt, ja, misschien twee, drie keer per maand, maar dat hij nooit met een van de meisjes meegaat. Daarom ben ik niet te weten gekomen hoe de toestand van zijn pik is, snap je.' Ze keek verontschuldigend.

Grey hield op met het vastgespen van zijn sokophouders en keek verbaasd naar haar op. 'Wat komt hij hier dan doen?'

'Nou, hij gaat mevrouw Magda's kamer binnen, zoals alle rijke klanten altijd doen – en een tijdje later komt er een vrouw naar buiten in een van Maggies japonnen en met een grote, kanten kap op haar hoofd... alleen is het niet onze Maggie. Ze is ongeveer even lang als Maggie, maar ze heeft geen boezem en ook geen kont – en ze heeft hele smalle schouders, terwijl Mags zo vlezig is als een goed doorvoede os.'

Geamuseerd door de blik op zijn gezicht, trok ze één volmaakte wenkbrauw op. 'En vervolgens gaat deze... dame via de achterdeur naar buiten, het steegje in, waar een draagstoel voor haar klaarstaat. Ik heb het haar zelf zien doen,' voegde ze eraan toe, met een sardonische nadruk op het voornaamwoord. 'Hoewel ik op dat moment niet wist wie het was.'

'En komt... ze... ook weer terug?' vroeg Grey, met dezelfde nadruk.

'Jazeker komt ze terug. Ze vertrekt zodra het donker is en komt tegen de ochtend terug. Vorige week hoorde ik de dragers in het steegje praten en aangezien ik toevallig eens een keer alleen was' – ze trok een pruilmondje – 'stond ik op om uit mijn raam te kijken en te zien wie het was. Ik kon alleen de bovenkant van haar mutsje zien en een glimp van een groene rok – maar wie het ook was, ze liep snel en met grote passen, net als een man.'

Toen zweeg ze en keek hem verwachtingsvol aan. Grey woelde door zijn verwarde haar. Gedurende de nacht was het lint losgeraakt en hij zag het nergens meer.

'Maar denk je dan dat je erachter kunt komen waar deze... persoon naar toe gaat?'

Ze knikte zelfverzekerd. 'Jawel hoor. Ik heb het gezicht van de dame dan wel niet gezien, maar een van de dragers heb ik duidelijk herkend. Het was Rab, een grote, ouwe kerel die oorspronkelijk uit de buurt van Fife komt. Hij heeft niet vaak geld voor een hoer, maar als hij het wel heeft vraagt hij altijd naar mij. Heimwee, snap je?'

'Ja, ik snap het.' Grey streek het haar uit zijn gezicht en pakte zijn portefeuille er nog eens bij. Zij spreidde net op tijd haar benen om het handjevol zilverstukken keurig in haar rok te vangen.

'Zorg dat die Rab zich jou zo snel mogelijk kan veroorloven,' stelde Grey voor. 'Goed?'

Er werd op de deur geklopt en even later stond Harry Quarry voor hun neus, met een stoppelbaard en een wazige blik in zijn ogen en zijn jas over zijn schouder. Zijn hemd was maar half dichtgeknoopt en hing half uit zijn broek. Hoewel Quarry zijn pruik wel op had, hing hij scheef op één oor.

'Ik stoor toch niet, wel?' vroeg hij, een oprisping onderdrukkend.

Grey pakte snel zijn eigen jas en trok zijn schoenen aan. 'Nee hoor, helemaal niet. Ik kom eraan.'

Quarry krabde aan zijn ribbenkast, zodat hij onbewust zijn hemd een eindje omhoog haalde en een stukje harige buik liet zien. Hij knikte vaagjes naar Nessie. 'Goeie nacht gehad, Grey? Daar zit zo te zien niet veel vlees aan, is het wel?'

Lord John drukte twee vingers tegen zijn bonkende voorhoofd en probeerde een uitdrukking van verzadigde wellust op zijn gezicht te brengen. 'Ach ja, je weet wat ze zeggen – "hoe dichter op het bot, hoe malser het vlees."'

'Is dat zo?' Quarry leek een beetje op te fleuren en gluurde over Lord Johns schouder de kamer in. 'Misschien probeer ik haar dan de volgende keer ook eens. Hoe heet je, schatje?'

Lord John draaide zich half om en zag Nessies ogen groot worden bij de aanblik van Quarry, met zijn verlekkerde, bloeddoorlopen ogen. Haar mond vertrok van afkeer. Ze had echt geen tact, voor een hoer. Teneinde hem af te leiden, legde hij een hand op Quarry's arm.

'Ik denk niet dat ze je zou bevallen, ouwe jongen,' zei hij. 'Ze is Schots.'

Quarry's kortstondige belangstelling verdween als sneeuw voor de zon. 'O, Schots,' zei hij boerend. 'Jezus, nee. Van de klank van dat barbaarse taaltje zou ik ogenblikkelijk slap worden. Nee, nee. Geef mij maar een lekkere, vette Engelse, met een mooie ronde kont en flink wat vlees eraan, zodat je iets hebt om je aan vast te houden.' Hij haalde uit voor een joviale mep op het achterwerk van een passerend dienstmeisje dat kennelijk aan deze voorwaarden voldeed, maar zij ontweek hem behendig en hij wankelde, een smadelijke val op het laatste moment voorkomend door zich aan Grey vast te grijpen, die op zijn beurt met beide handen de deurpost moest pakken om zijn evenwicht niet te verliezen. Hij hoorde Nessie giechelen en richtte zich op terwijl hij zijn kleding een beetje trachtte te fatsoeneren.

Na dit weinig achtenswaardige vertrek, zaten zij even later in een koets, die door Meacham Street ratelde op een manier die niet erg bevorderlijk was voor Grey's hoofd.

'Ben je nog iets nuttigs te weten gekomen?' vroeg Quarry, één oog dichtknijpend om zich beter te kunnen concentreren op het opnieuw dichtknopen van zijn gulp, die op de een of andere manier scheef was vastgemaakt.

'Ja,' zei Grey, zijn blik afwendend. 'Maar God mag weten wat het betekent.'

Hij bracht hem in het kort op de hoogte van zijn dubieuze bevindingen, en Quarry knipperde uilig met zijn ogen.

'Ik heb ook geen idee wat het betekent,' zei Quarry, zich op zijn kalende hoofd krabbend. 'Maar je zou eens een balletje op kunnen gooien bij die hoofdagent die je kent. Vraag hem of zijn mannen wel eens hebben gehoord van een dame in groen fluweel. Als zij – of hij – iets van plan is...'

De koets maakte een bocht en zond een verblindende lichtflits door Grey's ogen, regelrecht zijn hersenpan in. Hij kreunde zachtjes. Wat had Magruder allemaal opgenoemd? Inbraak, paardendiefstal, beroving...

'Goed,' zei hij terwijl hij zijn ogen dicht deed en diep inademde en zich intussen een beeld trachtte te vormen van de Honorable Joseph Trevelyan die werd gearresteerd voor brandstichting of verstoring van de openbare orde. 'Dat zal ik doen.'

8 De stoeldrager

Maandagochtend kwam Grey pas laat naar beneden voor het ontbijt. De gravin was al lang klaar met eten en weer weggegaan; zijn nichtje Olivia zat echter nog aan tafel. Informeel gekleed in een katoenen kamerjas, met haar haar in een vlecht op haar rug, zat ze brieven te openen en toast te knabbelen.

'Laat geworden gisteravond?' vroeg hij terwijl hij met een knikje naast haar aan tafel schoof.

'Ja.' Ze geeuwde en hield bevallig een kleine vuist voor haar mond. 'Een feestje bij Lady Quinton. En jij?'

'Veel minder gezellig, vrees ik.'

Na een gat in de dag te hebben geslapen, had hij de zondagavond doorgebracht bij Bernard Sydell, waar hij aan één stuk door klachten had moeten aanhoren over het gebrek aan discipline in het moderne leger, de morele tekortkomingen van de jongere officieren, de gierigheid van politici die verwachtten dat oorlogen werden gewonnen zonder adequaat materiaal, de kortzichtigheid van de zittende regering, klaagzangen over het vertrek van Pitt als minister-president – terwijl hij hem daarvoor even hard had afgekraakt – en meer in die trant.

Tijdens deze tirades had Malcolm Stubbs zich op een gegeven moment naar Grey toe gebogen en gefluisterd: 'Waarom gaat niemand een pistool halen om die vent uit zijn lijden te verlossen?'

'Laten we erom tossen wie het mag doen,' had Grey teruggefluisterd, waarop Stubbs zich verslikte in de smerige sherry die Sydell geschikt achtte voor dergelijke bijeenkomsten.

Harry Quarry was er niet bij geweest. Grey hoopte dat Harry het druk had met het verzamelen van inlichtingen en niet alleen wegbleef vanwege de sherry – want als er niet snel iets concreets werd ontdekt betreffende O'Connells dood, zou de kwestie waarschijnlijk niet alleen onder de aandacht komen van Sydell, maar ook van andere mensen die voor een hoop problemen konden zorgen.

'Wat denk je van deze twee, John?' Olivia's stem onderbrak hem in zijn overpeinzingen en hij keek op van zijn zachtgekookte eitje. Zij zat fronsend naar twee smalle staaltjes kant te kijken, waarvan ze de ene over de koffiepot had gedrapeerd en de andere in haar hand hield.

'Mmm.' Grey slikte een hap ei door en probeerde zich te concentreren. 'Waar is het voor?'

'Afwerking voor zakdoeken.'

'Die daar.' Hij wees met zijn lepel naar het lapje op de koffiepot. 'Die andere is te mannelijk.' In werkelijkheid liet het eerste staal hem heel erg – hoewel niet onaangenaam – denken aan de japon van Magda, de hoerenmadam van het bordeel in Meacham Street.

Er verscheen een stralende glimlach op Olivia's gezicht. 'Precies wat ik zelf ook dacht! Uitstekend; ik wil een dozijn zakdoeken voor Joseph laten maken – zal ik er voor jou ook meteen een stuk of zes bestellen?'

'Ben je Josephs geld nu al aan het uitgeven?' plaagde hij. 'Die arme man is straks al bankroet voordat jullie een maand getrouwd zijn.'

'Nee hoor,' zei ze zacht. 'Dit is mijn eigen geld, van papa. Een cadeautje van de bruid aan de bruidegom. Denk je dat hij er blij mee zal zijn?'

'Ik weet zeker dat hij het heel lief van je zal vinden.' En kanten zakdoeken stonden vast heel mooi bij smaragdgroen fluweel.

Opeens werd hij overvallen door een onbehaaglijk gevoel. Overal om hem heen waren de voorbereidingen voor het huwelijk in volle gang, met hele regimenten koks en naaisters, en tientallen andere mensen die de hele dag het huis bevolkten en zich met niet veel anders bezig leken te houden dan gewichtige drukdoenerij. De bruiloft was al over vijf weken.

'Er zit ei op je kraag, Johnny.'

'O ja?' Hij keek omlaag en piekte het ongewenste kruimeltje weg. 'Zo, is het weg?'

'Ja. Tante Bennie zegt dat je een nieuwe lijfknecht hebt,' zei ze terwijl ze hem keurend bleef opnemen. 'Dat eigenaardige kleine mannetje. Is hij niet een beetje jong en – onervaren – voor zo'n belangrijke positie?'

'Meneer Byrd mag dan tekortschieten in jaren en ervaring,' gaf Grey toe, 'maar hij kan scheren als de beste.'

Zijn nicht keek hem eens goed aan – zij was, net als zijn moeder, een tikje bijziend – en boog zich toen over de tafel om zijn wang te strelen, een vrijpostigheid die hij lijdzaam verdroeg.

'O, dat voelt goed aan,' zei ze goedkeurend. 'Zo zacht als satijn. Is hij ook goed met je kleding?'

'Prima,' verzekerde hij haar, met het beeld voor ogen van Tom

Byrd die met een diepe frons de scheur in zijn jas zat te repareren. 'Bijzonder toegewijd.'

'O, mooi. Vertel hem dan maar ervoor te zorgen dat je grijsfluwelen kostuum in orde is. Ik wil graag dat je dat tijdens het bruiloftsdiner draagt, en de vorige keer dat je het aanhad, zag ik dat er aan de achterkant een zoompje los zat.'

'Ik zal het onder zijn aandacht brengen,' verzekerde hij haar ernstig. 'Ben je zo zorgzaam omdat je bang bent dat ik je op je bruiloft te schande maak, of ben je je aan het oefenen in het huisvrouw-spelen?'

Ze lachte blozend, heel schattig. 'Het spijt me, Johnny. Wat bazig van me! Ik moet toegeven dat ik wel een beetje nerveus ben. Joseph zegt dat ik me nergens zorgen om hoef te maken, omdat zijn butler een natuurwonder is – maar ik wil als echtgenote geen louter decoratieve functie hebben.'

Ze zag eruit alsof ze meende wat ze zei en hij voelde een diepe gewetenswroeging. Volledig in beslag genomen door zijn eigen verplichtingen, had hij er nauwelijks bij stilgestaan wat zijn onderzoek naar Joseph Trevelyan voor zijn nichtje zou betekenen als mocht blijken dat de man inderdaad aan syfilis leed.

'Decoratief ben je in elk geval,' zei hij, een beetje bars, 'maar ik weet zeker dat elke man met ook maar een klein beetje verstand de ware aard van je karakter zal doorzien en daar veel meer waarde aan zal hechten dan aan je uiterlijke verschijning.'

'O.' Ze bloosde nog dieper en sloeg haar wimpers neer. 'Dank je wel. Wat lief van je om dat te zeggen!'

'Niets te danken. Zal ik een gerookte haring voor je pakken?'

Ze aten enkele ogenblikken in aangenaam stilzwijgen, en Grey zat al te bedenken wat hem vandaag allemaal te doen stond, toen Olivia's stem hem opeens uit zijn gemijmer wekte.

'Heb je zelf nooit aan trouwen gedacht, John?'

Hij pakte een broodje uit het mandje op tafel en probeerde niet met zijn ogen te rollen. Pas-verloofden of gehuwden van beide seksen beschouwden het onveranderlijk als hun heilige plicht er bij anderen op aan te dringen hun voorbeeld te volgen.

'Nee,' zei hij op effen toon, het broodje openscheurend. 'Ik zie het niet als een dringende noodzaak een vrouw te nemen. Ik heb geen landgoed of woning waarvoor ik een vrouw des huizes nodig heb, en Hal kwijt zich uitstekend van zijn taak de familienaam voort te zetten.' Hals vrouw, Minnie, had haar man onlangs een derde zoon geschonken – er werden niet veel dochters geboren in de familie.

Olivia lachte. 'Ja, dat is waar,' beaamde zij. 'En jij hebt er zeker wel plezier in de vrolijke vrijgezel te spelen en alle dames vóor je in katzwijm te laten vallen. Want dat doen ze, hoor.'

'Ja, ja.' Hij maakte een afwerende beweging met het botermesje en richtte zijn aandacht weer op zijn broodje. Olivia begreep de hint en ging aan de slag met toast en vruchtencompote, zodat hij zijn gedachten op een rijtje kon zetten.

De belangrijkste kwestie van vandaag was natuurlijk de O'Connell-zaak. Zijn onderzoek naar Trevelyans privé-leven had tot dusverre meer vragen opgeworpen dan opgelost, maar zijn onderzoek naar de moord op de sergeant had zo mogelijk nog minder resultaat opgeleverd.

De familie Stokes bleek bij navraag een veeltalig stelletje te zijn dat afstamde van een Griekse zeeman die zo'n veertig jaar geleden in Londen zijn schip in de steek had gelaten, en niet veel later met een meisje uit Cheapside was getrouwd. Hij had haar naam aangenomen – niet onverstandig, aangezien zijn eigen naam Aristopolous Xenokratides luidde – en samen hadden zij een groot gezin gesticht, van wie de meeste kinderen, als watersalamanders in de paartijd, prompt naar zee waren teruggekeerd. Iphigenia, die aan wal moest blijven omdat ze de pech had een vrouw te zijn, verdiende de kost met naald en draad, met zo nu en dan een financiële bijdrage van heren met wie zij had samengeleefd en van wie sergeant O'Connell de meest recente was geweest.

Grey had Malcolm Stubbs gevraagd de connecties van de familie uit te zoeken, maar hij had niet veel hoop dat dit iets zou opleveren. Wat Finbar Scanlon en zijn vrouw betreft –

'Ben je wel eens verliefd geweest, John?'

Hij keek verschrikt op en zag dat Olivia hem over de theepot heen ernstig zat aan te kijken. Kennelijk was ze nog helemaal niet klaar met haar vragen, maar was ze alleen even bezig geweest met het nuttigen van haar ontbijt.

'Eh... jawel,' zei hij langzaam, er niet helemaal zeker van of dit gewoon de nieuwsgierigheid van een familielid was of iets anders.

'Maar toch ben je nooit getrouwd. Waarom niet?'

Ja, waarom niet. Hij haalde diep adem.

'Dat behoorde niet tot de mogelijkheden,' zei hij eenvoudig. 'Degene van wie ik hield is overleden.'

Haar gezicht betrok en haar volle lippen trilden van medeleven. 'O,' fluisterde ze, naar haar lege bord kijkend. 'Wat ontzettend droevig, Johnny. Wat erg voor je.'

Hij haalde met een flauw glimlachje zijn schouders op, ten teken dat hij prijs stelde op haar medeleven, maar geen behoefte had aan verdere vragen.

'Was er nog interessante post?' vroeg hij, met een rukje van zijn kin in de richting van het kleine stapeltje naast haar bord.

'O! Ja, dat zou ik bijna vergeten – deze brieven zijn voor jou.' Ze zocht tussen het stapeltje, haalde er twee aan hem geadresseerde epistels uit en stak ze hem toe.

Het eerste briefje, van Magruder, was kort maar interessant. Sergeant O'Connells uniform – of in elk geval de jas ervan – was gevonden. De pandjesbaas in wiens zaak het was ontdekt zei dat het was binnengebracht door een Ierse soldaat, die zelf ook een uniform had gedragen.

Ik ben zelf naar hem toegegaan, schreef Magruder, *maar de man wist niet meer van welke rang of welk regiment deze Ier was – en ik durfde hem niet onder druk te zetten, uit angst dat hij er in zijn herinnering opeens een soldaat-korporaal uit Wales van zou maken, of een Cornische grenadier. Ik weet niet hoeveel belang we eraan moeten hechten, maar de pandjesbaas had de indruk dat de man een van zijn eigen oude uniformjassen verkocht.*

Ook al wilde hij nog zo graag nieuwe details horen, toch moest Grey toegeven dat Magruder de zaak verstandig en integer had aangepakt. Als je te veel druk op iemand uitoefende had je kans dat hij je datgene zou vertellen waarvan hij dacht dat je het graag wilde horen. Het was beter om korte vragen te stellen, in een aantal korte sessies, dan een getuige met vragen te bombarderen. Maar de tijd begon wel te dringen.

Magruder had echter alle informatie verzameld waarvan hij zeker kon zijn. Hoewel de uniformjas natuurlijk ontdaan was van alle insignes en knopen, was hij nog steeds herkenbaar als het eigendom van een sergeant van het 47ste regiment. De overheid schreef weliswaar bepaalde details voor waaraan legeruniformen dienden te voldoen, maar degenen die hun eigen regimenten bijeenbrachten en financierden, hadden het voorrecht de uniformen voor deze regimenten zelf te mogen ontwerpen. In het geval van het 47ste was het Hals vrouw die de officiersjassen had ontworpen, met een smalle, bleekgele streep langs de buitenzijde van de mouw, waarmee makkelijker de aandacht werd getrokken wanneer een officier met zijn arm zwaaide om een bevel te geven. Ook een sergeantsjas, hoewel van mindere kwaliteit en niet zo modieus van snit, droeg deze streep.

Grey nam zich voor iemand navraag te laten doen bij de andere sergeants van het regiment, om na te gaan of een van hen misschien een oude jas had verkocht – maar dat was eigenlijk niet eens nodig. Magruder had de jas niet alleen beschreven en een kleine schets van het kledingstuk bijgesloten, maar het was hem ook opgevallen dat de voering aan één kant los zat en dat het erop leek dat de steken waren losgesneden, in plaats van gescheurd. Dat zou verklaren waar O'-Connell zijn buit verborgen had gehouden, ook al hadden ze nog steeds geen idee waar deze zich nu bevond.

Grey nam een hap van zijn toast en pakte de tweede brief, waarop hij Harry Quarry's krachtige handschrift herkende. Deze brief was nog korter.

Ontmoet me morgen om zes uur bij St. Martin-in-the-Fields, stond er, met als afzender niets anders dan een grote, slordige 'Q...' *P.S. trek oud uniform aan.*

Hij zat nog steeds fronsend naar de korte boodschap te staren toen Tom Byrd met een verontschuldigende blik zijn hoofd om het hoekje van de eetkamer stak.

'Mylord? Neemt u mij niet kwalijk, sir, maar u had gezegd dat als er een grote Schot langs zou komen – '

Grey sprong meteen overeind, en Olivia bleef met open mond van verbazing achter.

Rab de stoeldrager was groot en stevig gebouwd, met een dommig, gemelijk gezicht dat nauwelijks minder zuur keek toen Grey hem begroette.

'Agnes zei dat u wilde betalen voor informatie,' mompelde hij, niet in staat zijn blik af te houden van het bronzen planetarium dat op een tafel bij het raam van de bibliotheek stond en met zijn sierlijke armen en globes stond te schitteren in de ochtendzon.

'Inderdaad,' zei Grey, die de man weer kwijt wilde voordat zijn moeder naar beneden kwam en vragen begon te stellen. 'Wat is de informatie?'

Rab keek hem aan met bloeddoorlopen ogen, waaruit iets meer intelligentie sprak dan uit de rest van zijn gezicht. 'Wilt u niet eerst weten wat het kost?'

'Ook goed. Hoeveel vraag je ervoor?' Boven hoorde hij de gravin zingen.

De man liet peinzend het puntje van zijn dikke tong langs zijn bovenlip glijden. 'Twee pond?' zei hij. Hij deed zijn best om onverschillig uitdagend te klinken, maar slaagde er niet in de behoedzame klank in zijn stem te verhullen. Kennelijk was twee pond een bijna onvoorstelbaar fortuin; hij kon zich niet voorstellen dat hij het er echt voor zou krijgen, maar was bereid een gokje te wagen.

'Hoeveel daarvan krijgt Agnes?' vroeg Grey op scherpe toon. 'Let wel, ik spreek haar binnenkort nog en dan zal ik haar vragen of zij haar deel heeft gekregen.'

'O. Eh...' Rab worstelde een ogenblik met het verdeelprobleem, maar haalde toen zijn schouders op. 'Goed dan, de helft.'

Zijn gulheid verbaasde Grey – en het verbaasde hem ook dat Rab zijn reactie van zijn gezicht kon aflezen.

'Ik ben van plan met haar te trouwen,' zei de stoeldrager nors terwijl hij hem strak bleef aankijken en één oog half dichtkneep, alsof hij hem uitdaagde er iets van te zeggen. 'Zodra ze zich heeft vrijgekocht, begrijpt u?'

Grey wist een overhaaste reactie op deze onthutsende onthulling in te slikken en knikte slechts terwijl hij zijn portefeuille pakte. Hij legde de zilverstukken op het bureau, maar hield zijn hand erop.

'Wat kan je me vertellen?'

'Het huis heet "Lavender", en het staat in Barbican Street. Vlak bij Lincoln's Inn. Groot huis – van buiten stelt het niet zoveel voor, maar binnen is het heel mooi.'

Grey kreeg een kil, zwaar gevoel in zijn maag, alsof hij een loden kogel had ingeslikt.

'Ben je binnen geweest?'

Rab haalde een brede schouder op en schudde zijn hoofd. 'Dat niet. Ik ben niet verder gekomen dan de deur. Maar ik kon zien dat er zulke tapijten lagen' – hij knikte naar de zijden Kermanshah op de vloer bij het bureau – 'en er hingen schilderijen aan de muur.' Met een kin als een stormram gaf hij een rukje in de richting van het schilderij boven de schoorsteen dat Grey's grootvader van vaders kant te paard voorstelde.

De stoeldrager dacht fronsend na. 'Ik kon een klein stukje van een van de kamers zien. Er stond een... ding. Niet zoals dat ding daar' – hij knikte naar het planetarium – 'maar wel zoiets, snapt u wat ik bedoel? Iets met opwindmechaniekjes, of zo.'

Het kille gevoel werd erger. Niet dat hij sinds het begin van Rabs verhaal nog had getwijfeld.

'De... vrouw die je daar ophaalde,' vroeg Grey. 'Weet je haar naam? Heb je haar daar ook wel eens afgezet?'

Rab schudde onverschillig zijn hoofd. Niets in zijn brede gezicht wees erop dat hij wist dat de vrouw die hij had vervoerd in werkelijkheid geen vrouw was, of dat Lavender House niet gewoon een van de vele rijke woningen in Londen was.

Voor de vorm vuurde Grey nog een paar vragen op hem af, maar die leverden geen waardevolle informatie meer op en tenslotte trok hij zijn hand weg en deed een stap naar achteren terwijl hij Rab een teken gaf dat hij zijn beloning kon pakken.

De stoeldrager was waarschijnlijk een paar jaar jonger dan Grey zelf, maar zijn handen waren knoestig en krom, alsof hij zelfs nu nog aan het werk was. Heel langzaam en onhandig pakte hij de munten één voor één op met zijn dikke vingers, en tussen de plooien van zijn kamerjas balde Grey zijn eigen handen tot vuisten, om zichzelf ervan te weerhouden hem te hulp te schieten.

De huid op Rabs handen was helemaal verhoornd en de handpalmen waren geel van het eelt. De handen zelf waren breed en sterk en er groeiden zwarte haren uit de knobbelige vingers. Grey liet de stoeldrager zelf uit en intussen stelde hij zich met een soort morbide verwondering diezelfde handen voor op Nessies zijdezachte huid.

Hij deed de deur dicht en leunde er met zijn rug tegenaan, alsof hij zojuist aan een achtervolger was ontsnapt. Zijn hart bonkte als een bezetene. Opeens realiseerde hij zich dat hij zich probeerde voor te stellen hoe Rabs ruwe greep om zijn eigen polsen zou aanvoelen en sloot zijn ogen.

Zijn bovenlip en slapen waren bedekt met een waas van zweetdruppeltjes, hoewel het ijzige gevoel van binnen niet was afgenomen. Hij kende dat huis vlak bij Lincoln's Inn, dat huis dat Lavender heette. En hij had gedacht het nooit meer te zien en er nooit meer van te zullen horen.

9 Molly-walk

De paardenhoeven klik-klakten stevig door over het donkere plein, maar niet zo snel dat hij de hele rij plees niet kon zien – of de schimmige gestaltes eromheen, zo vaag als de nachtuiltjes die tegen het vallen van de avond door zijn moeders tuin fladderden, aangetrokken door de geur van de bloemen. Hij haalde diep adem door het open raampje. Een heel andere geur bereikte hem uit de richting van de plees, bijtend en zuur, de lucht die hij zich herinnerde van het zweet van paniek en verlangen – maar in zekere zin niet minder verleidelijk dan de geur van nicotiana voor de nachtuiltjes.

De plees van Lincoln's Inn waren berucht; nog meer dan Blackfriars Bridge, of de donkere plekken onder de zuilengangen van de Royal Exchange.

Een eindje verderop tikte hij met zijn stok tegen het plafond en het rijtuig kwam tot stilstand. Hij betaalde de koetsier en bleef net zo lang wachten tot het rijtuig helemaal uit het zicht was verdwenen, alvorens Barbican Street in te lopen.

Barbican Street was een bochtige laan, iets minder dan vierhonderd meter lang en onderbroken door de loop van de Fleet Ditch. Hoewel hij gedeeltelijk overdekt was, lagen restanten van de rivier hier nog helemaal open, overspannen door een smalle brug. De straat bood een heel gevarieerde aanblik; een gedeelte ervan was een combinatie van winkels van handwerkslieden en luidruchtige taveernes, die op een gegeven moment langzaam maar zeker plaats maakten voor de woningen van kleinere zakenlieden. Voorbij de brug eindigde de straat opeens in een kleine halve cirkel van grote huizen, die met hun achterzijde naar de straatkant stonden en aan de andere kant heel verwaand uitkeken over een kleine privé-parkje. Een van deze huizen was Lavender House.

Grey had het rijtuig makkelijk tot aan deze halve cirkel kunnen laten rijden, maar hij begon liever aan de andere kant van Barbican Street en wilde te voet naar zijn plaats van bestemming. De wandeling zou hem tijd geven om zich voor te bereiden – althans, dat hoopte hij.

Het was bijna vijf jaar geleden dat hij voor het laatst in Barbican

Street was geweest, en in die tijd was hij zelf heel erg veranderd. Was het karakter van de buurt ook veranderd?

Als hij op zijn eerste indrukken afging, leek dat niet het geval. Het was een donkere straat, hier en daar beschenen door lampen die vanuit de huizen naar buiten schenen en het schijnsel van een halve maan, maar het bruiste er van het leven, vooral aan het begin van de straat, waar zich een groot aantal taveernes bevond. Mensen – voornamelijk mannen – slenterden over straat, maakten hier en daar een praatje en riepen begroetingen naar vrienden, of stonden in kleine groepjes bij elkaar rond de ingangen van de kroegen. Er hing een zware, zoete geur van bier in de lucht, vermengd met de geur van rook, gebraden vlees, en lichamen, verhit van de drank en het zweet van een dag hard werken.

Hij had van een van zijn moeders bedienden een stel eenvoudige kleren geleend, en droeg zijn haar in een dikke paardenstaart, bijeengebonden met een reepje leer, met een slappe hoed om te verbergen hoe blond het was. Aan de buitenkant onderscheidde hij zich in niets van de stoffenververs en de volders, de smeden en de wevers, de bakkers en de slagers die hier hun werk hadden, en hij bewoog zich anoniem door de mensenmenigte. Anoniem totdat hij zijn mond zou opendoen – maar dat was waarschijnlijk niet nodig voordat hij Lavender House had bereikt. Intussen werd hij opgenomen in de werveling van Barbican Street, donker en bedwelmend als de van bierdampen doordrenkte lucht.

Hij werd gepasseerd door drie lachende mannen, die een geur achterlieten van gist, zweet en vers brood – bakkers.

'Hoorde je wat dat kreng tegen me zei?' vroeg een van hen met gespeelde verontwaardiging. 'Hoe durft hij!'

'Hou toch op, Betty. Als je niet wilt dat ze je op je lekkere ronde kont meppen, moet je er niet zo mee lopen zwaaien!'

'Zwaaien – ik zal jou eens laten zwaaien, brutale sukkel!'

Ze verdwenen in de duisternis, lachend en tegen elkaar aan duwend. Grey liep door, maar voelde zich, ondanks de ernst van wat hij ging doen, opeens wel wat beter op zijn gemak.

Mollies. Er waren een stuk of vier, vijf *molly-walks* in Londen, welbekend bij iedereen die ook 'zo' was, maar het was lang geleden sinds hij er 's avonds had rondgelopen. Van de zes taveernes in Barbican Street was minstens de helft een *molly*-tent, bezocht door mannen die op zoek waren naar eten en drinken en het plezier van elkaars gezelschap – en elkaars lichaam – zonder zich voor elkaar te hoeven schamen.

Overal om hem heen werd gelachen en hier en daar ving hij de 'meisjesnamen' op die veel mollies onder elkaar gebruikten. Nancy, Fanny, Betty, mevrouw Anne, juffrouw Thing.... hij glimlachte om de luidruchtige grappen die hij hoorde, hoewel hij zelf nooit de neiging had gehad aan dit soort dingen mee te doen.

Deed Joseph Trevelyan dat wel? Hij had durven zweren van niet; zelfs nu vond hij het idee nog ondenkbaar. Tegelijkertijd wist hij dat bijna al zijn eigen kennissen in de Londense society en legerkringen bereid zouden zijn met één hand op de Bijbel te zweren dat Lord John Grey nooit, maar dan ook echt nooit...

'Kijk onze juffrouw Irons nu toch eens.' Hij draaide zijn hoofd om naar een luide stem, waarin een afgunstige bewondering doorklonk. Op het met fakkels verlichte plaatsje voor de Three Goats hield 'juffrouw Irons' uitgelaten audiëntie. Juffrouw Irons was een stevig gebouwde jongeman met brede schouders en een stompe neus die hier, op weg naar een maskeradebal in Vauxhall, samen met zijn kameraden even iets was gaan drinken.

Uitbundig gepoederd en beschilderd en uitgedost in een japon van karmozijnrode satijn, met een hoofdbedekking van gouden ruches, zat juffrouw Irons op dit moment boven op een ton, vanaf welke plek zij de liefdesbetuigingen van verscheidene gemaskerde heren afwees met een air van flirterige minachting die een gravin niet zou hebben misstaan.

Grey bleef even staan kijken, maar vermande zich toen en liep haastig naar de overkant van de straat, met de bedoeling in de schaduwen te verdwijnen.

Ondanks de mooie kleren herkende hij 'juffrouw Irons' – die overdag gewoon Egbert Jones was, de vrolijke jonge smid uit Wales die het smeedijzeren hek rond zijn moeders kruidentuin was komen repareren. Hij was bang geweest dat juffrouw Irons hem, ondanks zijn vermomming, misschien zou herkennen, en dat was wel het laatste wat hij nu kon gebruiken.

Hij bereikte de beschutting van de brug, aan beide zijden overschaduwd door hoge, stenen pilaren, waarachter hij meteen wegdook. Zijn hart bonsde in zijn keel en zijn wangen gloeiden, hoewel dit eerder van schrik was dan van inspanning. Hij werd echter niet nageroepen en hij legde zijn handen op de muur en leunde eroverheen, om de koele rivierlucht te laten opstijgen naar zijn verhitte gezicht.

Wat ook opsteeg was de stank van rioolwater en verrotting. Drie meter onder de brug kroop het donkere, stinkende water van de Fleet traag voorbij. Het herinnerde hem aan Tim O'Connells ellendige einde en hij richtte zich langzaam op.

Wat was de reden geweest voor dat einde? Was het het loon van een spion, uitbetaald in bloed om te voorkomen dat hij zou praten? Of was het iets persoonlijkers geweest?

Heel persoonlijk, bedacht hij zich met plotselinge zekerheid toen hij in gedachten de hakafdruk op O'Connells voorhoofd zag. Iedereen had de sergeant kunnen vermoorden, om de meest uiteenlopende redenen – maar die laatste vernedering was een opzettelijke belediging geweest, achtergelaten als een soort handtekening.

Scanlons handen vertoonde geen verwondingen, evenmin als die van Francine O'Connell. Maar O'Connell was door meer dan één persoon vermoord, en de Ieren in deze stad waren net vlooien; waar je er één vond, vond je er meteen nog een stuk of tien. Scanlon had ongetwijfeld familie of kennissen. Hij zou de hakken van Scanlons schoenen wel eens willen bekijken.

Er stonden nog een paar mannen bij de muur; een van hen wendde zich af en trok aan zijn broek alsof hij wilde gaan plassen en een ander bewoog zich schuchter in zijn richting. Opeens voelde Grey dat er iemand vlak bij zijn schouder stond en hij draaide zich bliksemsnel om; hij voelde de aarzeling van de man achter hem en vervolgens het zachte uitblazen van de adem en een hoorbaar schouderophalen toen de vreemdeling zich weer omdraaide.

Hij kon maar beter doorlopen. Hij had zijn wandeling nog maar nauwelijks hervat, of hij hoorde een paar meter achter zich een verschrikte uitroep vanuit de schaduwen, gevolgd door een kort schuifelend geluid.

'O, wat ben jij een lekker kippetje!'

'Wat doe – hé! Mmph!'

'O? Nou schat, als je liever...'

'Hé! Lamelos!'

De geagiteerde stem bezorgde Grey kippenvel van herkenning. Hij draaide zich om en nog voordat hij goed en wel in de gaten had waar hij mee bezig was, liep hij automatisch in de richting van het geruzie.

Twee schimmige figuren stonden samen te wankelen, te worstelen en te schuifelen. Hij greep de langste van de twee vlak boven de elleboog stevig vast.

'Laat hem met rust,' zei hij met zijn soldatenstem.

De stalen klank ervan deed de man verschrikt terugdeinzen en hij rukte zich los uit Grey's greep. In het bleke maanlicht zag Grey een lang gezicht, met een uitdrukking die het midden hield tussen verbazing en boosheid.

'Ik wilde alleen maar – '

'Laat hem met rust,' herhaalde Grey, zachter nu, maar niet minder dreigend.

Er verscheen een uitdrukking van gewonde trots op het gezicht van de man en hij maakte zijn broek weer vast. 'Nou, neem me niet kwalijk, hoor. Ik wist niet dat hij van jou was.'

Hij wreef nadrukkelijk over zijn arm, maar Grey schonk er geen aandacht aan.

'Wat doe jij hier in jezusnaam?' vroeg hij op gedempte toon.

Tom Byrd leek niet te horen wat hij zei; zijn mond hing open van pure verbijstering. 'Die vent kwam recht op me af en legde zijn jongeheer in mijn hand!' Hij staarde in zijn open handpalm, bijna alsof hij verwachtte dat hij het voorwerp in kwestie nog steeds vasthield.

'O?'

'Echt waar! Ik zweer het! En toen kuste hij me en stak zijn hand in mijn broek en greep me bij mijn ballen! Waarom deed hij dat in vredesnaam?'

Grey kwam even in de verleiding te antwoorden dat hij geen flauw idee had, maar in plaats daarvan pakte hij Byrd bij zijn arm en trok hem mee tot ze buiten gehoorsafstand waren van de andere belangstellenden op de brug.

'Nogmaals – wat doe je hier?' vroeg hij toen ze een woning bereikten waarvan de poort aan beide zijden werd beschut door bloeiende goudenregens, die in het maanlicht wel wit leken.

'O, ja.' Byrd kwam al snel weer bij van de schrik. Hij wreef met zijn handpalm over zijn broekspijp en rechtte zijn rug. 'Nou, sir – mylord, bedoel ik – ik zag u weggaan, en toen dacht ik dat u misschien wel iemand nodig zou hebben om u rugdekking te geven, zogezegd. Ik bedoel,' – hij wierp een snelle blik op Grey's onorthodoxe uitmonstering – 'ik dacht dat u misschien wel ergens naar toe ging waar het gevaarlijk was.' Hij keek achterom naar de brug. Kennelijk had hij het gevoel dat recente gebeurtenissen dit vermoeden alleen maar bevestigden.

'Ik kan je verzekeren, Tom, dat ik niet in gevaar ben.' Dat gold echter niet voor Byrd; hoewel de meeste mollies er alleen maar op uit waren om een leuke avond te hebben, liepen hier ook genoeg potige en ongure types rond die zich niet zomaar lieten afschepen – om nog maar niet te spreken over doodgewone struikrovers.

Grey keek de straat in; hij kon de jongen niet in zijn eentje terugsturen langs de taveernes.

'Kom dan maar mee,' zei hij, ter plekke een beslissing nemend. 'Je kunt me naar het huis vergezellen, maar daarvandaan ga je rechtstreeks naar huis.'

Byrd volgde hem zonder tegen te sputteren; Grey was wel genoodzaakt de jongen bij de arm te nemen en naast zich te trekken – anders bleef de jongen uit gewoonte een paar passen achter hem lopen, wat nu natuurlijk niet kon.

Een man van middelbare leeftijd, met een hoed met opgeslagen randen op zijn hoofd, wierp Byrd in het voorbijgaan een doordringende blik toe. Grey voelde dat de jongen terugkeek, en onmiddellijk zijn blik weer afwendde.

'Mylord,' fluisterde hij.

'Ja?'

'Die kerels hier. Zijn dat... homoseksuelen?'

'De meesten wel, ja.'

Byrd vroeg niet verder. Na een tijdje liet Grey de arm van de jongen los en liepen zij in stilte door het rustiger gedeelte van de straat. Grey voelde zijn eerdere spanning terugkeren, nog ongemakkelijker gemaakt door het korte intermezzo voordat Byrds verschijning hem weer met beide benen op de grond had gezet.

Hij was het allemaal vergeten. Hetgeen niet zo vreemd was; hij had zijn uiterste best gedaan die jaren na Hectors dood te vergeten. Het jaar na Culloden had hij slaapwandelend doorgebracht met Cumberlands troepen, die de Highlands van rebellen hadden gezuiverd. Hij had zijn soldatenplicht gedaan, maar wel als in een droom. Toen hij uiteindelijk terugkeerde naar Londen ontwaakte hij echter in de realiteit van een wereld zonder Hector.

In die ellendige periode had hij deze plek bezocht, op zoek naar vergetelheid. Die had hij gevonden, zowel in de drank als in de vleselijke lusten. Hij realiseerde zich dat hij geluk had gehad dat hij beide ervaringen ongeschonden had overleefd – hoewel overleving destijds wel het laatste was waarover hij zich druk maakte.

Wat hij echter in de sindsdien verstreken jaren was vergeten, was hoe heerlijk het was om – ook al was het maar heel even – zich niet anders te hoeven voordoen dan hij was. Toen Byrd opeens opdook, had hij het gevoel gehad haastig een masker op te moeten zetten, dat nu echter een beetje scheef zat.

'Mylord?'

'Ja?'

Byrd slaakte een diepe, bevende zucht en Grey draaide zich naar de jongen om. Het was hier heel donker, maar zijn gevoelens waren duidelijk zichtbaar in zijn stijf gebalde vuisten. 'Mijn broer. Jack. Denkt u dat hij – bent u hier om hem te zoeken?' gooide Byrd eruit.

'Nee.' Grey aarzelde, maar legde toen een hand op Byrds schouder. 'Heb je reden te veronderstellen dat hij hier is, of op een soortgelijke plek?'

Byrd schudde zijn hoofd, niet in ontkenning, maar uit pure machteloosheid. 'Ik weet het niet. Ik heb nooit... ik heb nooit gedacht... Ik weet het niet, sir, echt niet.'

'Heeft hij een vrouw? Een meisje misschien, met wie hij wel eens uitgaat?'

'Nee,' zei Byrd ongelukkig. 'Maar Jack is heel zuinig. Hij zei altijd dat hij pas wilde trouwen wanneer hij zich een vrouw kon veroorloven, en eerder wilde hij gewoon niet het risico lopen in de problemen te raken.'

'Je broer klinkt als een wijs man,' zei Grey, met een glimlach in zijn stem. 'En een eerbaar man.'

Byrd zuchtte opnieuw en veegde snel met zijn hand zijn neus af. 'Ja, sir, dat is hij.'

'Mooi zo.' Grey draaide zich om, maar wachtte nog even, tot Byrd aanstalten maakte hem te volgen.

Lavender House was groot, maar bepaald geen opzichtig bouwwerk. Het enige wat het huis onderscheidde van de buurwoningen waren de marmeren potten met geurende lavendel aan weerszijden van de deur. De gordijnen waren dicht, maar zo nu en dan zagen ze schaduwen bewegen en door het zware fluweel was het geroezemoes te horen van mannenstemmen en af en toe een lachsalvo.

'Zo te horen gebeurt daar precies hetzelfde als in die herensociëteiten in Curzon Street,' zei Byrd, enigszins verbaasd. 'Daar heb ik ook wel eens staan luisteren.'

'Het ìs ook een herensociëteit,' antwoordde Grey, met een grimmige klank in zijn stem. 'Voor een bepaald soort heren.' Hij zette zijn hoed af, maakte zijn haar los en schudde het over zijn schouders; de tijd voor vermommingen was voorbij.

'Nu moet je naar huis, Tom.' Hij wees welke kant hij op moest, door het park. 'Zie je dat licht daar, aan het eind? Daar loopt een steegje dat naar de hoofdstraat leidt. Hier, neem maar wat geld mee voor een rijtuig.'

Byrd pakte het muntstuk aan, maar schudde zijn hoofd. 'Nee, mylord. Ik loop met u mee tot de deur.'

Hij keek Byrd verbaasd aan. Er scheen voldoende licht door de gordijnen om zowel de opgedroogde tranen op Byrds ronde gezicht te zien als de vastberaden trek onder die tranen.

'Ik wil me ervan verzekeren dat die sodeflikkerse rotzakken zich realiseren dat iemand weet waar u bent. Je weet tenslotte maar nooit, mylord.'

Toen hij aanklopte ging de deur meteen open en voor hen stond een butler in livrei, die Grey's kleding laatdunkend opnam. Toen bereikten de ogen van de man zijn gezicht en zag Grey de subtiele verandering van uitdrukking. Grey was er de man niet naar om misbruik te maken van zijn knappe gezicht, maar hij was zich wel degelijk bewust van het effect ervan in bepaalde kringen.

'Goedenavond,' zei hij, over de drempel stappend alsof het zijn eigen huis was. 'Ik zou graag de huidige eigenaar van dit etablissement spreken.'

De butler deed verbaasd een stap opzij en hij zag de man snel nadenken bij het horen van zijn accent en het zien van zijn manier van doen, die zo in tegenspraak leken met zijn kleding. Aan de andere kant was de man goed getraind, en liet hij zich niet zomaar een rad voor ogen draaien.

'Maar natuurlijk, sir,' zei de butler, met een nauwelijks zichtbare buiging. 'En uw naam is?'

'George Everett,' zei Grey.

Er verscheen een wezenloze uitdrukking op het gezicht van de butler. 'Heel goed, sir,' zei hij op effen toon. Hij aarzelde en wist duidelijk even niet wat hij moest doen. Grey herkende de man niet, maar het was wel duidelijk dat de man George kende – of van hem had gehoord.

'Vertel die naam maar aan je meester, als je wilt,' zei Grey op vriendelijke toon. 'Ik wacht op hem in de bibliotheek.'

Op een tafeltje naast de deur stond het opwindmechaniek dat Rab de stoeldrager was opgevallen – het was geen planetarium, maar een mechanisch mannenfiguurtje, prachtig geëmailleerd en verguld, dat zijn broek liet zakken en voorover boog wanneer het sleuteltje werd opgewonden. Grey wilde linksaf langs het tafeltje lopen, waar hij wist dat de bibliotheek was.

De butler stak een hand uit om hem tegen te houden, maar opeens werd zijn aandacht getrokken door iets wat hij buiten zag.

'Wie is dat?' vroeg hij verschrikt.

Toen Grey zich omdraaide zag hij Tom Byrd aan de rand van het lichtschijnsel voor de deur staan. Hij keek woest uit zijn ogen, hield zijn vuisten gebald en had zijn kaken opeengeklemd op een manier die zijn ondertanden in het vlees van zijn bovenlip zette. Van top tot teen onder de modder van zijn avonturen, zag hij eruit als een waterspuwer die van zijn hoge plekje was gevallen.

'Dat, sir, is mijn lijfknecht,' zei Grey beleefd, waarna hij zich omdraaide en de hal inliep.

Er waren maar weinig mensen in de bibliotheek. Ze zaten in hun gemakkelijke stoelen, onder het genot van een krantje en een cognacje een beetje met elkaar te babbelen. Het had net zo goed de bibliotheek van de Beefsteak kunnen zijn, ware het niet dat de gesprekken abrupt stopten toen Grey binnenkwam en een half dozijn paar ogen hem openlijk keurend opnamen.

Gelukkig herkende niemand hem, net zomin als hij iemand herkende.

'Heren,' zei hij met een buiging. 'Uw dienaar.' Hij liep maar meteen door naar het dressoir, waar de karaffen stonden, en schonk zich, tegen alle gewoontes en goede manieren in, een glas van het een of ander in, zonder zelfs maar de tijd te nemen om te kijken wat het was. Toen hij zich weer naar hen omdraaide, zaten ze nog steeds naar hem te kijken. Kennelijk probeerden ze de tegenstrijdigheden van zijn verschijning, zijn manier van doen en zijn stem met elkaar te rijmen. Hij staarde terug.

Een van de mannen herstelde zich al snel en stond op van zijn stoel. 'Welkom... sir.'

'En wat is je naam, lieve jongen?' viel een ander hem bij terwijl hij glimlachend zijn krant weglegde.

'Dat is mijn eigen zaak... sir.' Grey glimlachte ijzig terug en nam een slokje uit zijn glas. Het was bruin bier, verdorie.

De anderen waren nu ook opgestaan en verdrongen zich om hem heen, snuffelend als honden die een vers karkas ruiken: half nieuwsgierig, half behoedzaam, maar bijzonder geïntrigeerd. Hij voelde een zweetdruppel van zijn nek over zijn rug glijden en kreeg een gespannen gevoel in zijn onderbuik. Ze waren allemaal heel normaal gekleed, hoewel dat niets betekende. Lavender House had vele kamers en bood de mogelijkheid vele fantasieën uit te leven.

Allen gingen goed gekleed, maar niemand droeg een pruik of make-up en bij enkelen schortte er iets aan de kleding: loshangende foulards en half open hemden en vesten teneinde zich vrijheden te kunnen veroorloven die in de Beefsteak niet zouden worden getolereerd.

De goudblonde jongeling links van hem stond hem met half dichtgeknepen ogen en overduidelijke begeerte aan te kijken; de gedrongen, donkere jongeman naast hem zag het en het beviel hem niets. Grey zag dat hij dichter bij Goudlokje ging staan en hem een por gaf om hem af te leiden. Goudlokje legde een speelse hand op het been van zijn speelkameraadje, maar kon intussen zijn ogen niet van Grey afhouden.

'Als u ons dan uw naam niet wilt vertellen, zal ik u de mijne cadeau doen.' Een jongeman met krullen, volle lippen en zachtbruine ogen stapte glimlachend naar voren en pakte zijn hand. 'Percy Wainwright – om u te dienen, mevrouw.' Hij boog zich met een charmante buiging over Grey's hand en drukte er een kus op.

Het gevoel van de warme adem op zijn huid bezorgde Grey kippenvel. Het liefst had hij Percy's hand vastgepakt en hem naar zich toegetrokken, maar dat zou nog even moeten wachten.

Hij liet zijn eigen hand een ogenblik roerloos in die van Wainwright liggen, zodat hij hem niet beledigde maar ook niet uitnodigde, en trok hem toen terug.

'Uw dienaar... mevrouw.'

Dat ontlokte hun een lach, maar nog steeds met enige reserve. Ze wisten nog niet precies wat voor vlees ze in de kuip hadden en hij was van plan dat zo lang mogelijk zo te laten.

Hij was nu veel voorzichtiger dan toen George Everett hem hier voor het eerst mee naar toe had genomen. Toen had hij zich nergens iets van aangetrokken – behalve van George misschien. Nu hij echter had meegemaakt hoe hij de zijne bijna voorgoed was kwijtgeraakt, wist hij de waarde van een goede reputatie enigszins op waarde te schatten; en niet alleen de zijne, maar ook die van zijn familie en zijn regiment.

'Wat voert jou hierheen, liefje?' Goudlokje kwam wat dichter bij hem staan; zijn blauwe ogen schitterden als twee kaarsvlammetjes.

'Ik ben op zoek naar een dame,' antwoordde Grey, nonchalant met zijn rug tegen het dressoir leunend. 'In een groen-fluwelen japon.'

Hier en daar werd wat gelachen en er werden blikken uitgewisseld, maar uit niets bleek dat zij wisten over wie hij het had.

'Groen staat mij niet,' zei Goudlokje en liet een puntige tong langs zijn bovenlip glijden. 'Maar ik heb een béédige blauw-satijnen japon met kanten ruches die je vast heel erg mooi zou vinden.'

'O, dat geloof ik graag,' zei de jongen met het bruine haar terwijl hij met duidelijke afkeer naar zowel Grey als Goudlokje keek. 'Neil, je bent een trut.'

'Dames, dames, denk een beetje om jullie taal.' Percy Wainwright duwde Goudlokje met een behendige por van zijn elleboog naar achteren en keek Grey glimlachend aan. 'Die dame in het groen – weet je hoe ze heet?'

'Josephine, geloof ik,' zei Grey, van de een naar de ander kijkend. 'Josephine, uit Cornwall.'

Dat bracht een koor van lichtelijk smalende *Oeoeh*'s teweeg, en één man begon met valse stem een oubollig Cornisch liedje te zingen. Toen ging de deur open en onmiddellijk draaide iedereen zich om om te zien wie er binnen was gekomen.

Het was Richard Caswell, de eigenaar van Lavender House. Grey herkende hem onmiddellijk – en hij herkende Grey, dat was wel duidelijk. Toch begroette Caswell hem niet bij naam, maar knikte hem slechts vriendelijk toe.

'Seppings zei dat u mij wenste te spreken. Als u mij zou willen volgen?' Caswell deed een stap opzij en gebaarde naar de deur.

Een zacht gefluit van insinuerende bewondering volgde Grey naar buiten, gevolgd door een uitbundig gelach.

Neil, je bent een trut, dacht hij, en besloot toen even nergens anders meer aan te denken dan aan de kwestie waarvoor hij hier gekomen was.

10 Mannenzaken

'Ik wist niet zeker of je nog steeds eigenaar was van Lavender House, anders had ik wel bij naam naar je gevraagd.' Grey nam plaats in de stoel die zijn gastheer hem aanbood en maakte van de gelegenheid gebruik het ongewenste glas bier op een tafeltje te zetten dat vol stond met snuisterijen.

'Het verbaast je zeker dat ik nog leef,' zei Caswell droogjes terwijl hij zelf aan de andere kant van de open haard ging zitten.

Dat was inderdaad het geval en Grey deed geen moeite dit te ontkennen. Het vuur brandde zachtjes en wierp een bedrieglijk rossige gloed op Caswells ingevallen gezicht, maar in de bibliotheek had Grey hem bij helder kaarslicht kunnen zien. Hij zag er slechter uit dan toen hij hem voor het laatst had gezien, jaren eerder – maar niet véél slechter.

'Je ziet er geen dag ouder uit dan duizend, moeder Caswell,' zei Grey op luchtige toon.

Ook dat was waar; onder zijn modieuze pruik en een extravagant kostuum van gestreepte blauwe zijde, kon de man net zo goed een Egyptische mummie zijn. Uit de mouwen staken uitgemergelde bruine polsen en handen als bosjes droge takken; hoewel het kostuum ongetwijfeld door een uitstekende kleermaker was gemaakt, hing het als een jutezak om zijn verschrompelde gestalte.

'Schaamteloze vleier.' Met een geamuseerde blik in zijn ogen nam Caswell hem van top tot teen op. 'Ik kan van jou helaas niet hetzelfde zeggen, mijn beste. Je ziet er nog net zo fris en onschuldig uit als toen ik je voor het eerst ontmoette. Hoe oud was je toen, achttien?' Caswells ogen waren nog hetzelfde; klein, zwart en intelligent, altijd bloeddoorlopen van de rook en te weinig slaap, weggezonken in dieppaarse huidplooien.

'Ik leid een gezond leven. Daar houd je een mooie huid van.'

Caswell schoot in de lach en begon toen te hoesten. Met een minimale inspanning die veel oefening verraadde, haalde hij een gekreukte zakdoek uit zijn vestzak en drukte die tegen zijn mond. Hij trok een vluchtige wenkbrauw op naar Grey, half schouderophalend, alsof hij zich verontschuldigde voor de onderbreking van hun gesprek, terwijl hij intussen een uitputtende hoestbui doorstond met de onverschilligheid van iemand die niet anders gewend was. Toen hij uiteindelijk was uitgehoest, bekeek hij de bloedvlekken op zijn zakdoek, en nadat hij kennelijk had vastgesteld dat het niet erger was dan anders, gooide hij het lapje in de vlammen.

'Ik heb een borrel nodig,' zei hij schor terwijl hij opstond en naar het grote mahoniehouten bureau liep, waar op een zilveren dienblad een karaf en verschillende glazen klaarstonden.

In tegenstelling tot Magda's heiligdom, wees in Caswells werkkamer niets op het karakter van Lavender House of haar leden; het had net zo goed het kantoor van een Londense bankdirecteur kunnen zijn, zo sober en elegant was de inrichting.

'Je bent niet erg dol op dat spul, hè?' Caswell knikte naar het afgedankte glas donker bier. Hij vulde een paar kristallen wijnglazen met een dieprode vloeistof en bood hem er een aan. 'Hier, probeer dit maar eens.'

Met een onwerkelijk gevoel nam Grey het hem aangeboden glas aan; hij had hier, in deze zelfde kamer, wijn zitten drinken toen George hem voor het eerst had meegenomen naar Lavender House – als een soort voorspel voordat zij zich terugtrokken in een van de kamers boven. Het lichtelijk gedesoriënteerde gevoel werd gevolgd door een scherpe schok toen hij een eerste slok nam.

'Erg lekker,' zei hij, het glas omhoog houdend naar het vuur alsof hij de kleur wilde beoordelen. 'Wat is het?'

'Ik weet niet hoe het heet,' zei Caswell terwijl hij er waarderend aan rook. 'Het is Duits spul, niet slecht. Had je het al eens eerder gedronken?'

Grey deed zijn ogen dicht, nam een grote slok, fronste en deed net of hij de wijn door zijn mond spoelde in een poging hem te plaatsen. Niet dat hij ook maar een ogenblik twijfelde. Hij had een goede neus voor wijn en een nog betere smaak – en hij had samen met Nessie genoeg van deze wijnsoort gedronken om hem te herkennen.

'Misschien,' zei hij terwijl hij zijn ogen weer opende en Caswells doordringende blik beantwoordde met een onschuldige oogopslag. 'Ik kan het me niet herinneren. Maar hij is niet slecht. Waar heb je hem op de kop getikt?'

'Een van onze leden drinkt hem graag. Hij brengt af en toe een vaatje mee en dat bewaren we dan voor hem in de kelder. Zelf mag ik hem ook graag drinken.' Caswell nam nog een slokje en zette toen zijn glas neer. 'Welnu... mylord. Waarmee kan ik u van dienst zijn?' De dunne lippen krulden zich in een glimlach. 'Wilt u soms lid worden van de Lavender Club? Ik weet zeker dat het comité uw aanvraag met plezier in overweging zal nemen.'

'Was dat het comité, dat ik in de bibliotheek heb ontmoet?' vroeg Grey droogjes.

'Een deel ervan.' Caswell begon te lachen, maar bedacht zich toen, bang voor een nieuwe hoestaanval. 'Let wel, het is mogelijk dat ze je aan een reeks persoonlijke gesprekken willen onderwerpen, maar ik weet bijna zeker dat je daar geen bezwaar tegen zult hebben, is het wel?'

Het glas voelde glibberig aan in Grey's hand. Ooit was hij er getuige van geweest hoe een jongeman in diezelfde bibliotheek, gebogen over een leren sofa, tot groot vermaak van alle aanwezigen aan een aantal van zulke persoonlijke gesprekken was onderworpen. Die sofa hadden ze nog steeds; dat was hem opgevallen.

'Ik voel me uitzonderlijk gevleid door het voorstel,' zei hij beleefd. 'Op dit moment ben ik echter op zoek naar informatie, niet naar gezelschap, hoe aanlokkelijk het vooruitzicht ook klinkt.'

Caswell hoestte en ging wat rechter zitten. De glimlach was er nog, maar de donkere ogen leken nu te schitteren.

'Ja?' zei hij. Grey kon het gefluister van staal dat uit de schede werd getrokken bijna horen. De pourparlers waren achter de rug; het duel kon beginnen.

'De Honorable meneer Trevelyan,' zei hij, zijn zwaard tegen dat van Caswell zettend. 'Hij komt hier regelmatig; dat weet ik al. Wat ik wil weten is wie hij hier ontmoet.'

Caswell knipperde met zijn ogen. Kennelijk had hij zo'n rechtstreekse uitval niet verwacht, maar hij herstelde zich snel.

'Trevelyan? Die naam komt me niet bekend voor.'

'O, je kent hem wel. Het maakt niet uit of hij hier dezelfde naam gebruikt; jij weet alles wat er te weten valt van iedereen die hier komt. Dus hun echte achternamen ken je ook.'

'Vleier,' zei Caswell nogmaals, hoewel hij er minder geamuseerd bij keek.

'De heren in de bibliotheek leken me niet erg terughoudend,' zei Grey, onmiddellijk van de gelegenheid gebruik makend. 'Als ik hen buiten deze club zou opzoeken, denk ik dat sommigen van hen me wel zouden willen vertellen wat ik wil weten.'

Caswell lachte, diep genoeg om een lichte hoestaanval uit te lokken. 'Nee, hoor,' hijgde hij terwijl hij een schone zakdoek te voorschijn haalde. Hij bette zijn ogen en zijn verschrompelde mond, die opnieuw glimlachte. 'Een enkeling zal misschien bereid zijn je alles te vertellen wat je weten wilt, met de bedoeling je uit je broek te krijgen, maar dàt zullen ze je nooit vertellen.'

'O, nee?' Met geveinsde onverschilligheid nam Grey een slokje van zijn wijn. 'Dan moeten Trevelyans zaken nog belangrijker zijn dan ik dacht, als jij je leden meent te moeten bedreigen om ervoor te zorgen dat ze zijn geheimen niet zullen prijsgeven.'

'Och, doe me een lol!' Caswell wuifde met een magere hand. 'Bedreigen? Ik? Je weet wel beter, lieve jongen. Als ik me schuldig zou maken aan dreigementen, was ik al lang geleden met ingeslagen schedel in de Fleet Ditch geëindigd.'

Grey's belangstelling was onmiddellijk gewekt door deze opmerking, maar hij deed zijn best om een uitdrukkingsloze blik op zijn gezicht te behouden. Was dit een overdrijving, of een waarschuwing? Caswells ingevallen gezicht verraadde niets, hoewel de schitterende ogen hem strak en onderzoekend bleven aankijken.

Hij haalde diep adem om het bonken van zijn hart te kalmeren en nam nog een slokje wijn. Voor hetzelfde geld was het een puur toevallige uitspraak; de Fleet stroomde hier tenslotte langs – en bovendien had Caswell gelijk: hij had hier te maken met rijke, invloedrijke mensen en als hij zich schuldig zou maken aan bedreigingen of afpersing zouden ze hem al lang geleden hebben uitgeschakeld, op wat voor manier dan ook.

Informatie was echter iets heel anders. George had hem eens verteld dat informatie Caswells belangrijkste handelswaar was – en Lavender House bracht vast niet genoeg op om de luxueuze inrichting van Caswells privé-vertrekken te kunnen bekostigen. *Iedereen kent Dickie Caswell*, had George gezegd, lui achterover leunend op een bed in een van de kamers boven. *En Dickie kent iedereen – en weet alles. Alles wat je weten wilt – voor de juiste prijs.*

'Je tact en discretie zijn werkelijk bewonderenswaardig,' zei Grey, zoekend naar een nieuwe positie van waaruit hij de aanval weer kon inzetten. 'Maar waarom zeg je dat zij het me niet zullen vertellen?'

'Omdat dat zo is,' antwoordde Caswell prompt. 'Ze hebben hier nog nooit een man gezien die Trevelyan heet – dus hoe zouden ze je iets over hem kunnen vertellen?'

'Geen man, nee. Ik denk eerder dat ze hem als vrouw hebben gezien.'

Zijn hart sprong op toen hij zag hoe het bloed uit Caswells gezicht wegtrok en de paarse, zakkerige huidplooien onder zijn ogen nog donkerder leken te worden. Die was raak.

'In een groen-fluwelen japon,' voegde hij eraan toe, het moment ten volle uitbuitend. 'Zoals ik al zei, ik weet al dat hij hier regelmatig komt; dat feit staat niet ter discussie.'

'Je vergist je,' zei Caswell, maar een opborrelende hoest liet zijn stem een beetje beven.

'Geef het nu maar toe, Dickie,' zei Grey, arrogant met zijn degen zwaaiend. Hij leunde een beetje naar achteren en keek inschikkelijk over zijn glas. 'Ik zeg je toch dat ik het al weet; je zult me er nooit van kunnen overtuigen dat dat niet zo is. Ik hoef alleen nog maar een paar kleine dingetjes te weten.'

'Maar –'

'Je hoeft niet bang te zijn dat je ergens de schuld van zult krijgen. Als ik de belangrijkste feiten over Trevelyan uit een andere bron heb vernomen – en dat is zo – dan kan die bewuste bron me de rest toch ook hebben verteld?'

Caswell had zijn mond al open om iets te zeggen, maar in plaats daarvan vernauwde hij zijn ogen tot spleetjes en klemde hij zijn lippen peinzend opeen.

'En je hoeft ook niet bang te zijn dat ik meneer Trevelyan kwaad wil doen. Hij staat per slot van rekening op het punt om deel te gaan uitmaken van mijn familie. Misschien wist je nog niet dat hij zich met mijn nichtje heeft verloofd?'

Caswell knikte bijna onmerkbaar. Zijn mond was zo stijf dichtgeknepen dat hij nog het meeste weg had van een hondenanus, en Grey vond het een hoogst onaangename aanblik. Niet dat het er veel toe deed hoe die boosaardige ouwe vent eruitzag, zolang hij de noodzakelijke details maar ophoestte.

'Je zult begrijpen dat mijn inspanningen op dit gebied er uitsluitend op gericht zijn mijn familie te beschermen.' Grey wendde zijn blik af en keek naar een massief zilveren *pièce de milieu*, gevuld met kasvruchten, waarna hij zijn blik weer op Caswell richtte. Tijd voor de genadeslag. 'Maar goed,' zei hij, met een sierlijk gebaar zijn handen spreidend. 'Nu rest ons alleen nog een prijs overeen te komen, nietwaar?'

Caswell maakte een diep, rochelend geluid en spuwde in zijn schone zakdoek, die hij vervolgens verfrommelde en in het vuur gooide, de eerste achterna. Grey bedacht zich cynisch dat hij alleen al veel geld nodig moest hebben om zich van nieuwe zakdoeken te voorzien.

'De prijs.' Caswell nam een grote slok wijn, zette het glas neer en likte zijn lippen af. 'Wat heb je te bieden? Vooropgesteld dat ik iets te verkopen heb, natuurlijk.'

Hij deed in elk geval niet meer alsof hij nergens iets vanaf wist. Het duel was gestreden. Grey kon een zucht niet onderdrukken en merkte tot zijn verbazing dat zijn handpalmen niet alleen vochtig waren, maar dat hij onder zijn hemd zat te zweten als een rund, terwijl het niet warm was in de kamer.

'Ik heb geld – ' begon hij.

Caswell viel hem in de rede. 'Trevelyan geeft me al geld. Heel veel geld. Wat heb je nog meer in de aanbieding?'

De kleine, zwarte oogjes keken hem zonder te knipperen aan, en hij zag het puntje van Caswells tong nauwelijks zichtbaar naar buiten komen om een druppel wijn uit zijn mondhoek weg te likken.

Goeie God. Hij bleef een ogenblik met stomheid geslagen in die zwarte ogen zitten kijken, en keek toen omlaag, alsof hij zich opeens zijn eigen wijn herinnerde. Hij hief zijn glas en sloeg zijn wimpers neer om zijn ogen te verbergen.

Ter verdediging van Koning, vaderland en familie had hij zo nodig zonder enige aarzeling zijn deugdzaamheid aan Nessie willen opofferen. Als het echter een kwestie was van Olivia die met een man met syfilis trouwde en het halve Britse leger dat in de strijd ten onder zou gaan, versus de ervaring van een 'persoonlijk onderhoud' met Richard Caswell, vond hij dat Olivia en de Koning hun eigen boontjes maar moesten doppen.

Hij zette zijn glas neer en hoopte dat deze conclusie niet van zijn gezicht af te lezen viel.

'Ik heb wel iets anders dan geld,' zei hij, Caswell recht in de ogen kijken. 'Wil je weten hoe George Everett werkelijk aan zijn eind is gekomen?'

Als er een glimp van teleurstelling in die zwarte ogen te zien was, maakte die onmiddellijk plaats voor een grote belangstelling. Caswell probeerde het niet te laten merken, maar hij kon de nieuwsgierigheid, vermengd met inhaligheid niet verbergen.

'Ik heb gehoord dat hij tijdens de jacht is verongelukt; zijn nek gebroken. Waar was het ook weer? Wyvern?'

'Op het landgoed van Francis Dashwood – Medmenham Abbey. Maar het was niet zijn nek en het was geen ongeluk. Hij is met voorbedachte rade vermoord – een zwaardsteek door het hart. Ik was erbij.'

Deze laatste drie woorden vielen als kiezels in een meertje; hij voelde de rimpelingen door de lucht golven. Caswell zat roerloos en nauwelijks ademhalend de mogelijkheden te overwegen.

'Dashwood,' fluisterde hij tenslotte. 'De Hellfire Club?'

Grey knikte. 'Ik kan je vertellen wie er allemaal waren – en alles wat er die avond in Medmenham is gebeurd. *Alles*.'

Caswell beefde van opwinding en zijn donkere ogen werden vochtig.

George had het bij het rechte eind gehad. Caswell was iemand die dol was op geheimen, die vertrouwelijke informatie verzamelde omdat hij het leuk vond dingen te weten die niemand anders wist. En wanneer de kans zich voordeed om zulke dingen met winst te verkopen...

'Akkoord, Dickie?'

Dat bracht Caswell weer een beetje tot zichzelf. Hij haalde diep adem, hoestte een paar keer, schoof zijn stoel naar achteren en knikte.

'Akkoord, liefje. Laten we gaan.'

De bovenverdiepingen bestonden grotendeels uit privé-vertrekken; Grey wist niet of er veel was veranderd – bij zijn vorige bezoeken aan Lavender House was hij niet helder genoeg geweest om op zulke dingen te letten.

Vanavond was echter anders; hij lette op alles.

Het was heel eigenaardig, dacht hij, achter Caswell aan lopend. De sfeer van het huis voelde heel anders dan die van het bordeel, terwijl beide gelegenheden toch hetzelfde doel nastreefden. Beneden hoorde hij muziek en uit sommige van de kamers die zij passeerden klonken intieme geluiden – en toch was het heel anders.

Magda's bordeel was veel explicieter; daar had alles maar één bedoeling: mensen aan te zetten tot wellust. Dat gebeurde in geen enkel *molly-house* waar hij ooit was geweest – er was maar zelden enige versiering en er stonden zelfs nauwelijks meubels, op eenvoudige bedden na, en soms zelfs dat niet. Meestal waren het gewone taveernes, met een kamer achter de gelagkamer, waar mannen zich konden terugtrekken om plezier te maken, vaak onder applaus en luidkeels commentaar van andere gasten van het etablissement.

Volgens hem hadden zelfs de armoedigste bordelen deuren. Kwam dat omdat vrouwen meer gesteld waren op hun privacy? Hij kon zich niet voorstellen dat veel hoeren plezier beleefden aan het soort voorwerpen dat Magda verstrekte om het genot van haar klanten te verhogen. Misschien was er werkelijk een verschil tussen mannen die zich aangetrokken voelden tot vrouwen en degenen die de voorkeur gaven aan hun eigen sekse. Of lag het aan de vrouwen? Hadden zij er behoefte aan het gebeuren mooier te maken dan het was?

Wat seksuele gevoelens betreft... dit huis gonsde er bijna van. Overal hoorde je mannenstemmen en rook je de geur van mannen; aan het eind van de gang stonden twee mannen in een innige verstrengeling tegen een muur, en zijn eigen vel tintelde ook; hij transpireerde hevig.

Caswell ging hem voor naar de trap, langs de geliefden. Een van hen was Goudlokje, Neil de Trut, die hem, met zijn haar in de war en opgezwollen lippen, een smachtende glimlach toewierp alvorens zijn aandacht weer op zijn metgezel te richten – overigens niet de jongen met het bruine haar. Grey keek met opzet niet meer om toen hij de trap opliep.

Op de bovenste verdieping van het huis was het een stuk rustiger. De inrichting was hier ook luxueuzer; er lag een brede, oosterse loper in de gang en aan de muren hingen smaakvolle schilderijen boven kleine tafeltjes waar vazen met bloemen op stonden.

'Hier hebben wij nog een aantal suites. Soms komt er iemand van ver weg die een paar dagen wil blijven, of een week...'

'Leuk logeeradresje. Ik begrijp het. En ik neem aan dat Trevelyan op gezette tijden ook gebruik maakt van een van die suites?'

'O, nee.' Voor een geverniste deur bleef Caswell staan en schudde een grote sleutel los uit de sleutelbos die hij bij zich droeg. 'Deze suite staat permanent tot zijn beschikking.'

Caswell duwde de deur open. Binnen was het donker en in de muur tegenover de deur was de iets lichtere rechthoek van een raam zichtbaar. Het was een bewolkte avond en Grey zag dat de maan, die hoog en klein aan de hemel stond, bijna geheel verborgen ging achter de wolken.

Caswell had een kaars meegebracht. Hij stak hem aan aan een brandende kaars die op de gang stond. Het vlammetje wierp een flakkerend schijnsel over een grote kamer met een hemelbed. De kamer was schoon en leeg; Grey snoof de lucht op, maar rook niets anders dan schoonmaakmiddel en boenwas, en een vage herinnering aan reeds lang gedoofde haardvuren. De haard was keurig uitgeveegd en er lag brandhout in, maar het was koud in de kamer. Kennelijk was hier al een tijdje niemand meer geweest.

Grey keek goed om zich heen, maar vond helemaal niets dat erop wees dat hier iemand woonde.

'Ontvangt hij hier altijd dezelfde persoon?' vroeg hij. Het permanent huren van een suite wees op een langdurige relatie.

'Ja, ik geloof van wel.' Er lag een eigenaardige klank in Caswells stem en Grey keek de man aan.

'Geloof je van wel? Heb je zijn gast dan nooit gezien?'

'Nee – hij is erg precies, onze meneer Trevelyan.' Caswells stem klonk ironisch. 'Hij arriveert altijd als eerste, kleedt zich om, en gaat dan beneden bij de deur staan wachten. Hij neemt zijn gast altijd rechtstreeks mee naar boven; het personeel heeft instructies zich niet in de buurt te vertonen.'

Dat was een teleurstelling. Hij had op een naam gehoopt. Voor de volledigheid besloot hij echter toch nog even door te vragen.

'Het personeel zal zich ongetwijfeld nauwgezet aan die instructies houden,' zei hij. 'Maar jij, Dickie? Het gaat er bij mij gewoon niet in dat hier mensen binnenkomen zonder dat jij ervoor zorgt alles over hen te weten te komen wat er te weten valt. Voor zover ik weet kende je mij alleen maar bij mijn voornaam – maar als je dan toch weet dat Trevelyan met mijn nichtje verloofd is, weet je dus kennelijk ook wie ik ben.'

'Jazeker – mylord.' Caswell glimlachte en tuitte zijn lippen. Hij leek net zo van zijn onthullingen te genieten als van zijn eerdere terughoudendheid. 'Je hebt gelijk – tot op zekere hoogte. Eerlijk gezegd ken ik de naam van meneer Trevelyans minnares niet; hij is heel voorzichtig. Eén belangrijk ding weet ik echter wel van haar.'

'En dat is?'

'Dat zij wel degelijk een minnares is en geen minnaar.'

Grey liet de woorden een ogenblik tot zich doordringen. 'Wat? Heeft Trevelyan ontmoetingen met een *vrouw*? Een echte vrouw? *Hier?*'

Caswell boog zijn hoofd en vouwde zijn handen voor zijn lichaam als een butler.

'Hoe weet je dat?' wilde Grey weten. 'Ben je er zeker van?'

Het kaarslicht danste lachend in Caswells kleine, zwarte oogjes. 'Heb je ooit een vrouw geroken? Van heel dichtbij, bedoel ik?' Caswell schudde zijn hoofd en de losse huidplooien van zijn nek trilden mee met de beweging. 'Laat staan een kamer waar iemand uren achtereen met een van die wezens de liefde heeft liggen bedrijven? Natuurlijk ben ik daar zeker van.'

'Natuurlijk,' mompelde Grey, die helemaal misselijk werd bij de gedachte dat Caswell als een rat de lakens en kussens in de lege kamers van zijn huis besnuffelde en informatie verzamelde uit de rommel die was achtergelaten door zorgeloze geliefden.

'Ze heeft donker haar,' zei Caswell behulpzaam. 'Bijna zwart. Ik meen dat je nichtje blond is?'

Daar gaf Grey niet eens antwoord op. 'En?' vroeg hij kortaf.

Caswell tuitte zijn lippen en dacht na. 'Ze draagt vrij veel make-up – maar ik weet natuurlijk niet of ze dat altijd doet, of dat het deel uitmaakt van de vermomming die ze gebruikt om hier te komen.'

Grey knikte begrijpend. Al die mollies die zich zo graag als vrouw verkleedden beschilderden zich meestal als Franse edelvrouwen. Een vrouw die wilde doorgaan voor één van hen deed dus waarschijnlijk hetzelfde.

'En?'

'Ze gebruikt een heel duur parfum. Civet, vetiver en oranjebloesem, als ik me niet vergis.' Caswell keek peinzend omhoog naar het plafond. 'O, ja – ze is erg dol op die Duitse wijn die ik je net heb laten proeven.'

'Je zei al dat je die voor een van de leden in huis had. Dat is dus Trevelyan? Hoe weet je dat hij niet de enige is die ervan drinkt?'

Caswells harige neusgaten trilden van plezier. 'Een man die er zoveel van zou drinken als de hoeveelheid die naar zijn suite wordt gebracht, zou dagenlang onbekwaam zijn. En naar de bewijzen te oordelen' – hij knikte fijntjes naar het bed – 'is onze meneer Trevelyan verre van onbekwaam.'

'En ze arriveert in een gesloten draagstoel?' vroeg Grey, de toespeling negerend.

'Ja. Maar elke keer met andere dragers. Als ze haar eigen dragers in dienst heeft, gebruikt ze die in elk geval niet wanneer ze hier naar toe komt – hetgeen toch wijst op een grote mate van discretie, nietwaar?'

Een dame die kennelijk veel te verliezen had als haar affaire aan het licht zou komen. Maar dat had hij ook al afgeleid uit Trevelyans uitgebreide voorzorgsmaatregelen.

'En dat is alles wat ik weet,' zei Caswell op besliste toon. 'En dan nu jouw deel van de afspraak...'

Hoewel het hem nog duizelde van de onthullingen, herinnerde Grey zich zijn belofte aan Tom Byrd en bleek nog net alert genoeg om een laatste vraag te stellen, die hij bijna willekeurig uit de wirwar van feiten en gissingen plukte die momenteel door zijn hoofd spookte.

'Dat is alles wat je van de vrouw weet. Maar wat meneer Trevelyan zelf betreft – heb je wel eens een man in zijn gezelschap gezien, een bediende? Iets groter dan ikzelf, met een smal, donker gezicht en een ontbrekende hoektand in zijn linker bovenkaak?'

Caswell keek verrast op. 'Een bediende?' Hij fronste en zocht in zijn herinnering. 'Nee. Ik... nee, wacht eens even. Ja... ja, ik geloof dat ik die man gezien heb, hoewel hij hier volgens mij maar één keer is geweest.' Hij keek op en knikte beslist. 'Ja, dat was het; hij kwam zijn meester halen, met een of andere geschreven boodschap – een dringende zakelijke kwestie, geloof ik. Ik stuurde hem naar de keuken om op meneer Trevelyan te wachten. Het was een knappe man, tand of geen tand, maar ik had niet het idee dat hij geneigd was tot de dingen die hierboven gebeuren.'

Het zou Tom Byrd goed doen de mening van een expert op dit gebied te horen, dacht Grey.

'Wanneer was dat? Weet je dat nog?' vroeg hij.

Caswell zoog zijn lippen peinzend naar binnen en Grey wendde even zijn blik af.

'Dat moet eind april zijn geweest, hoewel ik niet meer – o. Ja, ik weet het wèl.' Hij grijnsde triomfantelijk zijn rotte tanden bloot. 'Dat was het. Hij kwam met het bericht van de Oostenrijkse nederlaag bij Praag, dat per koerier was bezorgd. Het duurde nog een paar dagen voordat het in de kranten stond, maar meneer Trevelyan wilde het natuurlijk meteen weten.'

Grey knikte. Voor een man met Trevelyans zakelijke belangen was dergelijke informatie zijn gewicht in goud waard – of misschien nog wel meer, afhankelijk van het moment.

'Nog één ding. Toen hij zo haastig vertrok – ging de vrouw toen ook weg? En ging ze met hem mee, of regelde ze haar eigen vervoer?'

Hier moest Caswell weer even over nadenken en hij leunde tegen de muur.

'Ja-a, ze gingen inderdaad samen weg,' zei hij tenslotte.' Als ik het me goed herinner ging de bediende een huurrijtuig halen en daar stapten ze samen in. Zij hield een sjaal om haar hoofd. Ze was heel klein; ik had haar gemakkelijk voor een jongen kunnen aanzien – hoewel haar figuurtje behoorlijke rondingen vertoonde.'

Toen richtte Caswell zich op en wierp nog een laatste blik door de verlaten kamer, alsof hij zichzelf ervan wilde vergewissen dat er geen geheimen meer te vinden waren. 'Zo, nu heb ik me aan mijn deel van de afspraak gehouden, liefje. Nu jij.'

Hij hield zijn hand boven de kaars en stond op het punt het vlammetje tussen zijn knokige vingers te doven. Grey zag hoe de glinsterend zwarte ogen hem uitnodigend aankeken, en was zich maar al te bewust van het grote bed achter hen.

'Natuurlijk,' zei Grey terwijl hij naar de deur liep. 'Zullen we weer naar je werkkamer gaan?'

Hij zou bijna hebben gedacht dat Caswell een pruilmondje trok, ware het niet dat zijn lippen niet vol genoeg meer waren om dit te bewerkstelligen.

'Als je erop staat,' zei hij met een diepe zucht, waarop hij de kaars doofde.

Tegen de tijd dat Grey Dickie Caswells werkkamer verliet, alleen, begon het net licht te worden boven de daken van Londen. Aan het eind van de gang bleef hij staan om zijn voorhoofd even tegen het koele vensterglas te leggen. Hij keek hoe de stad in nauwelijks waarneembare fases haar mantel van duisternis aflegde. Gedempt door een wolkendek dat in de loop van de nacht nog dichter was geworden, werd het geleidelijk aan lichter in allerlei tinten grijs, dat heel in de verte alleen werd afgewisseld door een zweempje roze boven de Theems. In zijn huidige gemoedstoestand deed het Grey denken aan het laatste restje leven, dat langzaam vervaagt van de wangen van een dode.

Caswell was dolblij geweest met zijn deel van de afspraak, en dat was hem geraden ook. Grey had niets verzwegen van zijn avonturen op Medmenham, op de naam na van de man die George Everett uiteindelijk had vermoord. Hij had alleen maar verteld dat de man een wijde mantel en een masker had gedragen en dat hij hem niet had herkend.

Hij had er geen moeite mee George op die manier zwart te maken; wat hem betreft had George daar zelf aardig aan meegewerkt – en als een postume onthulling van zijn daden ertoe kon bijdragen onschuldigen te sparen, was dat misschien een kleine compensatie voor alle onschuldige levens die George had verwoest teneinde zijn ambities te verwezenlijken.

Wat Dashwood en de anderen betreft... die moesten maar voor zichzelf zorgen. *Hij die met de Duivel aan tafel gaat, kan maar beter een oude lepel meenemen.* Grey glimlachte flauwtjes toen hij in gedachten dat Schotse spreekwoord hoorde. Jamie Fraser had het gezegd, tijdens hun allereerste gezamenlijke maaltijd – met Grey in de rol van de Duivel, veronderstelde hij, hoewel hij het hem niet had gevraagd.

Grey was geen godsdienstig man, maar hij koesterde een hardnekkig visioen: een wraakengel die de wacht hield bij een weegschaal waarop de daden van een mensenleven werden gewogen – de slechte aan de ene kant, de goede aan de andere – en George Everett stond naakt voor die engel, gekneveld en met grote ogen te wachten waar de schommelende weegschaal uiteindelijk tot stilstand zou komen. Hij hoopte maar dat wat hij vannacht had gedaan in Georges voordeel zou werken, en vroeg zich af hoe lang de afrekening zou duren en of het waar was dat de daden van een man hem tot na de dood bleven achtervolgen.

Jamie Fraser had hem eens over de hel verteld, die katholieke voorstelling van een plek die vooraf ging aan het laatste oordeel, waar zielen na de dood enige tijd verbleven, en waar het lot van een ziel nog kon worden beïnvloed door de gebeden en missen die eraan werden opgedragen. Misschien was het waar; een wachtkamer voor de ziel terwijl op aarde alles wat een mens tijdens zijn leven had gedaan zichzelf uitspeelde, compleet met onverwachte consequenties en complicaties die elkaar opvolgden als een lange reeks omvallende dominostenen. Maar dat zou betekenen dat een mens niet alleen verantwoordelijk was voor zijn bewuste daden, maar ook voor al het goed en kwaad wat er tot in de eeuwigheid uit zou voortvloeien, zonder dat hij dat ooit had kunnen voorzien. Een afschuwelijke gedachte.

Hij richtte zich op en voelde zich tegelijkertijd uitgeput en opgefokt. Hij was doodmoe, maar klaarwakker – sterker nog, slaap had nog nooit zo ver weg geleken. Al zijn zenuwen stonden op scherp en al zijn spieren waren zo gespannen dat het pijn deed.

Het huis lag doodstil om hem heen; de bewoners sliepen nog de diepe slaap van wijn en verzadigde sensualiteit. Het begon te regenen en het zachte tikken van regendruppels tegen het glas werd vergezeld door een scherpe, frisse geur die door de kieren van het raam kwam en de bedompte lucht van het huis verdreef en ook de nevel die zijn brein vervulde.

'Geen betere manier om de dufheid te verdrijven dan een lange wandeling naar huis in de stromende regen,' mompelde hij in zichzelf. Hij had zijn hoed ergens laten liggen – misschien in de bibliotheek – maar had geen zin hem te gaan zoeken. Hij liep de trap af naar de eerste verdieping en langs de galerij naar de grote trap die hem naar de voordeur zou voeren.

De deur van een van de kamers op de galerij stond open en toen hij erlangs liep, viel er vlak voor zijn voeten een schaduw over de houten vloer. Hij keek op en zag een jongeman in de deuropening geleund staan, gekleed in niets anders dan zijn hemd en met zijn donkere krullen los op zijn schouders hangend. De ogen van de jongeman, donker en met lange wimpers, gleden over hem heen en hij voelde de hitte ervan op zijn huid.

Hij wilde doorlopen, maar de jongeman stak zijn hand uit en greep hem bij de arm.

'Kom binnen,' zei de jongeman zacht.

'Nee, ik –'

'Kom. Heel even maar.'

De jongeman kwam de galerij op, zijn blote voeten smal en sierlijk, en kwam zo dicht bij hem staan dat zijn bovenbeen dat van Grey raakte. Hij leunde naar voren, en de warmte van zijn adem streek langs Grey's oor. Het puntje van zijn tong raakte zijn oorschelp, met een knetterend geluid, net als het vonkje dat op een droge dag van je vingers springt wanneer je metaal aanraakt.

'Kom,' fluisterde hij en trok Grey de kamer binnen.

Het was een schone, eenvoudig ingerichte kamer, maar het enige wat hij zag waren die donkere ogen, zo dichtbij, en de vingers die langs zijn arm gleden en zich met zijn eigen vingers verstrengelden, de donkere huid scherp afstekend tegen zijn eigen lichte hand, de handpalm breed en hard tegen de zijne.

Toen liet de jongeman hem glimlachend los, pakte de zoom van zijn hemd en trok het over zijn hoofd.

Grey had het gevoel dat zijn halsboord hem deed stikken. Het was koel in de kamer, maar het zweet brak hem uit, heet en klam op zijn onderrug, glibberig tussen zijn huidplooien.

'Wat zou u graag willen, sir?' fluisterde de jongeman, nog steeds glimlachend. Hij begon zichzelf met één hand uitnodigend te strelen.

Grey reikte langzaam naar zijn kraag en frunnikte er net zo lang aan tot hij losschoot. Nu was zijn hals bloot en kwetsbaar. Hij voelde koele lucht op zijn huid toen hij zijn jas uittrok en zijn hemd openknoopte; kippenvel prikte op zijn armen en gleed langs zijn ruggengraat naar beneden.

De jongeman knielde op het bed. Hij keerde hem de rug toe en rekte zich katachtig uit terwijl het regenachtige licht van het raam over de brede, platte spieren van zijn dijen en schouders en langs zijn rug en bilnaad speelde. Hij keek over zijn schouder, zijn oogleden half gesloten, loom en slaperig.

De matras zakte door onder Grey's gewicht en de mond van de jongeman bewoog onder de zijne, zacht en nat.

'Wilt u praten, sir?'

'Nee,' fluisterde Grey terwijl hij zijn ogen sloot en zich met handen en heupen tegen de jongeman aandrukte. 'Zeg maar niets. Doe maar net... of ik er niet ben.'

11 Duitse rode wijn

Grey schatte dat er zo ongeveer duizend wijnwinkels in Londen moesten zijn. Maar als je alleen de winkels in aanmerking nam die kwaliteitswijn verkochten, werd dat aantal waarschijnlijk wat beter te behappen. Een kort gesprekje met zijn eigen wijnhandelaar leverde echter niets op, dus besloot hij te rade te gaan bij een expert.

'Moeder, toen jij vorige week die Duitser te gast had, heb je toen toevallig ook Duitse wijn laten schenken?'

De gravin zat in haar boudoir een boek te lezen, haar kousenvoeten boven op de harige rug van haar lievelingshond, een bejaarde spaniël die de naam Eustace droeg en die bij Grey's binnenkomst één slaperig oog opende en vriendelijk begon te hijgen. Zij keek op naar haar zoon en schoof haar leesbril op haar voorhoofd, een beetje met haar ogen knipperend bij deze plotselinge overgang vanuit de wereld van het gedrukte woord.

'Duitse wijn? Eh, ja, we hadden een mooie Rijnwijn, voor bij het lamsvlees. Waarom wil je dat weten?'

'Geen rode wijn?'

'Drie verschillende – maar geen Duitse. Twee Franse en een nogal wrange Spaanse, hoewel die het heel goed deed bij de worstjes.' Benedicta liet het puntje van haar tong peinzend langs haar bovenlip glijden bij de herinnering. 'Ik geloof dat kapitein von Namtzen de worstjes niet zo lekker vond; heel vreemd. Maar ja, hij is natuurlijk een Zwaab. Misschien heb ik die worstjes per ongeluk wel op z'n Saksisch of op z'n Pruisisch laten bereiden en beschouwde hij dat als een belediging. Onze kokkin beschouwt alle Duitsers als één pot nat.'

'Onze kokkin beschouwt iedereen die niet Engels is als een Fransoos, meer onderscheid maakt ze gewoon niet.' De vooroordelen van hun kokkin voorlopig maar even latend voor wat ze waren, verwijderde Grey een stapel boeken en manuscripten van een stoel en ging zitten. 'Ik ben op zoek naar een Duitse rode wijn – stevig, fruitig, ongeveer de kleur van die rozen daar.' Hij wees naar de vaas dieprode rozen die hun blaadjes over zijn moeders mahoniehouten secretaire lieten vallen.

'Werkelijk? Ik geloof niet dat ik ooit een Duitse rode wijn heb gezien, laat staan geproefd – hoewel ik aanneem dat ze wel bestaan.' De gravin sloeg haar boek dicht, maar hield een vinger tussen de pagina's waar ze gebleven was. 'Ben je van plan een dineetje te organiseren? Olivia zei dat je Joseph had uitgenodigd een keer bij je te komen eten – dat was heel lief van je, schat.'

Grey had het gevoel dat hij een stomp in zijn maag had gekregen. Jezus, hij was die hele uitnodiging aan Trevelyan vergeten.

'Maar waarom wil je zo graag een Duitse wijn?' De gravin hield haar hoofd een beetje schuin en trok nieuwsgierig een blonde wenkbrauw op.

'Dat is een heel andere kwestie en heeft hier niets mee te maken,' haastte Grey zich te zeggen. 'Betrek jij je wijn nog steeds van Cannell's?'

'Meestal wel, ja. Soms van Gentry's, en af en toe van Hemshaw en Crook. Maar wacht eens even...' Ze streek met haar wijsvinger over haar neus en drukte toen het puntje in. Kennelijk had ze zich iets herinnerd.

'Er zit een vrij nieuwe wijnhandel in Fish Street, een kleine zaak. Het is geen beste buurt, maar ze hebben een aantal hele bijzondere wijnen; dingen die je nergens anders vindt. Als ik jou was zou ik daar eens gaan vragen. *Fraser et Cie*, heet de winkel.'

'Fraser.' Het was een vrij veel voorkomende Schotse naam. Toch ging er bij het horen ervan een vage rilling door hem heen. 'Dat zal ik doen. Bedankt, moeder.' Hij boog zich naar voren om haar wang te kussen en rook haar karakteristieke parfum: een combinatie van lelietjes-van-dalen en inkt – waarbij die laatste geur sterker was dan normaal, vanwege het nieuwe boek op haar schoot.

'Wat ben je aan het lezen?' vroeg hij.

'O, het laatste luchtige niemendalletje van de jonge Edmund,' zei ze terwijl ze hem de titel toonde: *A Philosophical Enquiry into the Origin of Our Ideas of the Sublime and Beautiful*, door Edmund Burke. 'Ik denk niet dat het iets voor jou is – veel te onnozel.' Ze pakte haar zilveren pennenmes en sneed heel netjes de volgende pagina open. 'Maar ik heb ook een nieuwe editie van John Clelands *Fanny Hill*, als je zin hebt om iets te lezen. Je weet wel, *Memoires van een Vrouw van Plezier?*'

'Heel grappig, moeder,' zei hij goedmoedig terwijl hij Eustace achter zijn oren krabde. 'Ben je van plan dat te lezen, of laat je het alleen maar zogenaamd per ongeluk in de salon slingeren om Lady Roswell een beroerte te bezorgen?'

'O, wat een goed idee!' zei ze, hem goedkeurend aankijkend. 'Daar had ik nog niet eens aan gedacht. Helaas staat de titel niet op de omslag en zij is zo dom dat ze niet eens nieuwsgierig genoeg is om een boek op te pakken en open te slaan.'

Ze rommelde wat tussen de opgestapelde boeken op haar secretaire en trok er een mooi, in kalfsleer gebonden en in kwartoformaat uitgevoerd boek uit, dat ze hem overhandigde.

'Dit is een speciaal presentexemplaar,' legde ze uit. 'Zonder titel op de rug of op de band. Zodat je het kunt lezen in slaapverwekkend gezelschap, denk ik, zonder argwaan te wekken – zolang je maar zorgt dat niemand de illustraties ziet. Waarom neem jij het niet mee? Ik heb het al gelezen toen het net uit was, en jij hebt een cadeau nodig voor Josephs vrijgezellenfeest. En ook al is maar de helft van wat ik over zulke feestjes hoor waar, dan lijkt dit me wel toepasselijk.'

Hij had net op willen staan, maar bleef nu nog even zitten, met het boek in zijn handen.

'Moeder,' zei hij voorzichtig, 'wat meneer Trevelyan betreft. Denk je dat Livy heel erg verliefd op hem is?'

Ze keek hem met opgetrokken wenkbrauwen aan, sloeg toen heel langzaam haar boek dicht, haalde haar voeten van de rug van Eustace en ging rechtop in haar stoel zitten.

'Hoezo?' vroeg ze, op een toon waaruit alle behoedzaamheid en cynische argwaan met betrekking tot de mannelijke sekse bleek die de natuurlijke gave was van een vrouw die vier zoons had grootgebracht en twee echtgenoten had begraven.

'Ik... heb reden te geloven dat meneer Trevelyan een... een ongebruikelijke relatie onderhoudt,' zei hij zorgvuldig. 'Het is nog niet helemaal zeker.'

De gravin haalde diep adem, deed heel even haar ogen dicht, opende ze toen weer en keek hem aan met een pragmatische blik in haar helderblauwe ogen, met slechts een glimp van treurigheid erin.

'Hij is twaalf jaar ouder dan zij,' zei ze. 'Het zou niet alleen ongebruikelijk, maar bijzonder opmerkelijk zijn als hij nooit minnaressen had gehad. Het is immers heel normaal voor mannen van jouw leeftijd om verhoudingen te hebben.' Ze liet even haar wimpers zakken bij deze subtiele verwijzing naar het in de doofpot verdwenen schandaal waarvoor hij naar Ardsmuir was gestuurd. 'Ik mag hopen dat dit huwelijk voor hem reden zal zijn om dat soort relaties op te geven, maar zo niet...' Ze haalde haar schouders op en leek opeens heel vermoeid. 'Dan vertrouw ik erop dat hij het discreet zal doen.'

Opeens vroeg Grey zich af of zijn vader, of wellicht haar eerste echtgenoot, kapitein DeVane... maar dit was niet het moment voor dergelijke speculaties.

'Volgens mij is meneer Trevelyan uiterst discreet,' zei hij, zijn keel schrapend. 'Ik vroeg me alleen af of... of het Livy's hart zou breken als er... iets gebeurde.' Hij mocht zijn nichtje graag, maar kende haar niet zo heel erg goed. Zij was bij zijn moeder komen wonen toen hij zelf het huis al had verlaten voor zijn eerste aanstelling.

'Ze is zestien,' merkte zijn moeder droogjes op. '*Signor* Dante en zijn Beatriz even buiten beschouwing gelaten, zijn de meeste meisjes van zestien nog niet in staat tot grote hartstocht. Dat denken ze alleen maar.'

'Dat wil dus zeggen –'

'Dat wil dus zeggen,' zei ze, hem behendig in de rede vallend, 'dat Olivia nog vrijwel niets van haar aanstaande echtgenoot weet, buiten het feit dat hij rijk is, goed gekleed gaat, er niet slecht uitziet en bijzonder attent voor haar is. Zij weet niets van zijn karakter, of van het huwelijk, en als ze op dit moment ergens stapelverliefd op is, dan is het op haar bruidsjurk.'

Dit stelde Grey een beetje gerust. Tegelijkertijd was hij zich ervan bewust dat het afgelasten van het huwelijk van zijn nichtje gemakkelijk een schandaal kon veroorzaken waarbij vergeleken de controverse over het ontslag van Pitt als minister-president twee maanden geleden in het niet zou verdwijnen – en de gevolgen van een schandaal konden iedereen treffen, zonder aanzien des persoons. Het zou Olivia's reputatie zo kunnen schaden, of ze nu ergens schuldig aan was of niet, dat haar kansen op een fatsoenlijk huwelijk wellicht voorgoed verkeken zouden zijn.

'Ik begrijp het,' zei hij. 'Dus mocht ik verder nog iets ontdekken, dan –'

'Dan moest je daar je mond maar over houden,' zei zijn moeder resoluut. 'En mocht ze er na haar huwelijk zelf achter komen dat haar man dingen doet die niet door de beugel kunnen, dan moet ze dat maar gewoon negeren.'

'Sommige dingen zijn nogal moeilijk te negeren, moeder,' zei hij, scherper dan zijn bedoeling was geweest.

Ze keek hem aan en een ogenblik lang leek de lucht om hem heen zich samen te trekken, alsof er niets meer was om in te ademen. Zonder iets te zeggen keek ze hem een ogenblik recht in de ogen. Toen wendde ze haar blik af en legde haar boek weg.

'Als ze het gevoel heeft dat ze het niet kan negeren,' zei ze kalm, 'zal ze ervan overtuigd zijn dat haar leven volkomen verwoest is. Maar met een beetje geluk zal ze op een gegeven moment een kind krijgen en erachter komen dat dat toch niet het geval is. Ga eens opzij,

Eustace.' Ze gaf de slaperige spaniël een duwtje met haar voet, stond op en keek intussen op de kleine, slaande klok die op tafel stond.

'Ga nu maar op zoek naar die Duitse wijn van je, John. Om drie uur komt die ellendige naaister voor de op twee na laatste pasbeurt voor Livy's japon, althans, dat mag ik hopen.'

'Ja. Nu ja... goed.' Hij bleef nog even ongemakkelijk staan kijken, maar draaide zich toen om om te vertrekken. Bij de deur van het boudoir bleef hij echter plotseling staan, toen hem nog een allerlaatste vraag te binnen schoot.

'Moeder?'

'Mm?' De gravin stond allerlei willekeurige spulletjes op te pakken en keek bijziend onder een stapeltje borduurwerkjes. 'Zie jij mijn bril ergens, John? Ik weet zeker dat ik hem net nog had!'

'Hij staat op je hoofd,' zei hij met een glimlach. 'Moeder – hoe oud was jij toen je met kapitein DeVane trouwde?'

Ze bracht haar hand naar haar hoofd, alsof ze bang was dat de dwalende bril er opeens weer vandoor zou gaan. Hij zag aan haar gezicht dat de vraag haar overviel. Golven van herinneringen, fijne en wrange, gleden over haar gezicht. Ze tuitte haar lippen, maar toen brak er een glimlach door.

'Vijftien,' zei ze. Hij zag het flauwe kuiltje in haar wang verschijnen, dat alleen zichtbaar was wanneer ze zich ergens heel erg vrolijk over maakte. 'Ik had een *geweldige* jurk!'

12 Daar kwam een spinnetje...

Hij had jammer genoeg geen tijd meer om naar *Fraser et Cie* te gaan voor zijn afspraak met Quarry, die zoals afgesproken voor de kerk van St. Martin-in-the-Fields op hem stond te wachten.

'Gaan we naar een trouwerij of een begrafenis?' vroeg Grey terwijl hij uit het rijtuig stapte dat hem had gebracht.

'Een trouwerij neem ik aan – ik zie dat je een cadeautje bij je hebt. Of is dat voor mij?' Quarry knikte naar het boek onder zijn arm.

'Als je wilt mag je het hebben.' Met een gevoel van opluchting overhandigde Grey hem het presentexemplaar van *Fanny Hill*. Hij had geen andere keus gehad dan het mee te nemen, want op de gang was hij Olivia tegengekomen, die hem naar de deur had gebracht en intussen zijn mening wilde weten over allerlei staaltjes kant waarmee ze voor zijn gezicht wapperde.

Quarry sloeg het boek open, knipperde met zijn ogen en wierp Grey een grijnzende blik toe. 'Maar, Johnny. Ik wist niet dat je zoveel voor me voelde!'

'Wat?' Bij het zien van Quarry's grijns trok hij het boek uit zijn handen en ontdekte dat er op het titelblad een opdracht stond geschreven. Kennelijk had de gravin dat ook niet geweten – althans, dat hoopte hij maar. Het was een vrij expliciete versregel uit Catullus, opgedragen aan de gravin, en ondertekend met de initiaal 'J'.

'Jammer dat ik geen Benedicta heet,' merkte Quarry op. 'Lijkt me een interessant boek!'

Tandenknarsend en in gedachten een lijstje langs lopend van zijn moeders kennissen wier naam met een 'J' begonnen, scheurde Grey de titelpagina uit het boek, propte hem in zijn zak en drukte Quarry het boek vervolgens weer in handen.

'Naar wie gaan we eigenlijk toe?' informeerde hij. Hij was, zoals hem was gevraagd, in zijn oudste uniform gekomen, en plukte kritisch aan een losse draad aan zijn manchet. Tom Byrd was een uitstekende barbier, maar zijn talenten als lijfknecht lieten nog wel iets te wensen over.

'Iemand,' zei Quarry vaagjes, ondertussen enkele illustraties bekijkend. 'Ik weet niet hoe hij heet. Richard heeft me op hem opmerkzaam gemaakt. Zei dat hij alles wist van die Calais-toestand. Misschien weet hij iets.' Richard was Lord Joffrey, Quarry's oudere halfbroer, en een invloedrijk persoon in de politiek. Hoewel hij niet rechtstreeks te maken had met leger of marine, kende hij alle belangrijke personen voor wie dat wel gold, en meestal was hij al weken voordat ze in de openbaarheid kwamen op de hoogte van alle dreigende schandalen.

'Is hij iets in de regering, die persoon?' vroeg Grey, ook al omdat ze Whitehall Street insloegen, waar bijna alleen maar regeringsgebouwen stonden.

Quarry sloeg het boek dicht en wierp hem een bedachtzame blik toe. 'Dat weet ik eigenlijk niet precies.'

Grey besloot maar niets meer te vragen, maar hoopte wel dat het hem niet al te veel tijd ging kosten. Hij had een frustrerende dag achter de rug. De ochtend had hij doorgebracht met het inwinnen van inlichtingen, hetgeen niets had opgeleverd, en 's middags had hij de maat op laten nemen voor een kostuum waarvan hij steeds zekerder wist dat het nooit gedragen zou worden op de bruiloft waarvoor het bedoeld was. Al met al was hij toe aan een kop sterke thee en een stevige borrel – in plaats van gesprekken met naamloze personen die niet-bestaande posities bekleedden.

Maar hij was een soldaat en plicht was plicht.

In architectonisch opzicht was Whitehall Street niet erg bijzonder, op de restanten van het Paleis en de Grote Feestzaal na, die uit een vorige eeuw stamden. Hier gingen zij echter niet naar toe, en ook niet naar de enigszins armetierige gebouwen in de buurt, waarin de lagere regeringsambtenaren waren ondergebracht. Tot Grey's verbazing ging Quarry in plaats daarvan de Golden Cross binnen, een vervallen taveerne, pal tegenover St. Martin-in-the-Fields.

Quarry ging hem voor naar de gelagkamer, riep tegen de barman hen een paar potten bier te brengen en ging zitten alsof hij hier vaste klant was. Er bevonden zich nog wel enkele militairen onder de klanten, maar dat waren voornamelijk lage marine-officieren. Quarry ging zelfs zover een luidruchtige, schertsende boom op te zetten over de paardenraces, hoewel hij intussen voortdurend om zich heen zat te kijken en iedereen in de gaten hield die binnenkwam of wegging.

Na deze pantomime een paar minuten te hebben volgehouden, fluisterde Quarry: 'Wacht hier twee minuten en volg mij dan.' Hij dronk zijn bier op, schoof het glas achteloos weg, liep naar de achterkant van de zaak en ging naar buiten, alsof hij op zoek was naar de WC.

Grey, die er niets van begreep, dronk op zijn gemak de rest van zijn bier op en stond toen ook op.

De zon ging al onder, maar er was nog voldoende licht om te kunnen zien dat het kleine plaatsje achter de Golden Cross leeg was, op de gebruikelijke puinhoop van afval, natte as en kapotte vaten na. De deur van de WC hing half open, zodat hij kon zien dat het hokje ook leeg was – op een wolk vliegen na, aangelokt door het zachte weer. Grey wuifde net enkele van de meest brutale insecten weg, toen hij in de schaduwen aan de overkant van het plaatsje opeens iets zag bewegen.

Hij liep er voorzichtig naar toe en trof een knappe jongeman aan, keurig maar onopvallend gekleed, die hem toelachte, maar zich zonder iets te zeggen omdraaide. Hij volgde zijn begeleider en even later beklom hij een gammele trap tussen de muur van de taveerne en het gebouw ernaast, eindigend in een deur die waarschijnlijk toegang gaf tot de privé-vertrekken van de eigenaar van de taveerne. De jongeman ging naar binnen en wenkte hem om hem te volgen.

Hij wist niet wat hij vanwege al die geheimzinnigheid vooraf eigenlijk had verwacht, maar de realiteit was bepaald niet opwindend. Het was een donkere, stoffige kamer, met een laag plafond en ingericht met de veelgebruikte voorwerpen van een armoedig leven: een krakkemikkig dressoir; een vurenhouten tafel met stoelen en een bankje; een kamerpot met stukken eraf; een beroete lamp; een dienblad met smoezelige glazen en een karaf troebele wijn. Bij wijze van uit de toon vallende decoratie stond er een kleine zilveren vaas op de tafel, met een bos schitterende gele tulpen erin.

Harry Quarry zat vlak naast de bloemen druk te praten met een kleine man die met zijn dikke rug naar Grey toe zat. Quarry keek op en gaf een kort teken van herkenning door zijn wenkbrauw op te trekken, maar vervolgens beduidde hij met een klein handgebaar dat Grey zich nog even op de achtergrond moest houden.

De bescheiden jongeman die hem had gebracht was via een deur in een aangrenzende kamer verdwenen. Aan de andere kant van de kamer stond weer een andere jongeman bij het dressoir een verzameling paperassen en mappen uit te zoeken.

Deze man had iets bekends en Grey zette een stap in zijn richting. Opeens draaide de jongeman zich met zijn handen vol papieren om en bleef stokstijf staan, naar lucht happend als een goudvis. Een keurige pruik bedekte de blonde krullen, maar het kostte Grey geen enkele moeite het bleke gezicht eronder thuis te brengen.

'Meneer Stapleton?' De dikke, kleine man aan tafel draaide zich niet om, maar tilde een hand op. 'Heeft u het gevonden?'

'Jazeker, meneer Bowles,' zei de jongeman, zijn blauwe ogen nog steeds op Grey's gezicht gevestigd. Hij slikte, en zijn adamsappel ging op en neer in zijn keel. 'Ik kom eraan.'

Grey, die geen idee had wie deze meneer Bowles kon zijn, of wat hier gaande was, schonk Stapleton een klein, geheimzinnig glimlachje. De jongeman rukte zijn blik los en liep weg om de dikke man de paperassen aan te reiken, maar kon niet nalaten nog even een snelle, ongelovige blik over zijn schouder te werpen.

'Dank u, meneer Stapleton,' zei de kleine man, op een toon die aangaf dat hij wel kon gaan.

Meneer Stapleton, alias Neil de Trut, maakte een korte, houterige buiging en trok zich terug terwijl zijn ogen telkens even naar Grey schoten en weer terug, als iemand die zojuist een geestverschijning heeft gezien, maar hoopt dat deze het fatsoen zal hebben vóór de volgende blik te zijn verdwenen.

Quarry en de sjofele meneer Bowles zaten nog steeds met hun hoofden dicht bij elkaar te fluisteren. Grey slenterde onopvallend naar een open raam, waar hij met zijn handen op zijn rug naar buiten ging staan kijken, ogenschijnlijk op zoek naar wat frisse lucht als antiserum tegen de muffe lucht die in het vertrek hing.

De zon was nu bijna onder en haar laatste stralen weerkaatsten op de rug van het bronzen paard met het standbeeld van Charles I dat beneden op straat stond. Heimelijk had hij altijd een bepaalde voorliefde voor dat beeld gehad, nadat de een of andere vergeten leraar hem eens had verteld dat de vorst, die zo'n vijf centimeter kleiner was geweest dan Grey zelf op dit moment, zich te paard had laten afbeelden met de bedoeling imposanter over te komen – terwijl hij intussen zijn lengte ook nog eens had laten opschroeven naar één meter tachtig.

Een zacht kuchje achter hem gaf aan dat hij gezelschap had gekregen van Neil de Trut, zoals zijn bedoeling was geweest.

'Wilt u misschien een glas wijn, sir?'

Hij draaide zich half om, en nodigde daarmee de jongeman uit naar voren te komen en het dienblad op de brede vensterbank te zetten. Grey gebaarde instemmend en keek koeltjes toe hoe de wijn voor hem werd ingeschonken.

Stapleton keek even opzij om zich ervan te overtuigen dat niemand keek, en keek Grey vervolgens aan met een uitdrukking van stille wanhoop.

Alstublieft. Zijn lippen bewogen geluidloos terwijl hij hem het glas aanbood. De wijn klotste heen en weer in het smoezelige glas.

Grey maakte geen aanstalten het meteen aan te nemen, maar keek zelf ook even in de richting van meneer Bowles' gebogen hoofd, waarna hij Stapleton met vragend opgetrokken wenkbrauwen aankeek.

Stapletons ogen vulden zich met een blik van puur afgrijzen bij de gedachte alleen al, en hij schudde bijna onmerkbaar zijn hoofd.

Grey stak zijn hand uit om het glas aan te pakken en raakte daarbij heel even Neils vingertoppen aan. Hij gaf er een zacht kneepje in, nam het glas aan en sloeg zijn blik neer.

'Dank u, sir,' zei hij beleefd.

'Uw dienaar, sir,' zei Stapleton, al even beleefd, en maakte een buiging alvorens zich om te draaien en het dienblad weer op te pakken. Grey ving een vleugje op van Stapletons angstzweet, maar de karaf en de overgebleven glazen rinkelden niet toen hij ermee wegliep.

Vanwaar hij stond, kon hij de schandpaal zien die vlak bij het standbeeld van Charles stond. Grey proefde de smerige wijn nauwelijks, want hij stikte bijna van het kloppen van zijn hart in zijn keel. Wat was hier in vredesnaam gaande? Hij dacht niet dat deze ontmoeting iets met hem te maken had; dan zou Harry hem toch wel hebben gewaarschuwd. Maar misschien had Stapleton – nee, dan was hij beslist niet zo geschrokken toen hij Grey zag. Maar wat –

Gelukkig werden zijn gissingen, voordat ze nog onsamenhangender werden, onderbroken door het naar achteren schuiven van stoelen.

'Lord John?' Quarry was opgestaan om hem formeel voor te stellen. 'Mag ik u voorstellen aan meneer Hubert Bowles? Majoor Grey.'

Meneer Bowles was eveneens opgestaan, hoewel je dat niet zou zeggen, want hij was zo klein dat hij nu nauwelijks groter was dan toen hij nog zat. Grey maakte een hoffelijke buiging en mompelde: 'Uw dienaar, sir.'

Hij nam plaats op de hem aangewezen stoel, en keek in een paar lichtblauwe ogen, de kleur van die van een pasgeboren baby, en een gezicht dat ongeveer evenveel kenmerkende trekken vertoonde als een klodder niervetpudding. Er hing een vreemde geur in de lucht – het leek een beetje op oud zweet, in combinatie met de stank van verrotting. Hij wist niet of het van de meubels kwam, of van de man die voor hem zat.

'Mylord.' Bowles' lispelende stem was niet meer dan een fluistering. 'Bijzonder vriendelijk van u om hier te willen komen.'

Alsof ik er iets over te zeggen heb gehad, dacht Grey cynisch, maar hij boog slechts en mompelde iets terug terwijl hij intussen uitsluitend door zijn mond trachtte te ademen.

'Kolonel Quarry heeft mij verteld van uw inspanningen en uw ontdekkingen,' zei Bowles terwijl hij met zijn korte vingertjes heel voorzichtig een velletje papier omdraaide. 'U hebt hard gewerkt.'

'U vleit mij, sir,' zei Grey. 'Ik weet nog niets zeker – ik veronderstel dat we het over de dood van Timothy O'Connell hebben?'

'Onder andere.' Bowles glimlachte vriendelijk, maar de vage uitdrukking in zijn ogen veranderde niet.

Grey schraapte zijn keel en opeens proefde hij hoe smerig de wijn was geweest die hij had gedronken. 'Ik neem aan dat kolonel Quarry u heeft verteld dat ik geen bewijzen heb ontdekt van O'Connells betrokkenheid met... de zaak in kwestie?'

'Dat heeft hij inderdaad.' Bowles' blik dwaalde weg van Grey en bleef tenslotte rusten op de gele tulpen. Ze hadden oranje keeltjes, zag Grey, en glansden als vloeibaar goud in het laatste daglicht. Als ze al geurden, dan was die geur helaas niet sterk genoeg om waar te nemen. 'Kolonel Quarry denkt dat wij u misschien kunnen helpen door u te informeren over de resultaten van onze andere... onderzoeken.'

'Ik begrijp het,' zei Grey, die er tot dusverre nog helemaal niets van begreep. 'Onze andere onderzoeken.' En wie waren 'wij' precies? Harry zat in elkaar gedoken op zijn eigen stoel, een onaangeroerd glas wijn in zijn hand, zijn gezicht bestudeerd uitdrukkingsloos.

'Zoals de kolonel u waarschijnlijk al heeft verteld, hadden we verschillende verdachten voor de oorspronkelijke diefstal.' Bowles legde een kleine, zachte hand met gespreide vingers op de papieren. 'Er werden onmiddellijk, via verschillende kanalen, onderzoeken ingesteld naar al deze mannen.'

'Dat nam ik al aan.'

Het was erg warm in de kamer, ondanks het open raam, en Grey voelde zijn hemd aan zijn rug plakken en het zweet langs zijn slapen druipen. Hij stond op het punt zijn gezicht aan zijn mouw af te vegen, maar op de een of andere manier zorgde de aanwezigheid van het kleine mannetje ervoor dat hij niets anders deed dan knikken, en aandachtig luisteren.

'Zonder verder in details te treden' – er gleed een flauw glimlachje over Bowles' gezicht, alsof het achterhouden van details iets was waar hij heimelijk van genoot – 'kan ik u vertellen, majoor, dat het nu vrijwel vaststaat dat sergeant O'Connell de schuldige partij was.'

'Ik begrijp het,' zei Grey nogmaals, behoedzaam.

'Wij zijn hem natuurlijk uit het oog verloren toen de man die hem volgde – Jack Byrd, heette hij zo niet? – zaterdag opeens verdween.' Grey was er bijna zeker van dat Bowles de naam kende, en waarschijnlijk wist hij nog wel meer ook.

'Hoe dan ook,' vervolgde Bowles, een dikke vinger uitstekend om een van de glanzende bloemblaadjes aan te raken, 'wij hebben onlangs uit een andere inlichtingenbron een rapport ontvangen, waaruit bleek dat O'Connell vrijdag op een bepaalde locatie is gesignaleerd. Dat was de dag voor zijn dood.'

Er hing een zweetdruppel aan Grey's kin; hij voelde hem trillen als de korreltjes stuifmeel aan de zachte zwarte helmknoppen van de tulpen.

'Een nogal ongebruikelijke locatie,' vervolgde Bowles, het blaadje strelend met een uitdrukking van dromerige tederheid. 'Een etablissement met de naam Lavender House, vlak bij Lincoln's Inn. Kent u het?'

O. Jezus Christus. Hij hoorde de woorden heel duidelijk en hoopte maar dat hij ze niet hardop had uitgesproken. Nu zou je het krijgen.

Hij ging rechtop zitten, veegde met de rug van zijn hand de zweetdruppel van zijn kin en bereidde zich voor op het ergste. 'Ja, ik ken het. Ik heb Lavender House vorige week zelf bezocht – in het kader van mijn onderzoek.'

Hier keek Bowles – natuurlijk! – niet van op. Grey was zich bewust van Quarry, die naast hem zat en nieuwsgierig, maar niet geschokt, naar hem keek. Hij was er vrij zeker van dat Harry geen idee had wat Lavender House voor iets was. Maar hij wist zeker dat Bowles dat wel wist.

Bowles knikte gemoedelijk. 'Natuurlijk. Wat ik me afvraag, majoor, is wat u over O'Connell heeft ontdekt dat u naar die plek heeft gevoerd?'

'Ik was er niet uit hoofde van mijn onderzoek naar O'Connell.'

Quarry schoof onrustig heen en weer op zijn stoel en liet een zacht 'Hmph!' horen.

Niets aan te doen. Zijn ziel aanbevelend aan God, haalde Grey een keer diep adem en vertelde het hele verhaal van zijn onderzoek naar de handel en wandel van Joseph Trevelyan.

'Een groen-fluwelen japon,' zei Bowles. 'Lieve help.' Hij had zijn hand van de tulpen weggehaald en hield hem nu bezitterig om het dikke, kleine buikje van de zilveren vaas gekruld.

Inmiddels was Grey's hemd kletsnat, maar hij was niet zenuwachtig meer. Sterker nog, hij voelde een eigenaardig soort kalmte, alsof hij de zaken toch niet meer zelf in de hand had. Wat er nu ging gebeuren lag in de handen van het Noodlot, of God – of Hubert Bowles, wie hij in vredesnaam ook mocht zijn.

Stapleton was kennelijk in dienst van meneer Bowles – wat voor naamloze dienst dat dan ook mocht zijn – en Grey's tweede gedachte, na de allereerste schok van herkenning, was geweest dat Stapleton naar Lavender House was gegaan als agent van Bowles. Maar Stapleton was zich doodgeschrokken van Grey's onverwachte verschijning. Dat betekende dat Stapleton ervan uitging dat Bowles niets afwist van zijn eigen geaardheid. Waarom anders die zwijgende smeekbede?

Als dat zo was, zou Stapleton nooit met een woord hebben gerept van Grey's aanwezigheid in Lavender House. Dat kon hij niet doen zonder de verdenking op zichzelf te laden. En dat betekende weer dat zijn aanwezigheid daar van puur persoonlijke aard was geweest. Nu hij even de tijd had om na te denken, realiseerde Grey zich – met de duizelingwekkende opluchting van iemand die op het allerlaatste moment weer van het schavot af mag stappen – dat meneer Bowles dus geen belangstelling had voor zijn eigen gedrag, tenzij het betrekking had op de O'Connell-zaak. En nu hij een duidelijke reden had gegeven voor zijn aanwezigheid in Lavender House...

'Neemt u mij niet kwalijk, maar wat zei u, sir?' stamelde hij, te laat beseffend dat Bowles iets tegen hem had gezegd.

'Ik vroeg u of u van mening bent dat die Ieren er iets mee te maken hebben, majoor. De Scanlons?'

'Ik denk van wel,' antwoordde hij voorzichtig. 'Maar dat is slechts mijn eigen indruk, sir. Ik heb al tegen kolonel Quarry gezegd dat het wellicht zin zou hebben hen officieel te ondervragen – en niet alleen de Scanlons, maar ook juffrouw Iphigenia Stokes en haar familie.'

'Ah, juffrouw Stokes.' De hangwangen trilden zachtjes. 'Nee, wij kennen de familie Stokes. Kleine smokkelaartjes, allemaal, maar zonder enige politieke betrokkenheid. En verder hebben ze ook geen connecties met de... personen in Lavender House.'

Personen. Dat, begreep Grey, sloeg vrijwel zeker op Dickie Caswell. Het feit dat Bowles wist dat O'Connell in Lavender House was geweest, betekende dat iemand hem dat moest hebben verteld. De voor de hand liggende conclusie was dat Caswell de 'bron' was die de informatie over O'Connell had verstrekt – hetgeen waarschijnlijk ook inhield dat Caswell een regelmatige informatiebron was voor meneer Bowles en zijn onduidelijke dienst. Dat was nogal verontrustend, maar hij had nu geen tijd om bij dat soort dingen stil te staan.

'U zei dat meneer O'Connell Lavender House die vrijdag heeft bezocht,' zei Grey, het gesprek voortzettend. 'Weet u ook wie hij daar heeft gesproken?'

'Nee.' Bowles perste zijn lippen op elkaar tot een streepje. 'Hij ging naar de achterdeur van het etablissement en toen men hem vroeg wat hij kwam doen, antwoordde hij dat hij op zoek was naar een heer met de naam Meyer, of iets van dien aard. De bediende vroeg of hij even kon wachten, zodat hij voor hem kon informeren, maar toen hij terugkwam was O'Connell al weg.'

'Meyer?' Quarry leunde naar voren en mengde zich in het gesprek. 'Duits? Een jood? Ik heb wel eens van iemand gehoord die zo heette – een reizende muntenhandelaar. Ik geloof dat hij in Frankrijk werkt. Goeie dekmantel voor een geheim agent – je komt in grote huizen, en je reist met grote tassen, ja toch?'

'Ik zou het niet weten, sir,' moest Bowles tot zijn eigen ergernis bekennen. 'Er was niemand van die naam in Lavender House, en de naam was er ook niet bekend. Maar gezien de omstandigheden lijkt het allemaal wel erg verdacht.'

'Dat zou ik wel zeggen, ja,' zei Quarry, met een sarcastische klank in zijn stem. 'Maar goed. Wat stelt u voor dat we nu doen?'

Bowles wierp Quarry een kille blik toe. 'Het is van het allergrootste belang dat wij de man vinden aan wie O'Connell van plan was zijn geheimen te verkopen, sir. Het lijkt me wel duidelijk dat dit een impulsief misdrijf was, en geen geval van opzettelijke spionage – niemand kan hebben geweten dat de rekwisities daar open en bloot en onbeheerd zouden liggen.'

Quarry bromde iets instemmends en leunde weer naar achteren, met zijn armen voor zijn borst gevouwen. 'Ja, en?'

'Toen de dief – laten we hem voor het gemak even O'Connell noemen – begreep hoe waardevol de informatie was en de documenten had ontvreemd, stond hij vervolgens natuurlijk voor het probleem iemand te vinden die bereid was ervoor te betalen.'

Bowles nam een paar velletjes grof klein-foliopapier van de stapel voor hem en spreidde ze uit. Ze waren beschreven met een rond handschrift, in potlood en, vooral ondersteboven, zo onleesbaar dat Grey slechts een paar woorden kon thuisbrengen.

'Dit zijn de rapporten die Jack Byrd ons via meneer Trevelyan heeft geleverd,' zei Bowles terwijl hij de pagina's één voor één op tafel legde. 'Hij beschrijft O'Connells bewegingen en het uiterlijk – en vaak ook nog de naam – van alle personen met wie hij de sergeant in gesprek zag. Agenten van deze dienst' – het viel Grey op dat hij nog steeds niet zei wélke dienst – 'hebben de meeste van die personen opgespoord en geïdentificeerd. Enkelen van hen hebben wel degelijk oppervlakkige banden met buitenlandse belangen – maar niemand van hen zou zelf in staat zijn een contract van die omvang tot stand te brengen.'

'O'Connell was dus op zoek naar een koper,' vatte Grey kort samen. 'Misschien heeft een van deze kleine visjes hem de naam verschaft van die Meyer naar wie hij op zoek was?'

Bowles maakte een minuscule hoofdbuiging in Grey's richting. 'Dat was ook mijn gedachte, majoor,' zei hij hoffelijk. '"Kleine visjes." Een pittoresk en toepasselijk beeld, mag ik wel zeggen. En wellicht is deze Meyer wel de haai in onze zee van intriges.'

Vanuit zijn ooghoeken ving Grey een beeld op van Harry die gezichten zat te trekken, en hij kuchte en ging een beetje verzitten om Bowles' blik naar zichzelf toe te trekken.

'Die, eh... bron van u – had hij geen idee wie deze persoon kon zijn, als de verdachte iets met Lavender House te maken had?'

'Dat had ik ook wel verwacht,' zei Bowles zelfgenoegzaam. 'Mijn bron ontkent echter ten stelligste deze man te kennen – hetgeen mij doet geloven dat O'Connell wellicht op het verkeerde spoor is gezet, of dat deze Meyer de een of andere schuilnaam gebruikt. Bepaald geen onwaarschijnlijke mogelijkheid, gezien het, eh... karakter van het etablissement.'

'Het etablissement' werd op zo'n eigenaardig toontje uitgesproken – een toontje dat het midden hield tussen afkeuring en... fascinatie? Wellust? – dat Grey er de kriebels van kreeg. Hij wreef instinctief over de rug van zijn hand, alsof hij een vervelend insect wegveegde.

Bowles pakte iets uit een andere map, maar het document dat hij nu te voorschijn haalde was van iets betere kwaliteit: mooi perkament, en verzegeld met het Koninklijke Zegel.

'Dit, mylord, is een brief die u machtigt een onderzoek in te stellen naar de dood van Timothy O'Connell,' zei Bowles, hem aan Grey overhandigend. 'De tekst is met opzet wat vaag gehouden, maar ik vertrouw erop dat u er geen misbruik van zult maken.'

'Dank u,' zei Grey, die het document met een akelig voorgevoel in ontvangst nam. Hij wist nog niet waarom, maar zijn intuïtie waarschuwde hem dat het rode zegel gevaar betekende.

'Wilt u dat Lord John teruggaat en de boel daar eens flink overhoop haalt?' vroeg Quarry ongeduldig. 'We hebben een behulpzame politieman. Zullen we hem vragen alle joden in zijn district bijeen te brengen en hun voeten boven het vuur te houden tot ze die Meyer ophoesten? Wat verwacht u in vredesnaam dat we *doen?*'

Meneer Bowles hield er niet van te worden opgejaagd, dat zag Grey meteen. Hij perste zijn lippen weer op elkaar, maar voordat hij kon antwoorden, bemoeide Grey zich er zelf mee.

'Sir, als ik nu even mag? Ik heb iets... misschien is het niets, natuurlijk, maar er lijkt een eigenaardig verband te bestaan...' Hij vertelde zo goed mogelijk het verhaal van het opduiken van een ongewone Duitse wijn in Lavender House en het ogenschijnlijke verband met Trevelyans geheimzinnige metgezel. En vervolgens stond Jack Byrd natuurlijk weer in verband met Trevelyan.

'Dus ik vroeg me af, sir, of het mogelijk zou zijn de kopers van die wijn te achterhalen, en op die manier op het spoor van de mysterieuze meneer Meyer te komen.'

De kleine uitstulping van vlees die meneer Bowles tot voorhoofd diende onderging stuiptrekkingen, als een slak die woeste dingen denkt, maar ontspande zich toen.

'Ja, dat lijkt me wel een veelbelovende strategie,' gaf hij toe. 'Intussen, kolonel' – hij wendde zich met een autoritaire blik tot Quarry – 'stel ik voor dat u meneer Scanlon en zijn vrouw gaat arresteren en alle mogelijke middelen aanwendt om hen aan het praten te krijgen.'

'Inclusief duimschroeven?' informeerde Harry terwijl hij opstond. 'Of zal ik niet verder gaan dan de knoet?'

'Dat laat ik graag aan uw eigen professionele oordeel over, kolonel,' zei Bowles beleefd. 'Ik zal persoonlijk leiding geven aan verder onderzoek in Lavender House. En majoor Grey, het lijkt mij het beste dat u het onderzoek naar meneer Trevelyans potentiële betrokkenheid bij deze kwestie voortzet. U verkeert in de beste positie om dat discreet te kunnen doen.'

Hetgeen betekent, dacht Grey, *dat vanaf nu het woord 'zondebok' in lichtgevende letters op mijn voorhoofd geschreven staat. Als alles in het honderd loopt, kan mij de schuld in de schoenen worden geschoven en kan ik permanent naar Schotland of Canada worden afgevoerd, zonder dat de gemeenschap daar schade van zal ondervinden.*

'Dank u,' zei Grey, het compliment in ontvangst nemend alsof het een dode rat was. Harry snoof luidruchtig en zij namen afscheid.

Voordat ze echter bij de deur waren, zei meneer Bowles: 'Lord John. Als ik u een goedbedoeld advies mag geven, sir?'

Grey draaide zich om. De lichtblauwe ogen leken naar een plek vlak boven zijn linkerschouder te kijken, en hij moest zich beheersen om niet om te kijken om te zien of er misschien iemand achter hem stond. 'Natuurlijk, meneer Bowles.'

'Ik zou me nog maar eens goed bedenken voordat ik meneer Trevelyan de kans gaf aangetrouwde familie van u te worden. Maar dan spreek ik alleen voor mezelf, dat zult u begrijpen.'

'Dank u voor uw vriendelijke belangstelling, sir,' zei Grey, en hij maakte een keurige buiging.

Hij liep achter Harry aan de krakkemikkige trap af, de kwalijk riekende binnenplaats over, naar de straat, waar zij beiden een ogenblik bleven staan en de frisse lucht diep inademden.

'De knoet?' zei Grey.

'Een Russische vinding,' legde Quarry uit terwijl hij aan zijn slappe foulard plukte. 'Een afranseling met een gesel van nijlpaardhuid. Ik heb het één keer gezien. De rug van die arme donder lag in drie slagen open tot op het bot.'

'Klinkt gezellig,' beaamde Grey, die opeens een onverwachte verwantschap voelde met zijn halfbroer Edgar. 'Je hebt zeker niet toevallig nog ergens een knoet liggen die ik kan lenen voor als ik met Trevelyan ga praten?'

'Nee, maar misschien heeft Maggie er wel een in haar collectie. Zal ik het haar vragen?' Bevrijd uit Bowles' deprimerende hok, kwam Quarry's natuurlijke opgewektheid weer naar boven.

Grey wuifde met zijn hand. 'Doe geen moeite.'

Hij ging naast Harry lopen en zij liepen de straat uit, terug naar de rivier.

'Als ze die meneer Bowles van daarnet zouden drogen en opzetten, zou hij een mooie aanvulling zijn voor die collectie,' zei Grey. 'Wat *is* hij eigenlijk, weet jij dat?'

'Hij is geen vis, dus zal hij wel vlees zijn,' zei Quarry schouderophalend. 'Verder lijkt het me beter daar maar niet naar te vragen.'

Grey knikte begrijpend. Hij had het gevoel dat hij door de mangel was gehaald en had verschrikkelijke dorst.

'Zal ik je op een drankje trakteren in de Beefsteak, Harry?'

'Maak daar maar een heel vat van,' zei Quarry terwijl hij hem een klap op zijn schouder gaf. 'Dan betaal ik het eten. Kom op.'

13 Een gladgeschoren varkentje

De wijnhandel van *Fraser et Cie* was klein en donker, maar keurig onderhouden – en binnen hing een duizelingwekkende geur van druiven.

'Welkom, sir, welkom. Zou u zo vriendelijk willen zijn mij uw eerlijke mening te geven over deze wijn?'

Een kleine man met een nette pruik en jas was opeens uit de duisternis opgedoken, met de snelheid van een gnoom die omhoog springt uit de aarde, en bood hem een glas aan met een kleine hoeveelheid donkere wijn.

'Wat?' Grey nam het glas verschrikt aan.

'Een nieuwe wijnsoort,' legde de kleine man buigend uit. 'Zelf vind ik hem heel goed – heel goed! Maar smaak is zo persoonlijk, vindt u ook niet?'

'Eh... ja. Absoluut.' Grey hief het glas voorzichtig op, waar een verbluffend warm en kruidig aroma zich zo diep in zijn neus nestelde dat hij het glas onwillekeurig aan zijn lippen zette, om die vluchtige geur maar dichterbij te halen.

De smaak verspreidde zich over zijn mond en verhemelte en steeg in een magische wolk omhoog in zijn hoofd, waar het aroma zich ontvouwde als een reeks bloeiende bloemen, elk geparfumeerd met een heel ander zwaar parfum: vanille, pruim, appel, peer... en een uiterst subtiele nasmaak, die hij alleen kon omschrijven als het sappige gevoel dat achterblijft op de tong na het eten van vers beboterde toast.

'Doet u mij daar maar een vat van,' zei hij terwijl hij het glas liet zakken en het laatste vleugje van de geur liet verdampen op zijn verhemelte. 'Wat is het?'

'O, u vindt hem lekker!' De kleine man stond nog net niet in zijn handen te klappen van verrukking. 'Wat ben ik daar blij om. Maar als die wijn u bevalt, ben ik ervan overtuigd dat u van deze ook zult genieten... Niet iedereen houdt ervan, er is een ontwikkelde smaak voor nodig om de subtiliteiten te kunnen waarderen, maar *u*, sir...'

Het lege glas werd uit zijn hand gegrist en voordat hij iets kon zeggen kreeg hij er al een nieuw glas voor in de plaats.

Zich afvragend hoeveel hij al had uitgegeven, bracht hij het welwillend naar zijn lippen.

Een half uur later, met een lege portefeuille en een aangenaam gevoel in zijn hoofd, zweefde hij als een zeepbelletje de winkel uit – licht, luchtig en stralend in alle kleuren van de regenboog. Onder zijn arm droeg hij een dichte fles Schilcher, de geheimzinnige Duitse rode wijn, en in zijn zak zat een lijst met klanten van *Fraser et Cie* die de wijn hadden gekocht.

Het was een korte lijst, hoewel het toch meer namen waren dan hij had kunnen vermoeden – een half dozijn, inclusief die van Richard Caswell, handelaar in informatie. Wat had Caswell hem nog meer niet verteld?

De enthousiaste wijnhandelaar, die zich uiteindelijk aan hem had voorgesteld als meneer Congreve, kon hem helaas niet veel vertellen over de andere kopers van de Duitse rode wijn. 'De meeste klanten sturen een bediende, begrijpt u. Jammer dat er niet meer in eigen persoon komen, zoals u, mylord!'

Uit de namen bleek wel dat minstens vier van de zes klanten Duitsers waren, hoewel er niemand bij zat met de naam Meyer. Als zijn moeder de namen niet kon thuisbrengen, was de kans groot dat kapitein von Namtzen dat wel kon. Rijke buitenlanders in Londen hadden de neiging aan elkaar te klitten, of elkaar in elk geval te kennen, en ook al stonden Pruisen en Saksen in het huidige conflict aan verschillende kanten, de inwoners spraken in elk geval dezelfde taal.

Opeens zag hij een hoopje vodden op het trottoir in zijn richting bewegen en hij wierp er een strakke blik op, die het hoopje mopperend in elkaar deed duiken. Zijn moeder had gelijk gehad toen ze de omgeving van Fraser et Cie had omschreven als 'niet zo'n beste buurt', en het ijsblauwe kostuum met zilveren knopen dat hem onmiddellijk betrouwbaar had doen overkomen bij meneer Congreve, trok nu de ongewenste aandacht van de minder respectabele bewoners van deze buurt.

Uit voorzorg droeg hij, als zichtbare waarschuwing, een zwaard bij zich en verder had hij een dolk en droeg hij een wambuis van dik leer onder zijn vest – hoewel hij heel goed wist dat de beste verdediging een houding was waaruit de bereidheid bleek om geweld te gebruiken. Dat had hij al op achtjarige leeftijd geleerd. Smal en tenger gebouwd als hij was, was het een kwestie van lijfsbehoud geweest, en hij had de les goed in zijn oren geknoopt.

Hij wierp een vijandige blik op twee lanterfanters die naar hem keken, en legde een hand op het gevest van zijn zwaard. Hun ogen gleden weg.

Hij had nu wel graag Tom Byrd bij zich gehad, maar had besloten dat tijd op dit moment belangrijker was dan veiligheid. Hij had Byrd naar de andere wijnhandelaren gestuurd die zijn moeder had aanbevolen; misschien had dat ook nog een paar namen opgeleverd.

Er zat niet veel vooruitgang in zijn voornemen om de zaken van Joseph Trevelyan te ontwarren, maar in dit stadium was hij blij met elke informatie die duidelijk en ondubbelzinnig leek. Hij had zich inmiddels voorgenomen dat Trevelyan onder geen beding met Olivia in het huwelijk mocht treden – maar een manier om de verloving netjes te verbreken zonder Livy's reputatie te schaden moest hij nog vinden.

Hij kon niet zomaar op eigen houtje bekend maken dat de verloving was verbroken. Als er geen reden voor werd gegeven, zouden de geruchten zich als een lopend vuurtje verspreiden, en geruchten konden een jonge vrouw ruïneren. Bij gebrek aan een verklaring zou men aannemen dat Joseph Trevelyan een ernstige tekortkoming bij haar had ontdekt, want in deze kringen werden verlovingen niet zomaar aangegaan of verbroken. Er waren twee maanden en vier juristen voor nodig geweest om Olivia's huwelijkscontract op te stellen.

Aan de andere kant kon hij de werkelijke reden van de breuk ook niet bekend maken – en in de hogere kringen bestond er nu eenmaal niet zoiets als privacy. Als iemand buiten de betrokken families achter de waarheid kwam, zou binnen enkele dagen iedereen het weten.

Hoewel de Grey's niet geheel zonder invloed waren, konden zij in de verste verte niet tippen aan de rijkdom en de macht van de Trevelyans uit Cornwall. Als hij de waarheid bekend maakte, zou hem dat op de vijandschap van de Trevelyans komen te staan, die de zaken van zijn eigen familie nog tientallen jaren zou beïnvloeden. En het zou ook Livy beschadigen, want de Trevelyans zouden haar verantwoordelijk houden voor het feit dat Joseph te schande was gemaakt, ook al had zij er zelf niets van afgeweten.

Hij zou Joseph Trevelyan kunnen dwingen de verloving zelf te verbreken door te dreigen zijn geheim bekend te maken, maar ook dat zou Livy's reputatie weer in twijfel trekken, zolang er geen plausibele verklaring werd gegeven. Nee, Trevelyan zou de verloving vrijwillig moeten verbreken, en wel op zo'n manier dat Livy van elke blaam werd gezuiverd.

Natuurlijk zou er toch wel worden geroddeld en gespeculeerd, maar met een beetje geluk zou het niet zo erg zijn dat Livy uiteindelijk niet een ander goed huwelijk kon sluiten.

Hoe hij Trevelyan ertoe kon dwingen de verloving te verbreken... hij had nog geen flauw idee, maar hij had goede hoop dat het vinden van Trevelyans minnares hem daar wellicht bij behulpzaam kon zijn. Het was wel duidelijk dat zij een getrouwde vrouw moest zijn en in een sociaal bijzonder kwetsbare positie verkeerde. Als hij achter haar identiteit kon komen, zou een bezoekje aan haar echtgenoot hem wellicht een middel verschaffen om druk op de Trevelyans uit te oefenen zonder dat Grey zich rechtstreeks met de kwestie hoefde te bemoeien.

Hij werd uit zijn overpeinzingen gewekt door het geluid van druk pratende mensen, en toen hij opkeek zag hij een groepje van drie jongelui op hem afkomen, die een beetje vrolijk met elkaar liepen te dollen. Ze zagen er zo onschuldig uit dat hij onmiddellijk argwaan kreeg, en toen hij snel over zijn schouder keek zag hij de medeplichtige: een slonzig meisje van een jaar of twaalf, dat in een hoekje klaar stond om op hem af te rennen en de knopen van zijn jas te snijden of zijn wijn te stelen zodra zijn aandacht werd afgeleid door haar kameraden.

Terwijl hij met zijn ene hand naar zijn zwaard greep en met zijn andere hand de wijnfles als een knuppel bij de hals vastpakte, wierp hij het meisje een doordringende blik toe. Zij keek brutaal terug, maar deed toch een stapje naar achteren, en de bende jonge zakkenrollers passeerde hem luid pratend en negeerde hem volkomen.

Opeens werd het echter stil en toen hij zich omdraaide om hen na te kijken, zag hij de rok van het meisje nog juist in een steegje verdwijnen. De jongelui waren nergens te zien, maar hij hoorde wel het geluid van rennende voetstappen, die zich van hem verwijderden in het donkere steegje.

Binnensmonds vloekend keek hij om zich heen. Waar kwam dat steegje op uit? In de smalle straat waar hij liep bevonden zich verscheidene donkere openingen tussen de plek waar hij stond en de eerstvolgende straathoek. Kennelijk was het hun bedoeling alvast vooruit te rennen en vervolgens te wachten tot hij hun schuilplaats zou passeren, zodat zij hem in de rug konden aanvallen.

Een gewaarschuwd man telt voor twee, maar ze waren wel met z'n drieën – met z'n vieren, als je het meisje meetelde – en hij betwijfelde of de pasteiverkopers en voddenboeren op straat zich geroepen zouden voelen hem te hulp te komen.

Hij nam snel een besluit, draaide zich op zijn hielen om en dook het steegje in waarin de zakkenrollers waren verdwenen, terwijl hij de onderkant van zijn vest een beetje omhoog schoof om het heft van zijn dolk bij de hand te hebben.

De straat was al armoedig geweest, maar in dit smalle, donkere steegje, dat vol lag met afval, stonk het ook nog eens verschrikkelijk. Een rat, die eerder al door de langsrennende zakkenrollers was gestoord, zat vanaf een berg afval naar hem te blazen. Hij zwaaide met de fles en de rat vloog met een bevredigend doffe klap tegen de muur, waarna hij slap aan zijn voeten viel. Hij schopte het beest opzij en liep verder, fles in de aanslag en hand op zijn dolk, luisterend of hij nog voetstappen hoorde.

Hij kwam bij een splitsing, waar het steegje een scherpe bocht naar rechts maakte, om vervolgens weer uit te komen op de straat. Hij bleef even staan luisteren en waagde toen een snelle blik om het hoekje. Ja, daar zaten ze, klaar voor de aanval, met stokken in hun handen. Het meisje had zelfs een mes of een glasscherf in haar hand; hij zag de glinstering toen ze bewoog.

Nog even en ze zouden beseffen dat hij niet meer kwam. Hij sloop langs de splitsing en rende zo snel als hij kon het linkersteegje in. Hij zag zich genoodzaakt over grote bergen vochtig afval te klauteren en zich zijdelings door de uitgehangen lakens van een volderswerkplaats te wurmen, hetgeen zijn jas bepaald geen goed deed, maar uiteindelijk bereikte hij een bredere straat.

Hij herkende de straat niet, maar zag in de verte wel de koepel van de St. Paul's opdoemen, en wist aan de hand daarvan zijn richting te bepalen. Iets makkelijker ademhalend, ondanks de stinkende dampen van hondendrollen en rottende kool die hem omringden, begon hij in oostelijke richting te lopen en richtte zijn gedachten op het volgende punt op zijn lijst van onaangename taken, namelijk het hervatten van zijn zoektocht naar een opening in de nevelen waarin de waarheid omtrent Timothy O'Connells leven en sterven waren gehuld.

Die ochtend was er een korte boodschap van de geheimzinnige meneer Bowles bezorgd, waaruit bleek dat er geen verdere connecties aan het licht waren gebracht tussen wijlen sergeant O'Connell en bekende spionnen van buitenlandse mogendheden. Grey vroeg zich somber af hoeveel onbekende spionnen er in Londen rondliepen.

De vorige avond was hoofdagent Magruder bij hem langs gekomen om hem mee te delen dat zijn onderzoek in de buurt van de Turk's Head, de plek waar zaterdag de vechtpartij had plaatsgevonden, niets had opgeleverd. De herbergier hield koppig vol dat O'-

Connell de zaak dronken had verlaten, maar wel op eigen kracht – en hoewel hij toegaf dat er op de bewuste avond een vechtpartij had plaatsgevonden, bleef hij volhouden dat er alleen maar schade was aangericht aan het raam van de zaak, toen een van de klanten er iemand anders doorheen had gesmeten. Er waren geen getuigen gevonden die O'Connell later die avond nog hadden gezien – of die bereid waren dat toe te geven.

Grey zuchtte en zijn opgewekte stemming verdween als sneeuw voor de zon. Bowles was ervan overtuigd dat O'Connell de verrader was – en misschien was hij dat wel. Maar hoe langer het onderzoek duurde, hoe duidelijker het Grey begon te worden dat O'Connells dood een strikt persoonlijke aangelegenheid was geweest. En als dat het geval was, lagen de verdachten voor de hand.

De volgende stap was dus de arrestatie van Finbar Scanlon en zijn vrouw. Nu ja, het moest nu eenmaal gebeuren.

Gezien de omstandigheden zou het geen ingewikkelde kwestie worden. Ze moesten worden gearresteerd en afzonderlijk van elkaar worden verhoord. Quarry zou Scanlon duidelijk maken dat Francine waarschijnlijk zou hangen voor de moord op O'Connell, tenzij kon worden bewezen dat zij er niets mee te maken had – en welk bewijs kon er zijn, buiten Scanlons eigen schuldbekentenis?

Het welslagen van het plan hing natuurlijk af van de veronderstelling dat Scanlon, als hij genoeg van de vrouw hield om voor haar te moorden, ook bereid was voor haar te sterven – en het zou best kunnen dat dat niet het geval was. Maar het was in elk geval een begin, en als het niet lukte, dan konden ze altijd hetzelfde plan nog eens toepassen op de vrouw, met betrekking tot haar echtgenoot.

Het was een smerig zaakje, en hij had er geen plezier in het uit te zoeken. Maar het moest gebeuren – en bovendien bood het nog een sprankje hoop. Als O'Connell die rekwisities inderdaad had gestolen, en de informatie ten tijde van zijn dood nog niet had doorgespeeld, dan wisten naar alle waarschijnlijkheid Scanlon, Francine of Iphigenia Stokes waar de informatie zich op dit moment bevond, ook al had geen van hen hem ervoor vermoord.

Als hij of Quarry een van de getuigen een bekentenis wist te ontfutselen, was het mogelijk dat de dader officieel clementie zou worden aangeboden in de vorm van strafvermindering – op voorwaarde dat de gestolen gegevens werden teruggevonden. Hij wist zeker dat Harry Quarry en de mysterieuze meneer Bowles ervoor konden zorgen dat de doodstraf werd omgezet in deportatie, en hij hoopte dat het zo zou gaan.

Hij was echter heel erg bang dat de gestolen rekwisities door Jack Byrd waren meegenomen en zich op dit moment in Frankrijk bevonden. En in dat geval...

Ondanks zijn gedachtekronkels had hij de waakzaamheid niet uit het oog verloren, en bij het horen van rennende voetstappen achter zich draaide hij zich bliksemsnel om, met zijn beide handen op zijn wapens. Zijn achtervolger was echter niet een van de zakkenrollers, maar zijn lijfknecht, Tom Byrd.

'Mylord,' hijgde de jongen terwijl hij voor hem tot stilstand kwam. Hij boog zich naar voren, zette zijn handen op zijn knieën en hijgde als een hond. 'Ik was op zoek naar... zag u... ben gaan rennen... wat... hebt u... met uw *kostuum* uitgevoerd?'

'Dat doet er nu niet toe,' zei Grey kortaf. 'Is er iets gebeurd?'

Byrd knikte, happend naar lucht. Zijn gezicht was nog knalrood en het zweet liep er in straaltjes langs, maar hij kon in elk geval weer praten. 'Hoofdagent Magruder. Hij heeft me gestuurd – zei dat u zo snel mogelijk moest komen. Hij heeft een vrouw gevonden. Een dode vrouw – in een groen-fluwelen jurk.'

Gevonden lichamen werden normaal gesproken naar het dichtstbijzijnde lijkenhuis gebracht – maar omdat hij wist hoe belangrijk zijn ontdekking kon zijn, en hoe belangrijk discretie in dit geval was, had Magruder het lichaam eerst naar de regimentsbarakken bij Cadogan Square laten brengen, waar het in de hooischuur was gelegd – tot afgrijzen van korporaal Hicks, die belast was met de verzorging van de paarden. Dat kreeg Grey bij zijn aankomst op de binnenplaats te horen van Harry Quarry, die van zijn thee was weggeroepen.

'Wat is er met je kostuum gebeurd?' vroeg Quarry terwijl hij belangstellend zijn blik over de vlekken liet glijden. Hij wreef een vinger onder zijn neus. 'Poeh!'

'Dat doet er nu niet toe,' zei Grey geïrriteerd. 'Ken je de vrouw?'

'Ik denk dat haar eigen moeder haar niet meer zou herkennen,' zei Quarry, zich omdraaiend om hem voor te gaan naar de stallen. 'Maar ik ben er vrij zeker van dat ik de jurk eerder heb gezien, bij Maggie. Maggie is het trouwens niet – geen tieten.'

Een plotselinge angst greep Grey bij de keel. Jezus, het zou Nessie toch niet zijn?

'Toen je zei dat haar moeder haar niet zou herkennen – heeft ze... lang in het water gelegen?'

Quarry wierp hem een verbaasde blik toe. 'Ze lag helemaal niet in het water. Ze hebben haar gezicht tot pulp geslagen.'

Hij voelde zijn maaginhoud omhoog komen. Was het kleine hoertje gaan rondsnuffelen in de hoop hem verder te helpen, en vermoord voor haar bemoeizucht? Als ze was gestorven om hem te helpen, en op zo'n manier... Hij ontkurkte de fles wijn, nam een paar grote slokken en gaf hem door aan Quarry.

'Goed idee. Ze stinkt als de reet van een Fransoos; ze is al een dag of twee dood.' Harry bracht de fles naar zijn mond en dronk, waarna hij iets vrolijker keek. 'Lekker spul, zeg.'

Grey zag Tom Byrd een verlangende blik op de fles werpen, maar Quarry hield hem stevig vast terwijl hij voor hen uit liep door de met klinkers geplaveide stallen.

Magruder stond met een van zijn mensen voor de schuur op hen te wachten. 'Mylord.' Magruder boog zijn hoofd en keek vervolgens verbaasd naar Grey op. 'Wat is er gebeurd met uw –'

'Waar heb je haar gevonden?' viel Grey hem in de rede.

'In St. James Park,' antwoordde de politieman. 'In de struiken langs het pad.'

'Waar?' vroeg Grey ongelovig. Saint James was het domein van rijke kooplieden en aristocraten, waar iedereen die jong, rijk en modebewust was ging wandelen om te kijken en bekeken te worden.

Magruder haalde enigszins verdedigend zijn schouders op. 'Een paar mensen die een ochtendwandelingetje maakten hebben haar gevonden – dat wil zeggen, hun hond heeft haar gevonden.' Hij deed een stap opzij om een paar soldaten door te laten die naar de tuigkamer gingen. 'Er was een aanzienlijke hoeveelheid bloed.'

Bij het zien van het lichaam was Grey's eerste gedachte dat de politieman een kei was in het maken van understatements. Zijn tweede gedachte was er een van intense opluchting. Het lichaam had inderdaad platte borsten, maar was veel te lang om Nessie te kunnen zijn. Het haar was donkerder dan dat van het Schotse hoertje – bijna zwart – en hoewel het dik en golvend was, leek het in de verste verte niet op Nessies woeste krullenbol.

Het gezicht was vrijwel verdwenen; verwoest met een krankzinnige opeenvolging van slagen met zoiets als de achterkant van een schop of een haardpook. Zijn weerzin onderdrukkend – Quarry had gelijk gehad wat betreft de stank – liep Grey langzaam om de tafel heen waarop het lijk was neergelegd.

'Denk je dat het dezelfde is?' vroeg Quarry, die naar hem stond te kijken. 'De jurk, bedoel ik. Jij hebt meer oog voor dat soort dingen.'

'Ik weet bijna zeker dat het hem is. Die kantrand...' Hij knikte naar de brede strook waarmee de japon was afgezet en die precies paste bij het randje van de omslagdoek. Die omslagdoek zelf lag in een hoopje op de tafel, gescheurd en gedrenkt in bloed, maar nog steeds vastgespeld aan de japon. 'Dat is Valenciennes. Dat viel me op in het bordeel, omdat het heel veel lijkt op de stof van de bruidsjurk van mijn nichtje – het slingert overal rond in het huis van mijn moeder. Het is heel duur.'

'Niet iets wat je vaak tegenkomt, dus.' Quarry voelde aan de gerafelde omslagdoek.

'Zeker niet.'

Quarry knikte en wendde zich tot Magruder. 'Wij zouden graag een woordje willen spreken met ene Maggie – de hoerenmadam van een bordeel in Meacham Street, ken je dat? Toch wel zonde,' voegde hij eraan toe terwijl hij zich zuchtend naar Grey omdraaide. 'Die blonde met die grote tieten beviel me wel.'

Grey knikte, maar luisterde maar half. De japon zelf was zo aangekoekt met bloed en vuil dat de kleur bijna onherkenbaar was. Alleen aan de modderige plooien van de rok was nog wat smaragdgroen te herkennen. De stank was heel doordringend in de kleine ruimte. Quarry had gelijk, ze stonk inderdaad als een...

Hij zette zijn handen op de tafel, boog zich over haar heen en snoof diep. Civet. Hij zou bijna durven zweren dat hij civet rook – en nog iets. Het lijk droeg parfum, hoewel de geur vrijwel teniet werd gedaan door de meer aardse luchtjes van bloed en viezigheid.

Ze gebruikt een bijzonder kostbaar parfum. Civet, vetiver en oranjebloesem, als ik mij niet vergis. Hij hoorde Richard Caswells stem in zijn hoofd, zo droog als grafbloemen. *Ze heeft donker haar. Bijna zwart. Ik meen dat je nichtje blond is?*

Met een gevoel van opwinding en angstige verwachting boog hij zich over de dode vrouw. Het kon niet anders; dit was Trevelyans mysterieuze geliefde. Maar wat was er met haar gebeurd? Was haar man – als ze die had – achter de affaire gekomen en had hij wraak genomen? Of had Trevelyan...

Hij snoof opnieuw, op zoek naar bevestiging.

Waar brachten vrouwen parfum aan? Achter de oren – nee, daar had hij niets aan. Het lijk had nog maar één oor en het andere zag er niet meer uit alsof... Tussen de borsten, misschien. Hij had zijn moeder wel eens een geparfumeerd zakdoekje tussen haar korset zien stoppen voordat ze naar een feest ging.

Hij boog zijn hoofd om beter te kunnen ruiken, en zag opeens het kleine, donkere gaatje in het midden van het keurslijfje, bijna onzichtbaar tussen al dat bloed.

'Krijg nou wat,' zei hij, opkijkend naar de rij niet-begrijpende gezichten om hem heen. 'Dat is een schotwond.'

'Eh... mylord?' Het gefluister kwam van vlak naast hem. Tom Byrd, inmiddels een beetje gewend aan gruwelijke aanblikken, was naderbij gekomen en stond nu gefascineerd naar het verwoeste gezicht van het lijk te kijken.

'Wat wilde je zeggen, Tom?'

De vinger van de jongen wees behoedzaam over de tafel, naar een plek die Grey zelf had aangezien voor een veeg modder achter de kaaklijn. 'Ze heeft bakkebaarden.'

Het lichaam bleek inderdaad dat van een man te zijn. Maar hoe verbijsterend dat ook was, toen ze de restanten van de groene jurk hadden verwijderd om het feit te verifiëren, bleek dat niet eens het allergekste te zijn.

'Zoiets heb ik van m'n leven nog nooit gezien,' zei Harry Quarry, die met een combinatie van weerzin en fascinatie naar de dode man stond te kijken. 'Jij, Magruder?'

'Nou, bij een vrouw heb ik het wel eens gezien,' zei de politieman, met een kieskeurig trekje om zijn mond. 'Sommige hoeren doen het regelmatig, heb ik begrepen. Als curiositeit, zogezegd.'

'O, hoeren, ja, natuurlijk.' Quarry wuifde met een hand, ten teken dat hij dat ook wel had geweten, en het zelfs heel normaal vond. 'Maar dit is verdorie een vent! Jij hebt toch zeker ook nog nooit zoiets gezien, Grey?'

Grey had zoiets echter wel degelijk eerder gezien, en wel meer dan eens ook, hoewel het hem persoonlijk niet bijzonder aansprak. Dat kon hij echter moeilijk zeggen, dus schudde hij zijn hoofd en zette grote ogen op om te tonen hoe schokkend en onbegrijpelijk hij de perversiteit van sommige mensen vond.

'Meneer Byrd,' zei hij, ruimte voor Tom makend. 'Jij bent onze expert op het gebied van scheren. Wat kun jij ons hierover vertellen?'

Met dichtgeknepen neusgaten tegen de stank van het lijk, gebaarde Tom de kapperszoon de lantaarn wat dichter bij het lichaam te houden, boog zich naar voren en begon de vlakke delen van het lichaam met het oog van een kenner te bestuderen.

'Welnu,' zei hij oordeelkundig, 'hij doet het – deed het, bedoel ik – regelmatig. Ik denk eigenlijk dat iemand anders het voor hem deed. Het is goed en professioneel gedaan. Kijk maar, geen snijwondjes – en dat is echt een lastig stukje, daar van onderen.' Hij wees er fronsend naar. 'Het lijkt me lastig om dat zelf te doen.'

Quarry maakte een geluid dat veel weg had van een lach, maar maakte er haastig een hoestbui van.

Byrd besteedde er geen aandacht aan, stak een hand uit en liet die heel voorzichtig omhoog glijden langs een van de benen van het lijk.

'O ja,' zei hij tevreden. 'Voelt u dat, mylord? Zodra je tegen de haren in strijkt, voel je de scherpe stoppeltjes. Dat krijg je wanneer iemand zich regelmatig scheert. Als hij het maar één of twee keer per maand doet, zie je dat hij een soort bobbeltjes krijgt – dan krult het haar als het ware onder de huid op. Maar hier zie ik geen bobbeltjes.'

Hij had gelijk. De huid van het lijk was glad, volkomen ontdaan van haren op armen, benen, borst, billen en edele delen. Behalve vegen opgedroogd bloed en aangekoekt vuil, en het kleine, donkere gaatje van de kogelwond in zijn borst, waren het alleen het paarsbruin van de tepels en de donkerder kleuren van het vrij ruim bemeten lid tussen de benen van de man die de licht olijfkleurige volmaaktheid van de huid onderbraken. Grey kon zich voorstellen dat de heer in kwestie in bepaalde kringen bijzonder populair was geweest.

'Hij heeft stoppels. Dus heeft het scheren voor de dood plaatsgevonden?' vroeg Grey.

'O ja, ja, mylord. Zoals ik al zei, hij doet het heel regelmatig.'

Quarry krabde op zijn hoofd. 'Krijg nou wat. Denk je dat hij een mannelijke hoer was? De een of andere flikker?'

Grey had daar wel iets om durven verwedden, maar er was één ding dat hem dwars zat. De man was tenger, maar goed gebouwd en gespierd, net als Grey zelf. De spieren van de borst en de armen waren echter slap, alsof ze niet voldoende waren gebruikt, en rond zijn middel zat een onmiskenbare vetrol. Hier kwam nog bij dat de hals van de man diepe rimpels vertoonde en dat de handen, ondanks een onberispelijke manicure, geaderd en knobbelig waren. Uit dit alles leidde Grey af dat dit het lichaam was van een man van eind dertig of begin veertig. Mannelijke prostituées waren meestal niet ouder dan een jaar of twintig.

'Nee, te oud,' wierp Magruder tegen, waarmee hij Grey gelukkig de noodzaak bespaarde hetzelfde te zeggen zonder te onthullen hoe hij dit wist. 'Deze man ziet er eerder uit als iemand die er eentje huurt. Zelf is hij het niet.'

Quarry schudde zijn hoofd. 'Ik had nooit gedacht dat Maggie zich met zulke dingen inliet,' zei hij, tegelijkertijd spijtig en afkeurend. 'Weet je het zeker van die jurk, Grey?'

'Vrij zeker. Natuurlijk is het niet onmogelijk dat een kleermaker meer dan één japon maakt – maar degene die deze heeft gemaakt heeft zeker ook de jurk gemaakt die Magda aanhad.'

'Magda?' Quarry knipperde verbaasd met zijn ogen.

Grey schraapte zijn keel, plotseling overvallen door een verschrikkelijk besef. Dat had Quarry niet geweten.

'Die... eh... Schotse die ik daar heb ontmoet vertelde me dat de hoerenmadam Magda heette en, eh... een soort van Duitse is.'

Quarry's gezicht leek grauw in het schijnsel van de lantaarn. 'Een soort van,' herhaalde hij op kille toon. Het maakte nogal wat uit *welke* soort, en dat wist Quarry heel goed. Pruisen en Hannover hadden zich natuurlijk aangesloten bij Engeland, terwijl het hertogdom Saksen de zijde van Frankrijk en Rusland had gekozen, ter ondersteuning van buurland Oostenrijk. Voor een Engelse kolonel was het een riskante onderneming een bordeel te bezoeken dat werd uitgebaat door een Duitse van onbekende origine en loyaliteit, die bovendien waarschijnlijk betrokken was bij criminele activiteiten, en Quarry kon alleen maar hopen dat het nooit onder de aandacht van zijn superieuren zou komen. Of onder de aandacht van meneer Bowles.

Het zou Grey's reputatie ook geen goed doen. Hij realiseerde zich nu wel dat hij de situatie meteen aan Quarry had moeten voorleggen, in plaats van aan te nemen dat hij alles van Magda's achtergrond afwist. Maar hij had zich laten afleiden door een alcoholische uitspatting, en door Nessies onthullingen over Trevelyan – en kon nu alleen maar hopen dat hij het niet met heel veel ellende zou moeten bekopen.

Harry Quarry ademde een keer heel diep in en uit en rechtte zijn schouders. Een van Harry's goede eigenschappen was dat hij nooit tijd verspilde aan beschuldigingen over en weer en – in tegenstelling tot Bernard Sydell – nooit zijn ondergeschikten de schuld gaf, ook al verdienden ze het.

'Goed,' zei hij en wendde zich tot Magruder. 'Volgens mij moeten we mevrouw Magda onverwijld inrekenen en ondervragen. Me dunkt dat we haar etablissement ook zullen moeten doorzoeken – heeft u daar een bevelschrift voor nodig?'

'Jazeker, sir. Maar gegeven de omstandigheden' – Magruder knikte fijntjes naar de dode man – 'denk ik niet dat de rechter moeilijk zal doen.'

Quarry knikte en trok zijn jas recht. 'Mooi. Dan ga ik zelf met u mee om hem te spreken.' Hij roffelde rusteloos met zijn vingers op de tafel, zodat de slappe hand van het lijk lag te trillen. 'Grey, ik denk dat we de Scanlons ook maar meteen moeten oppakken, zoals jij al had voorgesteld. Jij ondervraagt hen. Ga morgen maar naar de gevangenis, zodra Magruder de tijd heeft gehad om hen in te rekenen. En wat die... gentleman uit Cornwall betreft, gebruik je gezonde verstand in die kwestie, goed?'

Grey knikte kleintjes en kon zichzelf wel voor zijn kop slaan voor zijn stommiteit. Even later waren Quarry en Magruder verdwenen en lag het gezichtloze lijk naakt omhoog te staren in het flakkerende lichtschijnsel.

'Zit u in de nesten, mylord?' Vanuit de schaduwen stond Tom Byrd bezorgd naar hem te kijken. Kennelijk had hij iets opgevangen in de onderstroom van het voorafgaande gesprek.

'Ik hoop van niet.' Hij stond neer te kijken op de dode man. Wie was het in vredesnaam? Grey was ervan overtuigd geweest dat het lichaam dat van Trevelyans geliefde was – en dat kon nog steeds, bracht hij zichzelf in herinnering. Goed, Caswell was er zeker van dat het een vrouw was geweest die Trevelyan in Lavender House had ontvangen, maar Caswell kon zich hebben vergist in zijn eigen reukvermogen – of hij had, om welke reden dan ook, gelogen.

Zijn gezonde verstand gebruiken, had Harry gezegd. Zijn gezonde verstand vertelde hem dat Trevelyan hier tot aan zijn nek middenin zat – maar hij kon het niet bewijzen.

Er was ook geen bewijs dat de Scanlons iets met deze kwestie te maken hadden, net zomin als met de moord op O'Connell – maar Harry's redenen om opdracht te geven voor hun arrestatie lag voor de hand. Als er op een gegeven moment van hogerhand gekeken zou worden naar de manier waarop dit onderzoek was ingesteld, moest het er wel uitzien alsof de kwestie voortvarend was aangepakt. Hoe ondoorzichtiger het rookgordijn dat kon worden opgetrokken, des te minder kans dat iemand de kwestie van Magda's ongelukkige nationaliteit zou opmerken.

'Majoor?'

Hij draaide zich om en zag korporaal Hicks fronsend in de deuropening staan. 'Ja?'

'U bent toch niet van plan dat ding hier te laten, wel?'

'O. Nee, korporaal. U kunt het lichaam naar de lijkschouwer brengen. Ga maar een paar mannen halen.'

'Uitstekend, sir.'

Hicks liep snel weg, maar Grey aarzelde nog om weg te gaan. Was het mogelijk dat het lichaam nog meer informatie zou prijsgeven?

'Denkt u dat deze man is vermoord door dezelfde kerel die sergeant O'Connell om zeep heeft geholpen, mylord?' Tom Byrd was naast hem komen staan.

'Ik heb niet echt reden om daar vanuit te gaan,' zei Grey, een beetje verbaasd. 'Hoezo?'

'Vanwege, eh... het gezicht.' Tom wees ietwat ongemakkelijk naar het stoffelijk overschot, en slikte hoorbaar. Een van de oogbollen was zo ver uit zijn kas gerukt dat hij op de verbrijzelde wang bungelde, en beschuldigend in de schaduwen van de hooischuur staarde. 'Zo te zien was de dader niet erg op deze man gesteld – net als degene die het gezicht van de sergeant in elkaar heeft getrapt.'

Grey dacht even na. Tenslotte schudde hij zijn hoofd. 'Dat denk ik niet, Tom. Volgens mij heeft degene die dit op zijn geweten heeft dit gedaan om de identiteit van de man te verhullen en niet omdat hij een hekel aan hem had. Het is zwaar werk om een schedel zo te verbrijzelen, en onze dader is niet over één nacht ijs gegaan. Het zou in een aanval van absolute razernij moeten zijn gebeurd – en als dat het geval was, waarom hebben ze hem dan eerst neergeschoten?'

'Maar hebben ze dat wel gedaan? Hem neerschieten, bedoel ik, mylord. Want u zei dat dode mensen niet bloeden – en dat heeft deze wel gedaan, dus kan hij niet dood zijn geweest toen ze, eh....' Hij keek naar het verwoeste gezicht en wendde meteen zijn blik weer af. 'Maar hij kan zo niet lang meer hebben geleefd, dus waarom hebben ze toen alsnog op hem geschoten?'

Grey staarde Tom aan. De jongen zag bleek, maar zijn ogen stonden helder, volledig verdiept in zijn redenatie.

'Jij hebt een heel logische manier van denken, Tom,' zei hij. 'Ja, waarom eigenlijk?' Hij stond een ogenblik op het lichaam neer te kijken en probeerde de losse stukjes informatie die hij had in elkaar te passen. Wat Tom zei was volkomen logisch – en toch was hij ervan overtuigd dat degene die deze man had vermoord zijn gezicht niet uit woede had verminkt. Zoals hij er ook van overtuigd was dat degene die op Tim O'Connells gezicht had getrapt dat juist wel vanuit die emotie had gedaan.

Tom Byrd bleef geduldig staan wachten, zonder iets te zeggen, terwijl Grey om de tafel heen liep en het lichaam vanuit alle hoeken bekeek. Hij slaagde er echter niet in de puzzelstukjes in elkaar te passen en toen Hicks' mannen binnenkwamen, liet hij hen het lijk in zeildoek wikkelen.

'Zullen we deze ook maar meenemen, sir?' Een van de mannen pakte de bebloede zoom van de groene jurk voorzichtig tussen twee vingers.

'Die wil de voddenman niet eens meer hebben al zou je hem eerst wassen,' wierp de ander tegen, zijn neus optrekkend tegen de stank.

'Nee,' zei Grey, 'laat die nog maar even liggen.'

'U bent toch niet van plan hem hier te laten, sir?' Hicks stond met zijn armen over elkaar en met een boze blik naar de bebloede berg fluweel te kijken.

'Nee, dat lijkt me niet,' zei Grey met een zucht. 'Stel je voor dat de paarden straks hun eten niet meer lusten?'

Het was al helemaal donker toen ze de stallen verlieten, maar er verscheen een kleine maansikkel aan de hemel. Geen enkel rijtuig wilde hen meenemen met hun stinkende last, ook al hadden ze de japon in geteerd zeildoek gewikkeld, dus zagen zij zich genoodzaakt te voet terug te keren naar Jermyn Street.

Ze legden de wandeling grotendeels zwijgend af. Grey overdacht de gebeurtenissen van die dag en probeerde vergeefs de dode man in de puzzel te laten passen. Er waren maar twee dingen die hem helemaal duidelijk waren: ten eerste, dat iemand veel moeite had gedaan de man onherkenbaar te maken. Ten tweede, dat er een verband bestond tussen de dode man en het bordeel in Meacham Street – hetgeen dus ook betekende dat er een verband moest bestaan met Joseph Trevelyan.

Toch leek er iets niet te kloppen. Als het iemands belangrijkste motief was geweest de identiteit te verhullen, waarom had hij het lijk dan zo'n opvallende japon aangetrokken? Het antwoord kwam al snel en herinnerde hem aan wat hij wel had gezien, maar op het moment zelf niet bewust had opgemerkt. De man was niet pas na zijn dood in de japon gehuld – hij had hem al aangehad toen hij was neergeschoten.

Daar bestond geen enkele twijfel over. Het kogelgat in de jurk had een verschroeide rand en er zaten kruitresten aan de stof. Bovendien had het schot stukjes stof in de wond gedreven.

Dit maakte het allemaal wat logischer. Als het slachtoffer de jurk had gedragen toen hij werd neergeschoten en er was een reden om hem niet uit te trekken – dan was het verminken van het gezicht om de identiteit te verbergen een verklaarbare stap.

Bekijk het eens van de andere kant, dacht hij. Als Magruder niet attent was gemaakt op een groen-fluwelen japon – niemand wist immers dat er van hogerhand belangstelling voor zoiets was – wat zou er dan gebeurd zijn? Het lijk zou gevonden zijn en naar het dichtstbijzijnde lijkenhuis zijn gebracht – en dat was, ja, waar eigenlijk? Ergens in Vauxhall misschien?

Hm, dat was veelbelovend. Vauxhall was een onrustig district, vol theaters en amusementsparken, veelvuldig bezocht door dames van lichte zeden en opgedirkte mollies die een avondje plezier kwamen maken op een van de vele gemaskerde bals. Hij moest niet vergeten Magruder te vragen of er dinsdagavond een bal was geweest.

Zonder Magruders tussenkomst zou het lichaam dus naar een lijkenhuis zijn gebracht, waar men zou hebben aangenomen dat het om een prostituée ging, aangezien zulke vrouwen wel vaker op gewelddadige wijze aan hun eind kwamen. Iedereen die het lichaam had gezien, was ervan uit gegaan dat het een vrouw was, tot Tom de kapperszoon dat kleine, belangrijke plekje met stoppels had opgemerkt.

Dat was het, dacht hij, met een gevoel van opwinding. Daarom was de japon niet uitgetrokken en was het gezicht onherkenbaar verminkt. Niet zozeer om de identiteit, maar de sekse van het slachtoffer te verhullen!

Hij voelde dat Tom nieuwsgierig naar hem liep te kijken en realiseerde zich dat hij een uitroep moest hebben geslaakt. Hij schudde zijn hoofd naar de jongen en beende verder, te verdiept in zijn speculaties om zich te laten afleiden door een gesprek.

Zelfs als de waarheid over het geslacht was ontdekt, dacht hij, zou men waarschijnlijk hebben verondersteld dat de dode afkomstig was uit de schimmige onderwereld van travestieten – een onbelangrijk persoon, die door niemand gemist zou worden. Het lichaam zou onmiddellijk zijn afgevoerd, naar een snijkamer of een armenkerkhof, afhankelijk van de staat waarin het verkeerde – maar in elk geval veilig uit de weg geruimd, zonder dat iemand het ooit nog zou kunnen identificeren.

De gedachte aan dit alles bezorgde hem een onaangenaam gevoel in zijn maag. Elk jaar weer verdween er in Londen een aantal jongens en jongemannen uit die schimmige wereld. Hun lot – als dat al werd opgemerkt – werd meestal verhuld in officiële bewoordingen die de bedoeling hadden de gevoeligheden van de maatschappij te ontzien door zorgvuldig te verzwijgen dat zij betrokken waren geweest bij perverse praktijken.

Het feit dat in dit geval iemand de moeite had genomen bepaalde details te verhullen, betekende dat de dode man wel degelijk een belangrijk iemand moest zijn geweest. Iemand die gemist zou worden. Opeens leek het pakketje onder zijn arm veel zwaarder en had hij het gevoel met een afgehakt hoofd rond te lopen.

'Mylord?' Tom Byrd legde een behoedzame hand op het pakket en bood aan het van hem over te nemen.

'Nee, Tom, laat maar.' Hij schoof het pakket wat steviger onder zijn arm. 'Ik stink toch al naar een slachthuis, het is niet nodig dat jij je kleren er ook mee verknoeit.'

De jongen trok zijn hand weg met een opluchting die Grey verraadde hoe edelmoedig het aanbod was geweest. Het pakket stonk inderdaad een uur in de wind. Hij glimlachte in de duisternis.

'Ik vrees dat we het avondeten hebben misgelopen – maar ik denk dat de kokkin ons nog wel iets wil geven.'

'Ja, mylord.'

Ze waren bijna in Piccadilly; de straten werden steeds breder. Hier vond je kledingzaken en allerhande winkels in plaats van de kroegen en herbergen van de smallere straten in de buurt van Queen Street. Rond deze tijd van de avond was het druk op straat, met voetgangers, paarden en rijtuigen. Je hoorde mensen praten, roepen, en lachen.

Het regende zachtjes en er steeg een witte mist op van de trottoirs onder hun voeten. De lantaarnaanstekers waren al langs geweest; de straatlantaarns flakkerden en gloeiden onder hun glazen kappen en beschenen de natte stenen, waarmee ze meehielpen de gruwelen van die bijeenkomst in de hooischuur te verdrijven.

'Bent u er al aan gewend, mylord?' Tom keek hem aan, zijn ronde gezicht zorgelijk in het vluchtige schijnsel.

'Waaraan? Aan de dood, bedoel je, en lijken?'

'Aan... dat soort dood bedoel ik eigenlijk.' De jongen maakte een bedeesd gebaar naar het pakketje. 'Ik heb het idee dat dit misschien anders is dan wat u op het slagveld ziet – of vergis ik me daarin?'

'Misschien.' Grey hield zijn pas in om een groepje vrolijke kerels te laten passeren, die lachend de straat overstaken, nog net voor een detachement bereden Horse Guards langs, die glinsterden in de regen.

'Ik denk dat het in wezen niet veel van elkaar verschilt,' zei hij terwijl het geluid van paardenhoeven over Piccadilly kletterde. 'Ik heb op het slagveld vaak nog verschrikkelijker dingen gezien. En ja, je went eraan. Je moet wel.'

'Maar is het toch anders?' drong Tom aan. 'Dit?'

Grey haalde diep adem en klemde zijn last steviger tegen zich aan. 'Ja,' zei hij. 'En ik zou de man niet graag tegenkomen voor wie dit routine is.'

14 Een verloving verijdeld

Vlak na zonsopgang werd Grey ruw uit zijn slaap gewekt en kreeg te horen dat korporaal Jowett voor de deur stond met slecht nieuws.

'De vogels zijn gevlogen, sir,' zei Jowett, hem een boodschap van Malcolm Stubbs overhandigend met een inhoud van gelijke strekking. 'Luitenant Stubbs en ik zijn er met een paar soldaten naar toe gegaan, samen met die Magruder en twee agenten, met de bedoeling de Scanlons te overrompelen terwijl het nog donker was.' Jowett zag er altijd al uit als een uitgemergelde buldog, maar nu was zijn gezicht puur boosaardig. 'De deur zat op slot, dus trapten we hem in – maar het hele pand was zo leeg als de verrekte tombe op Paasochtend.'

De Scanlons waren niet alleen zelf verdwenen; de gehele voorraad van de apotheek ontbrak en het enige wat was achtergebleven waren een paar lege flessen en wat losse rommel.

'Ze hebben het zien aankomen,' zei Jowett. 'Iemand heeft hen gewaarschuwd – maar wie?'

'Ik weet het niet,' zei Grey grimmig terwijl hij de ceintuur van zijn kamerjas dichtknoopte. 'Heb je de buren gesproken?'

Jowett snoof smalend. 'Alsof we daar wat aan hadden. Allemaal Ieren en geboren leugenaars. Magruder heeft er een paar gearresteerd, maar ik weet nu al dat we daar niets aan hebben.'

'Konden ze dan op z'n minst vertellen wanneer de Scanlons zijn vertrokken?'

'De meesten zeiden dat ze geen flauw idee hadden – maar aan het eind van de straat woont een oud omaatje dat beweert dat ze dinsdag al heeft gezien dat mensen met dozen naar buiten kwamen.'

'Goed. Ik spreek Magruder straks nog wel.' Grey keek naar buiten. Het regende en de straat was somber en grauw, maar hij kon de huizen aan de overkant wel zien – de zon was al op. 'Heb je al ontbeten, Jowett? Wil je op z'n minst niet een kop thee?'

Jowetts bloeddoorlopen ogen lichtten op. 'Daar zeg ik geen nee tegen, majoor. We hebben een drukke nacht achter de rug.'

Grey stuurde de korporaal met een slaperige bediende mee naar de keuken en bleef zelf nog even uit het raam naar de regen staan kijken, zich afvragend wat hij hier nu weer van moest denken.

Aan de ene kant laadde dit overhaaste vertrek de verdenking op de Scanlons – maar verdenking waarvan? Zij hadden een motief voor de moord op O'Connell, maar hadden eenvoudig ontkend er iets mee te maken te hebben, waarbij Scanlon zo koel was gebleven als een schaal met plakjes komkommer. Er was sindsdien niets gebeurd waarvan ze konden zijn geschrokken, dus waarom waren ze juist nu op de vlucht geslagen?

Wel hadden ze inmiddels de dode man in de groen-fluwelen japon gevonden – maar wat konden de Scanlons daarmee te maken hebben gehad?

Aan de andere kant leek het erg waarschijnlijk dat de man in de loop van dinsdag was omgebracht – en dinsdag leek de dag te zijn waarop de Scanlons ervandoor waren gegaan. Grey streek met een hand door zijn haar, in een poging zijn denkvermogen te stimuleren. Goed. Dit was gewoon een te groot toeval om werkelijk toevallig te zijn, dacht hij. En dat betekende... wat?

Dat de Scanlons – of in elk geval Finbar Scanlon – op de een of andere manier betrokken waren bij de moord op de man in groen fluweel. En wie was die man? Een gentleman – of in elk geval iemand die pretendeerde dat te zijn, dacht hij. Het lijk was niet dat van een arbeider, dat was wel duidelijk.

'Mylord?' Tom Byrd was binnengekomen met een dienblad. Hij had zijn gezicht nog niet gewassen en zijn haar stond recht overeind, maar zo te zien was hij klaarwakker. 'Ik hoorde u opstaan. Wilt u thee?'

'Jezus, ja.' Hij pakte het kopje en ademde de geurige damp in. Het gloeiende porselein voelde heerlijk aan in zijn ijskoude handen.

De regen viel met bakken uit de hemel. Wanneer waren ze vertrokken? vroeg hij zich af. Liepen Scanlon en zijn vrouw in dit weer ergens buiten, of zaten ze veilig binnen? De kans was groot dat ze onmiddellijk na de dood van de man in groen fluweel waren gevlucht – en toch hadden ze nog de tijd genomen om hun spullen in te pakken en de waardevolle apothekersvoorraden mee te nemen. Dat zouden paniekerige moordenaars toch niet doen, wel?

Nu moest hij natuurlijk wel toegeven dat hij nooit eerder met moordenaars te maken had gehad. Tenzij... Opeens dacht hij weer aan wat Harry Quarry hem had verteld over Jamie Fraser en de dood van ene sergeant Murchison in Ardsmuir. Als dat waar was – en zelfs Quarry had dat niet helemaal zeker geweten – dan was Fraser volkomen kalm en koel gebleven, en was op die manier ongestraft met het betreffende misdrijf weggekomen.

Wat als Scanlon ook tot zoveel kalmte in staat was?

Hij schudde ongeduldig zijn hoofd en zette de gedachte van zich af. Wat hij verder ook mocht zijn, Fraser was geen moordenaar. En Scanlon? Grey kwam er niet uit.

'En daarom zullen we wel rechtbanken hebben,' zei hij hardop, en dronk de rest van zijn kopje leeg.

'Mylord?' Tom Byrd, die er zojuist in was geslaagd het haardvuur aan te steken, krabbelde overeind en tilde het dienblad op.

'Ik merkte alleen maar even op dat ons rechtssysteem stoelt op bewijzen, en niet op emotie,' zei Grey, het lege kopje terugzettend op het dienblad. 'Hetgeen volgens mij betekent dat ik erop uit moet om bewijzen te zoeken.'

'O ja, sir? Zal ik uw goede uniform dan maar voor u klaarleggen?'

'Nee, doe dat nog maar niet.' Grey krabde peinzend aan zijn kin. De enige hoop op een aanwijzing die hij op dit moment had was de Duitse wijn. Dank zij de behulpzame meneer Congreve wist hij nu wat het was en wie het had gekocht. Als hij de Scanlons niet kon vinden, kon hij misschien iets meer te weten komen over de mysterieuze man in het groen. 'Dat uniform trek ik aan wanneer we naar kapitein von Namtzen gaan. Maar eerst –'

Maar eerst was het hoog tijd zich van een onaangename taak te kwijten.

'Leg het ijsblauwe kostuum maar klaar, als dat schoon is,' besloot hij. 'Maar eerst ben ik aan een scheerbeurt toe.'

'Heel goed, mylord,' zei Byrd, met zijn beste lijfknechtstem, en maakte een buiging, waarbij hij het theekopje omstootte.

Tom Byrd was er grotendeels in geslaagd de stank uit het ijsblauwe kostuum te krijgen. Grotendeels.

Grey snuffelde onopvallend aan de schouder van zijn jas. Nee, dat ging wel. Misschien was het de uitwaseming van het voorwerp in zijn zak. Hij had een vierkant, met opgedroogd bloed aangekoekt stukje stof uit de groen-fluwelen japon geknipt en had dit, in zeildoek gewikkeld, meegenomen.

Na enige aarzeling had hij ook een wandelstok meegenomen, een ranke stok van ebbenhout, met een bewerkte zilveren knop in de vorm van een broedende reiger. Hij was niet van plan Trevelyan ermee te slaan, hoe het gesprek ook zou verlopen. Hij was zich er echter van bewust dat het op ongemakkelijke momenten nuttig was een voorwerp te hebben waarmee je je handen kon bezighouden – en deze gelegenheid beloofde lastiger te worden dan normaal.

Hij had nog even aan zijn zwaard gedacht, gewoon omdat dat een bekend voorwerp was en het gewicht ervan aan zijn zij geruststellend was. Dit was echter geen gelegenheid voor een uniform.

Niet dat hij niet uit de toon viel in zijn ijsblauwe fluweel tussen de zeelui, kruiers, venters en oesterverkoopsters bij de haven, maar er liepen gelukkig nog een paar keurige heren rond. Een paar welvarend ogende kooplieden kwamen in zijn richting gewandeld, een van hen met een kaart in zijn handen die hij aan de ander leek uit te leggen. Een man die hij als een bankier herkende baande zich voorzichtig een weg door de slijmerige modder, voorzichtig zijn jas optillend bij het passeren van een kruiwagen vol glanzende zwarte mosselen, druipend van het water en het zeewier.

Hij was zich ervan bewust dat mensen hem in het voorbijgaan bekeken als een bezienswaardigheid, maar dat gaf niet. Dat was niet het soort nieuwsgierigheid waar praatjes uit voortkwamen.

Hij was eerst naar Trevelyans woning gegaan, waar hem was verteld dat de meester naar zijn pakhuis was gegaan en niet voor het eind van de middag terug werd verwacht. Wilde hij misschien zijn visitekaartje achterlaten?

Vervolgens had hij een rijtuig naar de havens genomen, want hij vond het een ondraaglijke gedachte de hele dag te moeten wachten om te kunnen doen wat hij nu eenmaal moest doen.

En wat ging hij eigenlijk doen? Bij de gedachte aan het gesprek dat hij ging voeren kreeg hij een hol gevoel in zijn maag, maar hij hield zich stevig vast aan het enige wat hij zeker wist. De verloving moest officieel worden verbroken. Verder wilde hij proberen zoveel mogelijk informatie van Trevelyan los te krijgen, maar Olivia beschermen was het allerbelangrijkste – en het enige wat hij persoonlijk kon garanderen.

Hij verheugde zich er niet bepaald op na afloop naar huis te gaan en Olivia en zijn moeder te moeten vertellen wat hij had gedaan – laat staan waarom. In het leger had hij geleerd nooit op meer dan één onaangename eventualiteit tegelijk te anticiperen, en hij zette dan ook resoluut de gedachte van zich af aan alles wat er na het komende half uur kon gebeuren. Eerst maar eens doen wat hem te doen stond, en dan naar de consequenties kijken.

Het was een van de grootste pakhuizen in het district en ondanks de armoedige uitstraling van dit soort gebouwen in het algemeen, zag dit er goed onderhouden uit. Binnen leek het een spelonk vol schatten. Ondanks de reden van zijn komst, was Grey toch onder de indruk. Hij zag hoge stapels kisten en houten kratten, met cryptische symbolen die verwezen naar eigenaars en bestemmingen: in canvas en zeildoek gewikkelde bundels; opgerolde koperplaten en stapels planken; vaten en okshoofden, vijf of zes hoog opgestapeld tegen de muren.

Hij was niet alleen onder de indruk van de pure overvloed, maar ook van het gevoel van ordelijkheid te midden van de chaos. Mannen liepen af en aan, beladen als werkmieren die in een constante stroom spullen weg- en aansleepten. De vloer was bedekt met een enkele centimeters dikke laag geurig stro voor inpakdoeleinden en in de lucht zweefden gouden stofdeeltjes, opgeworpen door de vele voetstappen.

Grey veegde stukjes stro van zijn jas en ademde de aangename geur diep in. De lucht was geparfumeerd met de bedwelmende geuren van thee, wijn en specerijen, mild gelardeerd met de vettiger ondertonen van walvisolie en kaarsvet, met een stevige ondertoon van eerlijke teer. Op elk ander tijdstip had Grey graag wat rondgesnuffeld tussen al die fascinerende producten, maar vandaag niet, helaas. Na de lucht een laatste keer spijtig te hebben opgesnoven, draaide hij zich om om zijn plicht te gaan doen.

Hij liep tussen de drukte door naar een kleine ruimte, waar een aantal klerken op hoge krukken als idioten zaten te schrijven. Jongens drentelden tussen hen door als melkmeisjes tussen een kudde koeien en liepen met hele stapels paperassen naar een deur, waarachter de onderste treden van een trap op de aanwezigheid wezen van een bovenverdieping met kantoren.

Zijn hart sloeg een slag over toen hij Trevelyan zelf zag staan, in gesprek met een met inktvlekken besmeurde functionaris. Hij baande zich een weg door het woud van krukken en tikte Trevelyan op een schouder. Trevelyan draaide zich meteen om – kennelijk was hij eraan gewend dat mensen hem kwamen storen – maar toen hij Grey zag bleef hij verrast staan.

'Kijk nu eens, John!' zei hij glimlachend. 'Wat doe jij hier?'

Enigszins uit het veld geslagen door het gebruik van zijn voornaam, maakte Grey een formele buiging.

'Een persoonlijke aangelegenheid, sir. Kunnen we misschien...?' Hij trok een wenkbrauw op naar de rijen zwoegende klerken en knikte naar de trap.

'Natuurlijk.' Met een verbaasde blik wuifde Trevelyan een wachtende assistent weg en ging hem voor, de trap op naar zijn eigen kantoor. Het was een verrassend eenvoudige kamer; groot, maar spaarzaam ingericht. De enige siervoorwerpen waren een inktstel van ivoor en kristal en een klein bronzen beeldje van de een of andere veelarmige Indiase godheid. Grey had iets veel overdadigers verwacht, meer passend bij Trevelyans rijkdom. Aan de andere kant kon het natuurlijk zijn dat dat nu juist de reden was waarom Trevelyan zo rijk was.

Trevelyan gebaarde naar een stoel en nam zelf plaats achter het grote, veelgebruikte bureau. Grey bleef echter stijfjes staan en voelde het bloed in zijn oren gonzen.

'Nee, sir, dank u,' zei hij. 'Dit zal niet lang duren.'

Trevelyan keek hem verbaasd aan. De ogen van de man uit Cornwall versmalden en opeens leek hij Grey's stijve houding op te merken.

'Is er iets aan de hand, Lord John?'

'Ik kom u ervan op de hoogte stellen dat uw verloving met mijn nicht ten einde is,' zei Grey op barse toon.

Trevelyan knipperde uitdrukkingsloos met zijn ogen.

Wat zou hij doen? vroeg Grey zich af. Zou hij 'O,' zeggen en het daarbij laten? Zou hij een verklaring eisen? Woedend worden en hem uitdagen tot een duel? Bedienden roepen om hem van het terrein te laten verwijderen?

'Ga toch zitten, John,' zei Trevelyan tenslotte, op dezelfde hoffelijke toon als zoëven. Hij leunde achterover in zijn stoel en maakte een uitnodigend gebaar met zijn hand.

Grey zag geen alternatief, ging zitten en legde zijn wandelstok over zijn knieën.

Trevelyan streek over zijn lange, rechte kin en keek naar Grey alsof hij een interessante scheepslading Chinees aardewerk was.

'Je begrijpt dat dit mij enigszins verbaast,' zei hij. 'Heb je het hier met Hal over gehad?'

'In de afwezigheid van mijn broer sta ik aan het hoofd van de familie,' zei Grey beslist. 'En ik heb besloten dat, gezien de omstandigheden, uw verloving met mijn nichtje niet kan worden voortgezet.'

'Werkelijk?' Trevelyan keek nog steeds beleefd, maar trok nu toch weifelend een wenkbrauw op. 'Ik vraag me wel af wat je broer daar bij zijn terugkomst van zal zeggen. Wordt hij niet zeer binnenkort thuis verwacht?'

Grey zette de punt van zijn wandelstok op de grond, greep de knop stevig vast en leunde naar voren. *Ik heb geen zwaard nodig,* dacht hij, zijn woede beheersend. *Ik had een knoet mee moeten nemen.*

'Meneer Trevelyan,' zei hij met een ijzige klank in zijn stem, 'ik heb u verteld wat mijn besluit is. Het besluit is definitief. U zult juffrouw Pearsall niet langer het hof maken. Er zal geen huwelijk plaatsvinden. Ben ik duidelijk genoeg?'

'Nee, ik kan niet zeggen dat dat het geval is.' Trevelyan drukte de vingertoppen van zijn beide handen tegen elkaar en plaatste ze precies onder het puntje van zijn neus, zodat hij Grey over zijn handen heen aankeek. Hij droeg een cabochon geslepen zegelring met de ingegraveerde figuur van een alpenkraai en de groene steen glansde toen hij naar achteren leunde. 'Is er iets gebeurd wat je reden geeft voor deze – ik hoop dat je me wilt vergeven als ik het nogal overhaast noem – stap te nemen?'

Grey dacht een ogenblik na. Tenslotte reikte hij in zijn jaszak en haalde er het in oliedoek gewikkelde pakje uit. Hij legde het voor Trevelyan op het bureau en maakte het open, zodat er een smerige rottingslucht vrijkwam die alle geuren van specerijen en stro overstemde.

Trevelyan staarde, nog steeds met een uitdrukkingsloos gezicht, naar het stukje groene fluweel. Zijn neusvleugels trilden en hij haalde diep adem, alsof hij iets inhaleerde.

'Excuseer me een ogenblik, John,' zei hij terwijl hij opstond. 'Ik ga even regelen dat we niet worden gestoord.' Hij verdween naar de overloop en liet de deur achter zich dichtvallen.

Grey's hart ging nog steeds als een bezetene tekeer, maar nu hij eenmaal was begonnen had hij zichzelf wel beter in de hand. Trevelyan had het lapje herkend, daaraan twijfelde hij geen moment.

Aan de ene kant was dit een behoorlijke opluchting. Nu hoefde hij de kwestie van Trevelyans ziekte niet aan te snijden. Het was echter tevens reden voor grote voorzichtigheid. Hij moest de man zoveel mogelijk informatie zien te ontfutselen. Hoe? Hij had geen idee hoe hij dat het beste kon aanpakken en besloot te vertrouwen op de inspiratie van het moment. En als de man koppig bleef ontkennen was het wellicht nuttig de Scanlons ter sprake te brengen.

Het duurde maar een paar minuten, maar het leek wel een eeuwigheid voordat Trevelyan terugkwam, voorzien van een kruik en een paar houten bekers.

'Neem iets te drinken, John,' zei hij, alles op het bureau neerzettend. 'Laten we dit als vrienden uitpraten.'

Eigenlijk wilde Grey weigeren, maar bij nader inzien was het misschien wel nuttig. Als Trevelyan ontspannen was, liet hij misschien wel meer los dan anders – en Nessie was ook erg meegaand geworden van de wijn.

Hij knikte instemmend en nam de beker aan, hoewel hij er pas van dronk toen Trevelyan ook voor zichzelf had ingeschonken. De man uit Cornwall leunde kalm naar achteren en hief zijn beker.

'Waar zullen we op drinken, John?'

De brutaliteit van de man was verbijsterend – en bewonderenswaardig, moest hij eerlijkheidshalve toegeven. Zonder een glimlachje op zijn gezicht hief hij zijn eigen beker.

'Op de waarheid, sir.'

'O? O, maar natuurlijk – op de waarheid!' Nog steeds glimlachend, maar toch ook wel op zijn hoede, dronk Trevelyan de beker leeg.

Het was een donkere sherry, en een goede ook, hoewel hij iets troebel was.

'Net aangekomen uit Jerez,' zei Trevelyan, met een verontschuldigend gebaar op de kruik wijzend. 'De beste die ik voorhanden had, vrees ik.'

'Hij is erg goed. Dank u,' zei Grey kalm. 'Welnu –'

'Zal ik nog eens inschenken?' Zonder op antwoord te wachten, schonk Trevelyan beide bekers vol. Hij zette de kruik neer en richtte toen eindelijk zijn aandacht op het stukje verkleurd fluweel, dat als een kikker op zijn bureau lag. Hij raakte het voorzichtig aan met zijn wijsvinger.

'Ik... eh... moet eerlijk bekennen dat ik hier even niets van begrijp, John. Heeft dit voorwerp een bepaalde betekenis waarvan ik op de hoogte zou moeten zijn?'

Grey kon zich wel voor zijn kop slaan dat hij de man de kamer had laten verlaten. Verdomme, nu had hij tijd gehad om na te denken, en kennelijk had hij besloten dat het veinzen van onwetendheid de beste tactiek was.

'Dat stukje stof komt van de kleding van een lijk,' zei hij. 'Een vermoorde vrouw.'

Nu zag hij toch werkelijk Trevelyans linkeroog een beetje trekken en onmiddellijk gloeide er een gevoel van intense tevredenheid op in Grey's hart. Hij *wist* het!

'God hebbe haar ziel, het arme mens.' Trevelyan vouwde het lapje voorzichtig dubbel, zodat het grootste deel van het bloed niet meer zichtbaar was. 'Wie was ze? Wat is er met haar gebeurd?'

'De rechter heeft besloten die informatie voorlopig niet openbaar te maken,' zei Grey, en werd beloond door het vertrekken van een spiertje in Trevelyans kaak bij het horen van het woord 'rechter'. 'Ik heb echter begrepen dat er bepaalde bewijzen boven water zijn gekomen die op een relatie wijzen tussen deze vrouw en uzelf. Gezien de kwalijke omstandigheden, vrees ik dat ik een eind zal moeten maken aan uw vriendschap met mijn nichtje.'

'Wat voor bewijzen?' Trevelyan had zichzelf weer onder controle en gaf blijk van exact de juiste mate van verontwaardiging. 'Er kan onmogelijk iets zijn wat mij in verband brengt met... wie die vrouw dan ook mag zijn!'

'Het spijt me dat ik u geen mededelingen kan doen over de bijzonderheden,' zei Grey, niet zonder leedvermaak. Hij kon net zo goed onwetendheid veinzen als de ander. 'Maar Sir John Fielding is een goede vriend van de familie. Hij is bijzonder begaan met het geluk en de goede naam van mijn nichtje.' Hij haalde zijn schouders op, om door te laten schemeren dat de rechter hem een tip had gegeven, zonder daarbij in gruwelijke details te treden. 'Het lijkt mij beter de verloving te beëindigen voordat er allerlei schandalen naar buiten komen. Ik weet zeker dat u –'

'Maar dat is –' Trevelyan droeg geen poeder in het pakhuis en zijn gezicht werd helemaal vlekkerig van emotie. 'Dat is te gek voor woorden! Ik heb niets te maken met welke vermoorde vrouw dan ook!'

Dat was waar – maar alleen omdat het geen vrouw was geweest. Op de waarheid, ja, ja!

'Zoals ik al zei, kan ik helaas niet in bijzonderheden treden,' zei Grey. 'Ik heb in verband met de zaak echter wel een naam opgevangen. Kent u wellicht ene meneer Scanlon? Een apotheker?' Hij pakte zijn beker en nam onverschillig een slokje, maar bleef Trevelyan intussen zorgvuldig observeren.

Trevelyan wist zijn gezicht meesterlijk in de plooi te houden, maar zijn bloed ging zijn eigen gang. Hij zat achter zijn bureau met een uitdrukking van verontwaardigde verbijstering – maar zijn gezicht was krijtwit.

'Nee, die ken ik niet,' zei hij beslist.

'Of een etablissement met de naam Lavender House?'

'Ook niet.' De botten in Trevelyans smalle gezicht waren duidelijk zichtbaar en zijn ogen glansden donker. Als Grey alleen met hem was geweest, in een of ander donker steegje, was de man hem waarschijnlijk aangevlogen.

Ze zaten elkaar een ogenblik zwijgend aan te kijken. Trevelyan trommelde met zijn vingers op het bureau, zijn smalle mond stijf dichtgeknepen terwijl hij nadacht. Zijn gezicht begon weer wat kleur te krijgen en hij pakte de kruik op en schonk Grey's beker ongevraagd nog eens vol.

'Kijk eens hier, John,' zei hij, zich wat naar voren buigend. 'Ik weet niet wie jij hebt gesproken, en welke geruchten je hebt gehoord, maar ik kan je verzekeren dat er geen woord van waar is.'

'Ja, natuurlijk zegt u dat,' merkte Grey op.

'Dat zou elke onschuldige man zeggen,' antwoordde Trevelyan op effen toon.

'En elke schuldige.'

'Beschuldig je mij ervan dat ik iemand heb vermoord, John? Want ik zweer je – op de Bijbel, op het leven van je nichtje, op het hoofd van je moeder, op alles wat je wilt – dat ik dat niet heb gedaan.' Trevelyans ogen spuwden vuur en er klonk oprechte woede in zijn stem. Even voelde Grey een lichte twijfel – of de man was een fantastische acteur, of hij vertelde de waarheid. Of een deel daarvan.

'Ik beschuldig u niet van moord,' zei hij, zoekend naar een andere manier om Trevelyans verdediging te doorbreken. 'Ik vind het echter bijzonder verontrustend dat uw naam in deze kwestie wordt genoemd.'

Trevelyan mompelde iets onverstaanbaars en leunde naar achteren. 'Elke idioot kan de naam van iemand anders gaan rondbazuinen – en er zijn er genoeg die dat doen. Ik had niet verwacht dat je zo goedgelovig zou zijn, John.'

Grey nam nog een slokje sherry, en moest zich inhouden om niet op de belediging in te gaan. 'Als u werkelijk onschuldig zou zijn, sir, had ik verwacht dat u onmiddellijk zou opspringen om de zaak tot op de bodem te gaan uitzoeken.'

Trevelyan liet een kort lachje horen. 'O, dat zou ik wel willen, dat kan ik je verzekeren. Sterker nog, ik zou op dit moment al om mijn rijtuig roepen, om persoonlijk naar Sir John te gaan en hem te vragen wat er aan de hand was, ware het niet dat hij momenteel in Bath verblijft, waar hij overigens al een week is.'

Grey beet op de binnenkant van zijn wang en proefde bloed. Wat een stommeling was hij! Hoe had hij het kunnen vergeten – Joseph Trevelyan kende natuurlijk iedereen!

Hij had de beker sherry nog in zijn hand. Hij dronk hem in één teug leeg, voelde de alcohol in het wondje in zijn wang prikken en zette de beker met een klap op tafel.

'Goed dan,' zei hij, een beetje schor. 'U laat mij geen andere keus. Ik had uw gevoelens willen sparen –'

'Sparen? *Sparen?* Hoe, hoe –'

'– maar ik zie nu wel in dat dat onmogelijk is. Ik verbied u met Olivia te trouwen –'

'Denk je dat jij mij dat kunt verbieden? Jij? Terwijl je broer –'

'– omdat u aan syfilis lijdt.'

Trevelyan zweeg zo abrupt dat het leek alsof hij in een zoutpilaar was veranderd. Hij zat Grey volkomen roerloos aan te staren met zo'n doordringende blik dat Grey het gevoel had dat hij dwars door hem heen trachtte te kijken, met de bedoeling door pure wilskracht de waarheid uit Grey's hart en brein te trekken.

De zilveren knop van de wandelstok was glad van het zweet en hij zag dat Trevelyan het bronzen beeldje zo stijf omklemde dat zijn knokkels spierwit waren. Hij pakte de stok wat beter vast. Eén beweging van Trevelyan om hem de hersens in te slaan en hij zou de man te grazen nemen.

Alsof de kleine beweging de een of andere boosaardige bezwering had verbroken, knipperde Trevelyan opeens met zijn ogen en liet de kleine bronzen godin los. Hij bleef Grey aankijken, maar nu met een bezorgde blik in zijn ogen.

'Mijn beste John,' zei hij zacht. 'Beste kerel.' Hij leunde naar achteren en streek met een hand over zijn voorhoofd, alsof het hem allemaal even te veel werd.

Hij zei echter niets meer en liet zijn woorden nagalmen in Grey's oren.

'Hebt u verder niets meer te zeggen, meneer Trevelyan?' vroeg Grey tenslotte.

'Zeggen?' Trevelyan liet zijn hand zakken en keek hem met open mond aan. Hij deed zijn mond weer dicht, schudde zijn hoofd, schonk opnieuw sherry in en schoof Grey's beker naar hem toe.

'Wat ik nog te zeggen heb?' herhaalde hij, in zijn eigen beker turend. 'Ik zou het natuurlijk kunnen ontkennen – en dat doe ik ook. In jouw huidige gemoedstoestand vrees ik echter dat geen enkele verklaring zou volstaan. Heb ik gelijk?' Hij keek vragend op.

Grey knikte.

'Dat dacht ik al,' zei Trevelyan, bijna vriendelijk. 'Ik weet niet waar je deze opmerkelijke ideeën vandaan hebt, John. Maar als je ze werkelijk gelooft, begrijp ik wel dat je geen andere keus hebt dan dit te doen.'

'Dus dat begrijpt u?'

'Ja.' Trevelyan aarzelde en koos heel zorgvuldig zijn woorden. 'Ben je... ben je nog bij iemand te rade gegaan, voordat je hier naar toe kwam?'

Wat bedoelde hij daar nu weer mee? 'Als u wilt weten of iemand weet waar ik ben,' zei Grey koeltjes, 'dan luidt het antwoord ja.' Dit was niet waar. Niemand wist dat hij naar het pakhuis was gegaan. Aan de andere kant was hij beneden door minsten tien klerken en vele arbeiders gezien. Iemand zou wel gek moeten zijn om te proberen hem hier om zeep te helpen – en hij had niet het idee dat Trevelyan gek was. Gevaarlijk, maar niet gek.

Trevelyans ogen werden groot. 'Wat? Dacht je dat ik bedoelde – lieve hemel.' Hij wendde zijn blik af en wreef met de rug van zijn hand over zijn lippen. Hij schraapte tot twee keer toe zijn keel en keek toen op. 'Ik wilde alleen maar weten of je die ongelooflijke... waanideeën van je met iemand had besproken. Volgens mij heb je dat niet gedaan. Als dat wel zo was, had iemand vast wel geprobeerd je op andere gedachten te brengen.'

Trevelyan schudde zijn hoofd, een uitdrukking van bezorgde ontzetting op zijn gezicht. 'Heb je een rijtuig? Nee, natuurlijk niet. Geeft niet, ik laat het mijne wel voorrijden. De koetsier zal je veilig naar het huis van je moeder brengen. Ik zou je graag dokter Masonby, in Smedley Street, willen aanbevelen. Hij heeft een bijzonder goede reputatie op het gebied van zenuwaandoeningen.'

Grey was zo verbaasd dat hij niet eens kwaad werd. 'Wilt u soms suggereren dat ik krankzinnig ben?'

'Nee, nee! Natuurlijk niet, beslist niet!'

Intussen bleef Trevelyan hem echter op diezelfde bezorgde, medelijdende manier aankijken, en hij voelde zijn verbijstering wegebben. Misschien had hij nu woedend moeten worden, maar in plaats daarvan had hij alleen maar de neiging om ongelovig te lachen.

'Ik ben blij het te horen,' zei Grey droogjes, en stond op. 'Ik zal uw advies zeker onthouden. Maar in de tussentijd – is uw verloving ten einde.'

Hij was bijna bij de deur toen Trevelyan hem nariep: 'Lord John! Een ogenblikje nog!'

Hij bleef staan en keek over zijn schouder, zonder zich echter om te draaien. 'Ja?'

De man uit Cornwall beet op zijn onderlip en zat naar Grey te kijken met de blik van iemand die een wild dier probeert in te schatten. Zou het aanvallen, of vluchten? Hij wenkte en gebaarde naar de stoel waarvan Grey zojuist was opgestaan.

'Kom nog even terug. Alsjeblieft.'

Hij bleef een ogenblik besluiteloos staan. Beneden hoorde hij het geroezemoes van mensen die aan het werk waren en hij wilde niets liever dan aan deze kamer en deze man ontsnappen en opgaan in het komen en gaan, als een vreedzaam onderdeel van het uurwerk, in plaats van een zandkorrel tussen de tandradertjes. Maar hij kon zich niet aan zijn plicht onttrekken en liep terug, de wandelstok stevig in zijn hand geklemd.

'Neem toch plaats. Alsjeblieft.' Trevelyan wachtte tot hij zat en ging toen zelf ook langzaam zitten.

'John. Je zegt dat je je zorgen maakt om de reputatie van je nichtje. Datzelfde geldt voor mij.' Hij leunde naar voren en keek hem strak aan. 'Zo'n plotselinge breuk moet bijna wel aanleiding geven tot een schandaal. Dat begrijp je toch wel?'

Grey begreep het, maar hij knikte niet en bleef Trevelyan onbewogen aankijken. Trevelyan negeerde het feit dat hij niet reageerde en ging haastig verder.

'Welnu. Als je zozeer overtuigd bent van de wijsheid van je besluit, kan ik je kennelijk niet op andere gedachten brengen. Ben je echter bereid mij de tijd te geven een plausibele reden te verzinnen voor het ontbinden van de verloving? Iets dat geen van beide partijen in diskrediet zal brengen?'

Grey haalde diep adem en voelde het begin van iets wat op opluchting leek. Dit was de oplossing waarop hij al had gehoopt vanaf het moment dat hij de zweer op Trevelyans pik had ontdekt. Hij realiseerde zich dat de situatie inmiddels veel meer facetten had dan hij ooit had kunnen denken, en de meeste daarvan zouden hiermee niet worden opgelost. Maar Olivia zou in elk geval veilig zijn.

Trevelyan voelde hem verslappen en maakte daar onmiddellijk gebruik van. 'Je weet dat het aankondigen van een breuk aanleiding zal geven tot geroddel,' zei hij op overtuigende toon. 'Dus moeten we met een goede reden, iets plausibels, komen om dat te voorkomen.'

De man had hier ongetwijfeld een achterliggende bedoeling mee. Was hij van plan het land te verlaten? Maar toen voelde Grey de trillingen onder zijn voeten weer, het gedender van rollende wijnvaten en het neerploffen van kratten, de gedempte kreten van mannen in het pakhuis onder hem. Zou een man die zo rijk was bereid zijn al zijn belangen op te geven, alleen maar om een beschuldiging uit de weg te gaan?

Waarschijnlijk niet. Waarschijnlijk was hij van plan het uitstel te gebruiken om al zijn sporen uit te wissen, of zich te ontdoen van gevaarlijke complicaties zoals de Scanlons. Als hij dat al niet had gedaan, dacht Grey opeens.

Maar hij kon geen reden verzinnen om het verzoek te weigeren. En hij kon Magruder en Quarry meteen waarschuwen – de man laten volgen.

'Goed dan. U krijgt drie dagen.'

Trevelyan maakte aanstalten om te protesteren, maar knikte toen gelaten. 'Zoals je wilt. Bedankt.' Hij pakte de kruik en schonk nog wat sherry in. 'Zo, laten we drinken op onze afspraak.'

Grey voelde er weinig voor nog langer in het gezelschap van de man te verkeren, en nam slechts een symbolisch slokje alvorens de beker weg te schuiven en op te staan. Bij de deur keek hij nog even om en zag dat Trevelyan hem na zat te kijken met ogen die in staat leken een gat in de deur naar de hel te branden.

15 Een vergiftigd mens telt voor twee

Als kapitein von Namtzen verbaasd was Grey en zijn lijfknecht te zien, dan liet hij dat niet merken.

'Majoor Grey! Wat een genoegen u weer te zien! Mag ik u een glas wijn aanbieden – iets te eten?' De lange Zwaab greep hem stralend bij hand en onderarm en had Tom al naar de keuken gestuurd en Grey zelf met een hapje en een drankje in een stoel in de salon geïnstalleerd voordat hij nee kon zeggen, laat staan het doel van zijn bezoek uit de doeken kon doen. Zodra hij er echter in slaagde dat te doen, was de kapitein één en al hulpvaardigheid.

'Maar natuurlijk, natuurlijk! Laat me die lijst maar eens zien.'

Hij pakte het velletje papier van Grey aan en liep ermee naar het raam. Het was al laat, maar het was bijna midzomerdag en het late middaglicht viel nog naar binnen en bezorgde Von Namtzen een stralenkrans om zijn hoofd, als een heilige op een middeleeuws schilderij.

Hij leek nog echt op een van die Duitse heiligen ook, dacht Grey een beetje afwezig, de strakke ascetische lijnen van het gezicht van de Zwaab bewonderend, met zijn brede voorhoofd en grote, kalme ogen. De mond was niet bijzonder sensitief, maar de lijntjes ernaast toonden wel aan dat hij humor bezat.

'Deze namen ken ik wel, ja. En nu wilt u dat ik u vertel... ja, wat eigenlijk?'

'Zoveel mogelijk.' Grey was doodmoe, maar stond op en ging naast de kapitein staan om op het lijstje te kijken. 'Het enige wat ik van deze mensen weet is dat zij een bepaalde wijn hebben gekocht. Ik weet niet precies wat het verband zou kunnen zijn, maar die wijn schijnt iets te maken te hebben met... een vertrouwelijke kwestie. Meer kan ik u helaas niet vertellen.' Hij haalde verontschuldigend zijn schouders op.

Von Namtzen wierp hem een scherpe blik toe, maar knikte toen en richtte zijn aandacht weer op het lijstje dat hij voor zich had.

'Wijn, zegt u? Dat is vreemd.'

'Wat is vreemd?'

De kapitein tikte met een lange, onberispelijk gemanicuurde vinger op het papier. 'Deze naam – Hungerbach. Dat is de familienaam van een oud adellijk geslacht: Zu Egkh und Hungerbach. Geen Duitsers, maar Oostenrijkers.'

'Oostenrijkers?' Grey voelde zijn hart een sprongetje maken en boog zich over het papier heen, alsof hij zeker wilde weten dat de naam er echt stond. 'Weet u dat zeker?'

Von Namtzen keek geamuseerd. 'Maar natuurlijk. Het landgoed bij Graz staat bekend om zijn wijnen. Daarom vind ik het vreemd dat u mij dit lijstje laat zien en erbij vertelt dat het om wijn gaat. De beste van de St. Georgen wijnen – zo heet het kasteel daar, St. Georgen – zijn beroemd. Ze maken een bijzonder goede rode wijn, met de kleur van vers bloed.'

Grey voelde een eigenaardig geruis in zijn oren, alsof zijn eigen bloed wegtrok uit zijn hoofd, en legde een hand op de tafel om zijn evenwicht te bewaren.

'Niets zeggen,' zei hij, met een gevoel alsof zijn lippen langzaam gevoelloos werden. 'Die wijn heet Schilcher?'

'Maar... ja. Hoe wist u dat?'

Grey wuifde het weg als onbelangrijk. Opeens merkte hij dat er veel muggen door de kamer vlogen. Ze zwermden in het licht van het raam, als zwarte stofdeeltjes.

'Die... familie Hungerbach, woont iemand daarvan misschien in Londen?'

'Ja. Baron Joseph zu Egkh und Hungerbach staat aan het hoofd van de familie, maar zijn erfgenaam is een verre neef, Reinhardt Mayrhofer genaamd. Hij heeft een groot huis op Mecklenberg Square. Ik ben er wel eens geweest – hoewel, met de situatie zoals hij nu is...' Hij trok zijn schouders op bij de gedachte aan de gevoelige diplomatieke kwesties die er speelden.

'En die... Reinhardt, is dat – is dat een kleine man? Donker, met lang... krullend... h-haar?' Opeens waren er veel meer muggen, en bovendien gaven ze licht – een bijna massieve massa flikkerende lichtjes voor zijn ogen.

'Hoe weet u – majoor! Voelt u zich wel goed?' Terwijl hij het lijstje liet vallen, greep hij Grey bij de arm en leidde hem haastig naar de bank. 'Gaat u toch zitten. Ik zal water voor u laten komen, en cognac. Wilhelm, *mach schnell!*' De bediende die in de deuropening verscheen, verdween meteen weer bij het zien van Von Namtzens dringende gebaren.

'Ik – ik mankeer niets,' protesteerde Grey. 'Heus, het is echt... niet... n-nodig...' Maar de Zwaab zette een grote, brede hand tegen

Grey's borst en duwde hem plat op de bank. Toen bukte hij zich, pakte Grey's laarzen en hees zijn benen er ook bij terwijl hij intussen in het Duits om allerlei onverstaanbare dingen riep.

'Ik... werkelijk, sir, u moet...' Maar tegelijkertijd zag hij een grijze mist voor zijn ogen trekken, en maakte een draaierig gevoel in zijn hoofd het hem bijna onmogelijk om gewoon na te denken. Hij proefde bloed in zijn mond, wat vreemd... Het vermengde zich met de geur van varkensbloed, en hij voelde zijn maaginhoud omhoog komen.

'Mylord, mylord!' Tom Byrds stem, schril van paniek, galmde door de mist. 'Wat hebben jullie met hem uitgespookt, ellendige moffen?'

Hij werd omringd door een aantal zwaardere stemmen, die woorden zeiden die hem al ontglipten voordat de betekenis ervan tot hem door was gedrongen. Opeens werd hij gegrepen door een kramp, die zijn ingewanden zo krachtig liet omdraaien dat hij zijn knieën tegen zijn borst trok in een poging alles binnen te kunnen houden.

'O, jee,' zei Von Namtzens stem, heel dichtbij, op licht ontstemde toon. 'Nou ja, zo'n mooie bank was het eigenlijk niet. Jij, jongen – twee deuren verder woont een dokter, ga die eens heel snel halen, ja?'

Hierna kregen de gebeurtenissen iets nachtmerrie-achtigs, met heel veel lawaai. Monsterachtige gezichten staarden hem aan door een paarlemoeren nevel, met woorden als 'braken' en 'eiwitten' die als opspringende vissen langs zijn oren schoten. Hij had een afschuwelijk brandend gevoel in zijn mond en keel, dat met enige regelmaat werd verdrongen door hevige krampaanvallen in zijn maag, zo intens dat hij zo nu en dan enkele ogenblikken het bewustzijn verloor, om even later weer bij te komen door een stroom van groengele gal, die met zoveel kracht naar boven kwam dat zijn keel alleen niet voldoende uitweg bood, zodat het in een verschroeiende straal uit zijn neusgaten spoot.

Deze aanvallen werden gevolgd door overdadige stromen speeksel, die hij aanvankelijk verwelkomde omdat ze de zwavelzuurachtige oprispingen verdunden, maar die vervolgens angstaanjagend werden omdat hij erin dreigde te verdrinken. Op een gegeven moment zag hij zichzelf voor zich, languit liggend op de bank, met zijn hoofd over de rand, kwijlend als een hondsdolle hond, voordat iemand hem omhoog trok en voor de zoveelste keer probeerde iets in zijn keel te gieten. Het was koel en kleverig en bij de aanraking ervan op zijn gehemelte kwamen zijn ingewanden opnieuw in opstand. Uiteindelijk verspreidde de zware geur van papaver zich als een koel verband om de rauwe slijmvliezen van zijn neus. Hij sabbelde zwakjes aan de lepel in zijn mond en liet zich opgelucht wegzakken in een met vuurflitsen doorkliefde duisternis.

Een onvoorstelbare tijd later ontwaakte hij uit de desoriëntatie van de opiumvisioenen. Een van de monsterlijke gezichten uit zijn dromen was er nog steeds en boog zich over hem heen – een bleek gelaat met uitpuilende gele ogen en lippen met de kleur van rauwe lever. Een klamme hand greep hem bij zijn edele delen.

'Lijdt u aan een chronische venerische aandoening, mylord?' informeerde het gezicht. Een duim voelde vrijpostig aan zijn scrotum.

'Zeker niet,' zei Grey terwijl hij overeind schoot en de onderkant van zijn hemd beschermend tussen zijn benen propte. Het bloed stroomde weg uit zijn hoofd en hij zwaaide schrikbarend heen en weer. Hij greep zich vast aan de rand van een klein tafeltje naast de bank en zag toen dat bij het angstaanjagende gezicht niet alleen klamme handen hoorden, maar ook een grote pruik en een verschrompeld lichaam dat geheel in het zwart was gekleed en naar medicijnen rook.

'Ik ben vergiftigd. Wat voor achterlijke kwakzalver bent u in godsnaam, dat u het verschil niet weet tussen een stoornis in de inwendige organen en syfilis?' vroeg hij.

'Vergiftigd?' De arts keek hem lichtelijk verdwaasd aan. 'Wilt u zeggen dat u niet met opzet zo'n grote hoeveelheid van de substantie heeft ingenomen?'

'Wat voor substantie?'

'Kwiksulfide natuurlijk. Dat wordt gebruikt ter behandeling van syfilis. De resultaten van de maaglavage – Wat gaat u doen, sir? U mag zich niet inspannen, sir, echt, dat moet u niet doen!'

Grey had zijn benen van het bed gezwaaid en probeerde nu op te staan, maar werd onmiddellijk overspoeld door een nieuwe golf van duizeligheid. De dokter greep hem bij zijn arm, niet alleen om te voorkomen dat hij om zou vallen, maar ook om ervoor te zorgen dat hij er niet vandoor ging.

'Rustig aan, sir, gaat u maar liggen... ja, ja, zo is het beter. U bent op het nippertje aan de dood ontsnapt, sir. U mag uw gezondheid nu niet opnieuw in gevaar brengen door overhaaste –'

'Von Namtzen!' Grey verzette zich tegen de handen die probeerden hem terug te duwen in het bed, en riep om hulp. Zijn keel voelde aan alsof er een grote houtrasp doorheen was geduwd. 'Von Namtzen, in godsnaam, waar ben je?'

'Hier ben ik, majoor.' Vanaf de andere kant van het bed werd een grote hand stevig op zijn schouder gelegd, en toen hij zich omdraaide zag hij het knappe gezicht van de Zwaab fronsend op hem neerkijken. 'U zegt dat u vergiftigd bent? Maar wie zou zoiets nu doen?'

'Ene Trevelyan. Ik moet weg. Wilt u mijn kleren voor me pakken?'

'Maar, mylord –'

'Maar, majoor, u bent –'

Grey klemde zijn hand om Von Namtzens pols. Zijn hand beefde, maar toch wist hij de kracht ergens vandaan te halen.

'Ik moet gaan, en wel nu meteen,' zei hij op hese toon. 'Het is een kwestie van plicht.'

De uitdrukking op het gezicht van de Zwaab veranderde meteen en hij knikte en stond op. 'Goed dan. Maar dan ga ik wel met u mee.'

Het praten had veel van Grey's krachten gevergd, maar gelukkig nam Von Namtzen de leiding. Hij stuurde de dokter naar huis, liet zijn eigen rijtuig voorrijden en liet Tom Byrd komen, die meteen Grey's uniform ging halen – dat gelukkig was gewassen – en hem erin hielp.

'Ik ben heel erg blij dat u nog leeft. Mylord, maar ik moet wel zeggen dat u niet erg zuinig bent op uw kleren,' zei Byrd verwijtend. 'En dit is nog wel uw beste uniform! Of was,' voegde hij eraan toe, met een kritische blik naar een vage vlek op het voorpand van het vest kijkend, alvorens het omhoog te houden zodat Grey zijn armen erin kon steken.

Grey had zo weinig energie dat hij geen woord zei voordat ze in Von Namtzens rijtuig wegreden. De Zwaab had zich in groot tenue gehuld en had de gepluimde helm naast zich op de bank gelegd. Verder had hij een grote porseleinen schaal met eieren bij zich, die hij voorzichtig op zijn knieën zette.

'Wat...?' Grey knikte naar de eieren, maar voelde zich te zwak om zijn vraag te verduidelijken.

'De dokter zegt dat u veel eiwitten moet hebben, heel vaak en in grote hoeveelheden,' legde de Zwaab rustig uit. 'Het is het tegengif voor kwiksulfide. En u mag twee dagen lang geen water of wijn drinken, alleen melk. Hier.' Met bewonderenswaardige behendigheid, gezien het hobbelen van het rijtuig, pakte hij een ei uit de schaal, sloeg het stuk tegen de rand en goot het eiwit in een kleine tinnen beker. Hij gaf de beker aan Grey, dronk zuinig het overgebleven eigeel op, en gooide de stukken eierschaal uit het raampje.

Het tin voelde koel aan in zijn hand, maar Grey keek met een opmerkelijk gebrek aan enthousiasme naar het eiwit. Tegenover hem zat Tom Byrd hem verwijtend aan te kijken.

'Opdrinken,' zei Tom, op dreigende toon. 'Mylord.'

Grey keek boos terug, maar gehoorzaamde toch. Het voelde enigszins onaangenaam, maar hij was blij te ontdekken dat de misselijkheid hem kennelijk voorgoed had verlaten.

'Hoe lang...?' vroeg hij, uit het raampje kijkend. Het was donderdagmiddag laat gebeurd. Nu was het halverwege de ochtend – maar van welke ochtend?

'Het is vandaag vrijdag,' zei Von Namtzen.

Grey ontspande zich enigszins toen hij dit hoorde. Hij had alle gevoel van tijd verloren, en het was een hele opluchting erachter te komen dat zijn ervaring niet werkelijk de eeuwigheid had geduurd die het voor zijn gevoel was geweest. Misschien had Trevelyan de tijd gehad om te vluchten, maar in elk geval niet om te ontsnappen.

Von Namtzen kuchte fijntjes. 'Het is misschien niet erg gepast om dit te vragen – en in dat geval moet u het me maar vergeven – maar als we straks Herr Trevelyan gaan ontmoeten, lijkt het me wel handig om te weten waarom hij u heeft willen vermoorden.'

'Ik weet niet of het zijn bedoeling was me te vermoorden,' zei Grey, ditmaal met niet meer dan een vies gezicht een nieuwe beker eiwit aanpakkend. 'Het kan zijn dat hij me alleen tijdelijk heeft willen uitschakelen, zodat hij de tijd zou hebben om te ontsnappen.'

Von Namtzen knikte, hoewel er een lichte frons tussen zijn zware wenkbrauwen verscheen. 'Laten we dat dan maar hopen. Als dat zo is, kan hij wel bedroevend slecht hoeveelheden schatten. Maar als u denkt dat hij wilde ontsnappen, zal hij dan nog wel thuis zijn?'

'Misschien niet.' Grey deed zijn ogen dicht en probeerde na te denken. Dat viel niet mee; de misselijkheid was verdwenen, maar de duizeligheid bleef zo nu en dan terugkeren. Hij had het gevoel dat zijn hoofd een ei was, helemaal door elkaar geklutst nadat het van grote hoogte op de grond was gevallen. *'Humpty Dumpty zat op een hek,'* mompelde hij, *'Humpty Dumpty brak zijn nek...'*

'O?' zei Von Namtzen beleefd. 'Natuurlijk, majoor.'

Als Trevelyan wél de bedoeling had gehad hem te vermoorden, dan was de kans aanwezig dat hij nog thuis was, want als Grey dood was, had Trevelyan alle tijd om zijn oorspronkelijke plannen uit te voeren – wat dat ook voor plannen mochten zijn. Zo niet, of als hij niet zeker had geweten dat de kwiksulfide een dodelijke uitwerking zou hebben, dan was hij waarschijnlijk meteen op de vlucht geslagen. En in dat geval –

Grey opende zijn ogen en schoot overeind. 'Geef de koetsier opdracht om naar Mecklenberg Square te rijden,' zei hij op dringende toon. 'Alstublieft.'

Von Namtzen zei niets over de verandering van plan, maar stak zijn hoofd uit het raampje en schreeuwde in het Duits iets naar de koetsier. Het zware rijtuig minderde schommelend vaart en maakte rechtsomkeert.

Zes eieren later kwam het tot stilstand voor de woning van Reinhardt Mayrhofer.

Von Namtzen sprong soepel uit het rijtuig, zette zijn helm op en beende als een stoutmoedige Achilles met wuivende pluimen naar de voordeur van het huis. Grey zette zijn eigen hoed, gewoontjes en onbeduidend in vergelijking met de helm, op en volgde hem. Hij hield zich goed vast aan Tom Byrds arm, bang dat zijn knieën het zouden begeven.

Tegen de tijd dat Grey bij de deur was, was deze al geopend en stond Von Namtzen op de Duitse butler in te praten met een stortvloed van Duitse dreigementen. Grey's eigen Duits beperkte zich tot enkele beleefdheidsfrasen, maar hij kon Von Namtzen voldoende volgen om te begrijpen dat hij de butler opdroeg Reinhardt Mayrhofer te gaan halen, en snel een beetje, zo niet eerder.

De butler, een gezette persoon van middelbare leeftijd met een koppige trek op zijn gezicht, wist dit inleidende spervuur te weerstaan door stug vol te houden dat zijn meester niet thuis was, maar kennelijk had de man geen idee van de werkelijke aard van de krachten die tegen hem werden ingezet.

'Mijn naam is Stephen, Landgrave von Erdberg,' kondigde Von Namtzen hooghartig aan terwijl hij zich oprichtte tot zijn volle lengte – ruwweg zo'n twee meter tien, schatte Grey, inclusief veren. 'Ik kom nu naar binnen.'

Hij ging hier prompt toe over, en boog zijn hoofd niet verder dan absoluut noodzakelijk was om te voorkomen dat zijn helm van zijn hoofd viel. De butler deinsde naar achteren, protesten sputterend en met zijn handen zwaaiend. Grey knikte de man in het voorbijgaan koeltjes toe, en slaagde erin de waardigheid van het Koninklijke leger hoog te houden door zonder steun de hele gang door te lopen. Toen hij de zitkamer bereikte, liep hij naar de eerste de beste stoel die hij zag en slaagde erin te gaan zitten voordat hij door zijn knieën zakte.

Von Namtzen vuurde mortiergranaten af op de stelling van de butler, die nu in hoog tempo leek af te brokkelen, maar nog steeds verdedigd werd. Nee, zei de butler, nu openlijk handenwringend, nee, de heer des huizes was beslist niet thuis, en nee, de vrouw des huizes ook niet, helaas...

Tom Byrd was achter Grey aan gelopen en stond nu vol ontzag

om zich heen te kijken naar de met malachiet ingelegde tafeltjes met gouden pootjes, de wit-damasten gordijnen en de gigantische schilderijen in vergulde lijsten die elk stukje muur bedekten.

Grey transpireerde hevig van de inspanning van het lopen, en de duizeligheid liet zijn hoofd weer tollen. Met ijzeren wilskracht wist hij zich echter te vermannen, en bleef overeind.

'Tom,' zei hij, zachtjes, om niet de aandacht te trekken van de zwaar onder vuur liggende butler. 'Ga het huis doorzoeken en kom me dan vertellen wat – of wie – je hebt aangetroffen.'

Byrd schonk hem een argwanende blik. Kennelijk verdacht hij Grey ervan hem uit de weg te willen hebben zodat hij stiekem dood kon gaan – maar Grey bleef kaarsrecht zitten, en de jongen knikte en glipte weg, zonder dat de tierende butler hem in de gaten had.

Grey slaakte een diepe zucht, sloot zijn ogen en hield heel stevig zijn knieën vast tot het draaierige gevoel minder werd. Het leek nu korter te duren; na slechts enkele ogenblikken kon hij zijn ogen weer opendoen.

Intussen leek Von Namtzen de butler te hebben verslagen, en eiste nu op gebiedende toon dat deze alle bewoners van het huis onmiddellijk bijeen zou roepen. Hij keek over zijn schouder naar Grey, en onderbrak zijn tirade heel even.

'O ja, en breng me het eiwit van drie eieren, alsjeblieft, in een kopje.'

'*Bitte?*' zei de butler zwakjes.

'Eieren. Ben je soms doof?' beet Von Namtzen hem toe. 'Alleen de eiwitten. *Schnell!*'

Gekwetst door deze openlijke bezorgdheid voor zijn verzwakte gezondheid, dwong Grey zichzelf op te staan en naast de Zwaab te gaan staan, die – na de butler een verpletterende nederlaag te hebben toegebracht – zijn helm had afgezet en heel tevreden met zichzelf leek.

'Voelt u zich al wat beter, majoor?' vroeg hij, met een linnen zakdoek voorzichtig de zweetdruppels van zijn voorhoofd bettend.

'Veel beter, dank u. Ik neem aan dat zowel Reinhardt Mayrhofer als zijn echtgenote niet thuis zijn?' Reinhardt, dacht hij bij zichzelf, was zeker niet thuis. Maar zijn vrouw –

'Dat beweert de butler. Als hij wel thuis is, is hij een lafaard,' zei Von Namtzen tevreden terwijl hij zijn zakdoek wegstak. 'Maar ik zal hem als een knolraap uit zijn schuilplaats spitten, en dan – wat gaat u eigenlijk met hem doen?' wilde hij weten.

'Waarschijnlijk niets,' zei Grey. 'Ik denk dat hij dood is. Is dat toevallig de gentleman in kwestie?' Hij knikte naar een klein, ingelijst portretje op een tafeltje bij het raam. De lijst was ingelegd met parels.

'Ja, dat zijn Mayrhofer en zijn vrouw, Maria. Ze zijn neef en nicht,' voegde hij er onnodig aan toe, gezien de treffende gelijkenis van de twee gezichten op het portret.

Hoewel zij beiden fijnbesneden trekken hadden, met lange nekken en ronde kinnen, bezat Reinhardt een indrukwekkende neus en een arrogante, aristocratische blik. Maria was echter een bijzonder mooie vrouw, dacht Grey. Op het portret droeg zij natuurlijk een pruik, maar ze had dezelfde warme teint en bruine ogen als haar man, en had dus waarschijnlijk ook donker haar.

'Is Reinhardt dood?' vroeg Von Namtzen belangstellend terwijl hij naar het portret keek. 'Hoe is hij gestorven?'

'Doodgeschoten,' antwoordde Grey kortaf. 'Mogelijk door dezelfde man die mij heeft vergiftigd.'

'Een bedrijvig heerschap.' Op dat moment werd Von Namtzens aandacht afgeleid door de entree van een dienstmeisje, bleek van de zenuwen en met een klein schaaltje tegen zich aangeklemd waarin de eiwitten zaten. Zij keek van de ene man naar de ander en bood het schaaltje toen verlegen aan Von Namtzen aan.

'*Danke,*' zei hij. Hij gaf de schaal aan Grey en begon het meisje vervolgens aan een kruisverhoor te onderwerpen, zo dicht naar haar toebuigend dat zij zich met haar rug tegen de dichtstbijzijnde muur drukte, zo bang dat ze geen woord kon uitbrengen en tot niets anders meer in staat was dan ja knikken en nee schudden.

Grey, die de nuances van deze eenzijdige conversatie toch niet kon volgen, wendde zich af en keek vol afkeer naar de inhoud van het schaaltje. Het geluid van voetstappen in de gang en geagiteerde stemmen wezen erop dat de butler inderdaad bezig was alle bewoners van het huis bijeen te brengen, zoals hem was opgedragen. Hij zette het schaaltje achter een albasten vaas op het bureau, liep de gang op en zag daar een kleine menigte personeel staan wachten, druk pratend in opgewonden Duits.

Toen ze hem zagen, zwegen ze abrupt en staarden hem aan met een mengeling van nieuwsgierigheid, argwaan en wat nog het meest leek op simpele angst op hun gezichten. Waarom? vroeg hij zich af. Kwam het door het uniform?

'*Guten Tag,*' zei hij, vriendelijk glimlachend. 'Zijn er ook Engelsen onder jullie?'

Er werd schichtig heen en weer gekeken, maar de meeste blikken vestigden zich toch wel op een paar jonge kamermeisjes. Hij glimlachte hen geruststellend toe en wenkte hen. Ze keken hem met grote ogen aan, als twee jonge hinden die oog in oog staan met een jager, maar één blik op Von Namtzen, die net op dat moment achter hem de zitkamer uit kwam, deed hen besluiten dat Lord John de minste van twee kwaden was en dus liepen zij gedwee achter hem aan naar de zitkamer. Von Namtzen bleef achter bij de menigte in de gang.

Hun namen, zeiden de meisjes, met veel gestamel en gebloos, waren Annie en Tab. Ze kwamen allebei uit Cheapside, waren boezemvriendinnen en werkten al ruim drie maanden voor Herr Mayrhofer.

'Ik heb begrepen dat Herr Mayrhofer vandaag niet thuis is,' zei Grey, nog steeds glimlachend. 'Wanneer is hij weggegaan?'

De meisje wierpen elkaar verwarde blikken toe.

'Gisteren?' opperde Grey. 'Vanmorgen?'

'O, nee, sir,' zei Annie. Zij leek de dapperste van de twee, hoewel zij zichzelf er niet toe kon zetten hem langer dan een fractie van een seconde aan te kijken. 'Mijnheer is al sinds dinsdag w-weg.'

En Magruders mannen hadden het lijk woensdagmorgen gevonden.

'Ah, juist ja. Weten jullie ook waar hij naar toe ging?'

Natuurlijk wisten ze dat niet. Wat ze echter – na veel heen en weer geschuifel en elkaar tegenspreken – wel wisten, was dat Herr Mayrhofer wel vaker korte reisjes maakte en dat hij zo'n twee, drie keer per maand een paar dagen van huis was.

'Ik begrijp het,' zei Grey. 'En wat doet Herr Mayrhofer voor de kost, als ik vragen mag?'

Verbijsterde blikken, gevolgd door schouderophalen. Herr Mayrhofer had geld, dat was wel duidelijk. Waar het vandaan kwam was hun zaak niet. Grey proefde opeens weer een metaalachtige smaak op zijn tong en slikte in een poging het terug te dringen.

'Heel goed. Toen hij ditmaal het huis verliet, is hij toen 's ochtends vertrokken? Of later op de dag?'

De meisjes fronsten en overlegden fluisterend met elkaar, alvorens tot de conclusie te komen dat, nu ja, dat zij Herr Reinhardt eigenlijk geen van beiden het huis hadden zien verlaten, en nee, dat ze het rijtuig ook niet hadden gehoord, maar –

'Hij moet wel zijn weggegaan, Annie,' zei Tab, die zo in de kwestie opging dat zij haar verlegenheid bijna vergat. 'Want hij was die middag niet in zijn slaapkamer. Herr Reinhardt doet 's middags graag een dutje,' zei zij ter verduidelijking tegen Grey. 'Na de lunch sla ik altijd het bed voor hem open en dat heb ik die dag ook gedaan – maar toen ik na de thee weer naar boven ging was het niet beslapen. Dus moet hij 's ochtends zijn weggegaan, ja toch?'

Op deze moeizame manier ging de ondervraging nog een tijdje door, maar Grey slaagde er toch in enige informatie uit hen los te krijgen, ook al was het voornamelijk negatief.

Nee, zij dachten niet dat hun mevrouw een groen-fluwelen japon bezat, hoewel zij die natuurlijk kon hebben laten maken, maar dat zou haar eigen kamermeisje wel weten. Nee, hun mevrouw was vandaag echt niet thuis, of althans, zij dachten van niet. Nee, zij konden niet met zekerheid zeggen wanneer zij was weggegaan – maar, ja, gisteren was zij wel thuis, en gisteravond ook. Of zij afgelopen dinsdag thuis was geweest? Zij dachten van wel, maar wisten het niet helemaal zeker.

'Is hier ooit iemand op bezoek geweest die Joseph Trevelyan heette?' vroeg hij.

De meisjes haalden hun schouders op en keken hem stomverbaasd aan. Hoe moesten zij dat nu weten? Hun werkterrein was boven. Zij zagen de mensen die op bezoek kwamen bijna nooit, alleen wanneer ze bleven slapen.

'Jullie meesteres – volgens jullie was ze gisteravond thuis. Wanneer hebben jullie haar voor het laatst gezien?'

De meisjes fronsten. Annie keek naar Tab. Tab trok een klein verbaasd mondje naar Annie. Beiden haalden hun schouders op.

'Dat... dat weet ik niet zo precies, mylord,' zei Annie. 'Ze voelt zich de laatste tijd niet zo goed, onze mevrouw. Ze blijft hele dagen in haar kamer en laat haar maaltijden boven brengen. Ik ga regelmatig naar binnen om het bed te verschonen, maar dan zit zij in haar boudoir, of op het toilet. Ik denk dat ik haar al niet meer heb gezien sinds – misschien wel sinds... maandag?' Ze keek vragend naar Tab, die haar schouders ophaalde.

'Dus ze voelde zich niet goed,' herhaalde Grey. 'Was ze ziek?'

'Ja, sir,' zei Tab, moed puttend uit het feit dat ze nu toch daadwerkelijk iets kon vertellen. 'De dokter is zelfs nog geweest.'

Hij vroeg verder, maar kwam niets meer te weten. Zij hadden de dokter geen van beiden met eigen ogen gezien, en ook niets gehoord over de ziekte van hun meesteres. Ze hadden het van de kokkin gehoord... of was het Ilse, de kamenierster van mevrouw?

Grey besloot dit onderwerp verder maar te laten rusten en vroeg verder naar hun meester.

'Natuurlijk weten jullie dit niet uit persoonlijke ervaring,' zei hij, met een hoffelijke, verontschuldigende glimlach, 'maar misschien heeft Herr Mayrhofers lijfknecht wel eens iets laten vallen... Ik vraag me namelijk af of jullie meester bijzondere kenmerken, of eigenaardigheden heeft? Op zijn lichaam, bedoel ik.'

Eerst keken de beide meisjes hem niet-begrijpend aan, maar toen steeg het bloed hen naar de wangen en wel zo snel dat zij binnen enkele seconden in een paar tomaten waren veranderd, rijp genoeg om elk moment open te kunnen barsten. Zij wisselden steelse blikken en Annie slaakte een hoog gilletje, dat op een verstikt gegiechel leek.

Meer bevestiging had hij op dit moment eigenlijk niet eens nodig, maar met gesmoorde gilletjes en hun handen voor hun mond gedrukt, bekenden de meisjes uiteindelijk dat, ja, de lijfknecht, Herr Waldemar, een keer tegen Hilde, het dienstmeisje, had verteld waarom hij altijd zoveel scheerzeep nodig had...

Hij bedankte de meisjes, die giechelend vertrokken, en liet zich op de met brokaat beklede stoel bij het bureau zakken. Hij legde zijn hoofd op zijn gevouwen armen en wachtte tot zijn hart ophield met keihard bonken.

Eindelijk was de identiteit van het lichaam bekend. En er was een verband gelegd tussen Reinhardt Mayrhofer, het bordeel in Meacham Street – en Joseph Trevelyan. Maar dat verband berustte uitsluitend op de uitspraken van een hoer, en op zijn eigen identificatie van de groen-fluwelen japon.

Stel dat Nessie het bij het verkeerde eind had, en dat de man die in het groen gekleed het bordeel had verlaten niet Trevelyan was? Maar hij was het wel, hield hij zichzelf voor. Dat had Richard Caswell zelf toegegeven. En nu was een rijke Oostenrijker dood aangetroffen, gekleed in wat dezelfde groene japon leek te zijn als die gedragen was door Magda, de hoerenmadam van Meacham Street – en waarschijnlijk ook dezelfde japon die door Trevelyan was gedragen. En Mayrhofer was een Oostenrijker die regelmatig zijn huis verliet voor mysterieuze reisjes.

Grey was er vrij zeker van dat hij meneer Bowles' onbekende haai had gevonden. En als Reinhardt Mayrhofer nu ook nog een meesterspion was... dan lag de oplossing van Tim O'Connells dood zeer waarschijnlijk in het duistere domein van staatsmanschap en verraad, in plaats van het bloedrode domein van wellust en wraak.

Maar de Scanlons waren verdwenen, bracht hij zichzelf in herinnering. En welke rol speelde Joseph Trevelyan in godsnaam in dit alles?

Zijn hart begon rustiger te kloppen. Hij slikte de metaalachtige smaak in zijn mond weg en toen hij zijn hoofd optilde zag hij opeens iets wat hij wel half en half had gezien, maar niet bewust tot zich door had laten dringen: een groot schilderij boven het bureau, erotisch van onderwerp, middelmatig in uitvoering – en met de initialen 'RM' handig verwerkt in een bosje bloemen in een van de hoeken.

Hij stond op, veegde zijn zweterige handpalmen af aan zijn jas en keek snel de kamer rond. Er hingen nog twee van zulke schilderijen, onmiskenbaar van dezelfde hand als de schilderijen in Magda's boudoir. Allemaal gesigneerd: 'RM'.

Het was opnieuw een bewijs van Mayrhofers connecties. Maar het zette wat hem betreft ook weer nieuwe vraagtekens bij Trevelyan. Hij had er alleen Caswells woord voor dat Trevelyans minnares een vrouw was, anders zou hij er inmiddels van overtuigd zijn dat Trevelyan regelmatig een rendez-vous had met Mayrhofer – om welke reden dan ook.

'En de dag dat je Dickie Caswell op zijn woord gelooft, stomme idioot...' mompelde hij binnensmonds terwijl hij zich omhoog duwde van de stoel. Op weg naar de deur zag hij het schaaltje gestolde eiwitten staan, en schoof het haastig in een la van het bureau.

Von Namtzen had de rest van het personeel naar de bibliotheek gestuurd voor verdere ondervraging. Toen hij Grey binnen hoorde komen, draaide hij zich naar hem om.

'Ze zijn allebei echt weg. Hij al een paar dagen en zij sinds gisteravond – niemand weet precies wanneer. Dat zeggen de bedienden althans.' Hier draaide hij zich om voor een doordringende blik op de butler, die ineenkromp.

'Vraag hen eens naar de dokter, als u wilt,' zei Grey, van het ene gezicht naar het andere kijkend.

'Dokter? Voelt u zich weer niet goed worden?' Von Namtzen knipte met zijn vingers en wees een grote vrouw in een schort aan, waarschijnlijk de kokkin. 'Jij daar – meer eieren!'

'Nee, nee! Ik voel me prima, dank u. De kamermeisjes zeiden dat mevrouw Mayrhofer zich deze week niet zo goed voelde, en dat er een dokter langs was geweest. Ik wil graag weten of iemand van hen hem heeft gezien.'

'O?' Von Namtzen keek geïnteresseerd en begon de mensen voor hem onmiddellijk met vragen te bestoken. Grey leunde onopvallend tegen een boekenkast terwijl hij voorwendde heel aandachtig te luisteren, maar intussen wachtte tot de volgende aanval van duizeligheid voorbij was.

De butler en de kamenierster hadden de dokter gezien, vertelde

Von Namtzen, zich omdraaiend om zijn resultaten aan Grey mede te delen. Hij was meerdere keren langs geweest om Frau Mayrhofer te behandelen.

Grey slikte. Misschien had hij die laatste portie eiwitten toch moeten opdrinken. Ze konden niet half zo smerig zijn als de koperachtige smaak die hij nu in zijn mond had.

'Heeft de dokter zijn naam genoemd?' vroeg hij.

Nee, dat had hij niet gedaan. Hij was ook niet echt gekleed geweest als een dokter, deed de butler een duit in het zakje, maar had wel heel zeker van zijn zaak geleken.

'Niet gekleed als dokter? Wat bedoelt hij daarmee?' vroeg Grey, zich oprichtend.

Er werden nog meer vragen gesteld, beantwoord door een hulpeloos schouderophalen van de butler. Het kwam erop neer dat hij geen zwart pak had gedragen, maar een grove blauwe jas en een broek van grof katoen. De butler fronste zijn voorhoofd en probeerde zich nog meer details te herinneren.

'Hij rook niet naar bloed!' meldde Von Namtzen. 'In plaats daarvan rook hij naar... planten? Zegt u dat iets?'

Grey deed heel even zijn ogen dicht en zag bosjes gedroogde kruiden aan donkere dakbalken hangen, terwijl welriekend goudgeel stof van hun blaadjes dwarrelde in antwoord op voetstappen op de vloer erboven.

'Was de dokter een Ier?' vroeg hij.

Nu leek ook Von Namtzen er opeens niet veel meer van te begrijpen. 'Hoe moeten ze nu het verschil weten tussen een Ier en een Engelsman?' vroeg hij. 'Ze spreken dezelfde taal.'

Grey slaakte een diepe zucht, maar in plaats van uit te leggen wat hij bedoelde, gooide hij het over een andere boeg en gaf hij een korte beschrijving van Finbar Scanlon. Eenmaal vertaald leverde dit onmiddellijk knikjes van herkenning op bij zowel butler als kamenierster.

'Is dit belangrijk?' vroeg Von Namtzen terwijl hij Grey aankeek.

'Heel erg belangrijk.' Grey balde zijn handen tot vuisten en probeerde na te denken. 'Het is van het allergrootste belang dat wij achter de verblijfplaats van Frau Mayrhofer komen. Die "dokter" is waarschijnlijk een spion, in dienst van de Mayrhofers, en ik heb zo'n vermoeden dat de vrouw des huizes in het bezit is van iets wat Zijne Majesteit heel erg graag terug zou willen hebben.'

Hij keek de rij bedienden langs, die met elkaar stonden te fluisteren en blikken vol ontzag, ergernis of verbazing op de twee officieren wierpen. 'Bent u ervan overtuigd dat zij werkelijk niet weten waar de dame in kwestie is?'

Von Namtzen vernauwde zijn ogen tot spleetjes en dacht na, maar voordat hij iets kon zeggen, bemerkte Grey een lichte onrust onder de bedienden, van wie er enkelen naar de deur achter hem stonden te kijken.

Toen hij zich omdraaide stond daar Tom Byrd, sproeten donker op zijn ronde gezicht, en bijna bevend van opwinding. In zijn handen had hij een paar versleten schoenen.

'Mylord!' zei hij terwijl hij ze liet zien. 'Kijk nou! Deze zijn van Jack!'

Grey pakte de schoenen, die groot en erg versleten waren. Het leer van de neuzen was kaal en gebarsten, maar in de zolen stonden de initialen 'JB' gebrand. Een van de hakken zat los en hing aan een enkel spijkertje aan de schoen. Leer, en rond van achteren, precies zoals Tom had gezegd.

'Wie is Jack?' vroeg Von Namtzen, die met stijgende verbazing van Tom Byrd naar de schoenen stond te kijken.

'Meneer Byrds broer,' zei Grey, die de schoenen van alle kanten bestudeerde. 'We zijn al een hele tijd naar hem op zoek. Zou u misschien aan het personeel willen vragen of zij weten waar de eigenaar van deze schoenen zich nu bevindt?'

Von Namtzen was in vele opzichten een uitstekende bondgenoot, dacht Grey. Hij stelde verder geen vragen, maar knikte slechts en richtte zich weer tot de menigte, waarna hij op de schoenen wees en op scherpe doch zakelijke manier vragen op hen begon af te vuren, met een houding alsof hij onmiddellijk antwoorden verwachtte.

Hij straalde zoveel gezag uit, dat hij ze nog kreeg ook. Het personeel, dat aanvankelijk geschrokken en verward had gereageerd, liet zich nu geheel door Von Namtzen leiden en leek hem volledig te hebben geaccepteerd als tijdelijke heer en meester van zowel het huis als de situatie.

'Die schoenen zijn van een jongeman, een Engelsman,' vertaalde hij voor Grey, na kort met de butler en de kok te hebben overlegd. 'Hij is meer dan een week geleden naar het huis meegenomen door een kennis van Frau Mayrhofer. De Frau zei tegen Herr Burkhardt' – hij knikte even naar de butler, die meteen een buiging maakte – 'dat de jongeman behandeld diende te worden als een lid van het personeel en dat ze hem eten en een bed moesten geven. Ze vertelde er niet bij waarom hij hier was en zei alleen dat het een tijdelijke situatie zou zijn.'

Op dat moment maakte de butler een opmerking. Von Namtzen knikte en wuifde met zijn hand verdere opmerkingen weg.

'Herr Burkhardt zegt dat de jongeman geen specifieke taken kreeg, maar dat hij de dienstmeisjes af en toe hielp. Hij ging nooit naar buiten en bleef altijd in de buurt van Frau Mayrhofers vertrekken en stond er zelfs op in de kast aan het eind van de gang, vlak bij haar suite te slapen. Herr Burkhardt had het idee dat de jongeman Frau Mayrhofer beschermde – maar waartegen, dat weet hij niet.'

Tom Byrd had met zichtbaar ongeduld naar het hele verhaal staan luisteren, en kon zich niet langer beheersen.

'Het interesseert me geen moer wat hij hier uitspookte – maar waar is Jack nu?' wilde hij weten.

Ook Grey zat met een dringende vraag. 'Die kennis van Frau Mayrhofer – weten ze ook hoe hij heette? Kunnen ze hem misschien beschrijven?'

Met strikte inachtneming van sociale prioriteiten, gaf Von Namtzen voorrang aan Grey's vraag.

'De gentleman noemde zichzelf meneer Josephs. De butler denkt echter niet dat dat zijn echte naam is – hij aarzelde namelijk toen hem naar zijn naam werd gevraagd. Hij was heel erg...' Nu aarzelde Von Namtzen zelf ook even, op zoek naar de juiste vertaling. '*Fein herausgeputet.* Heel... gepolijst.'

'Gesoigneerd,' verbeterde Grey. Het leek heel warm in de kamer en hij voelde de zweetdruppels over zijn rug glijden.

Von Namtzen knikte. 'Een flessengroene zijden jas, met gouden knopen. Een mooie pruik.'

'Trevelyan,' zei Grey, met een gevoel van onafwendbaarheid dat uit gelijke delen opluchting en ontzetting bestond. Hij haalde diep adem; zijn hart ging weer als een razende tekeer. 'En Jack Byrd?'

Von Namtzen haalde zijn schouders op. 'Weg. Ze nemen aan dat hij met Frau Mayrhofer mee is gegaan, want niemand heeft hem sinds gisteravond nog gezien.'

'Waarom heeft hij zijn schoenen achtergelaten? Vraag hun dat eens!'

Tom Byrd was zo over zijn toeren dat hij helemaal vergat er een 'sir' aan toe te voegen, maar Von Namtzen, die wel zag hoe de jongen eraan toe was, was zo vriendelijk het door de vingers te zien.

'Hij heeft deze schoenen omgeruild voor de werkschoenen van deze lakei hier.' De Zwaab knikte naar een lange jongeman, die ingespannen naar het gesprek stond te luisteren, zijn voorhoofd gefronst van inspanning om het te kunnen verstaan. 'Hij zei niet waarom hij dat graag wilde – misschien vanwege de kapotte hak. Het andere paar was ook heel erg afgetrapt, maar nog wel heel.'

'Waarom is deze jongeman akkoord gegaan met de ruil?' vroeg Grey, met een knikje naar de lakei. Het knikje was een vergissing; opeens rolde de duizeligheid weer te voorschijn uit zijn schuilplaats en begon langzaam rondjes te draaien door de binnenkant van zijn schedel.

Een vraag, een antwoord. 'Omdat deze van leer zijn, met metalen gespen,' zei Von Namtzen. 'De schoenen die de ander ervoor terugkreeg waren eenvoudige klompen, met houten zolen en hakken.'

Op dat moment gaven Grey's knieën de strijd op en hij liet zich voorzichtig in een stoel zakken en drukte zijn handen tegen zijn ogen. Hij ademde oppervlakkig in en uit. Zijn gedachten tolden langzaam rond in trage cirkels, net als de bollen van zijn vaders planetarium, en lichtflitsen schoten van de ene herinnering naar de andere. In één ervan hoorde hij Harry Quarry weer zeggen: *Zeelui dragen allemaal houten zolen; leer is veel te glibberig aan dek,* en vervolgens: *Trevelyan? Vader een baronet, broer in het parlement, een fortuin in tin in Cornwall, tot aan zijn nek in de Oost-Indische Compagnie?*

'O, Christus,' zei hij, en liet zijn handen zakken. 'Ze gaan over zee.'

16 Meinedige wellust

Het kostte behoorlijk wat moeite Von Namtzen en Tom Byrd ervan te overtuigen dat hij zich best op eigen kracht kon voortbewegen en op straat niet meteen plat op zijn gezicht zou gaan – vooral omdat hij er zelf ook niet helemaal zeker van was. Tenslotte werd Tom Byrd echter, met tegenzin, naar Jermyn Street gestuurd om een tas in te pakken en werd Von Namtzen er – met nog meer tegenzin – van overtuigd dat hij de aangewezen persoon was om de inhoud van Mayrhofers bureau te doorzoeken.

'Niemand anders kan de documenten lezen die er misschien in liggen,' zei Grey. 'De man is dood, en was naar alle waarschijnlijkheid een spion. Ik zal meteen iemand van het regiment sturen om de leiding hier over te nemen, maar mocht er iets belangrijks tussen die documenten zitten...'

Von Namtzen perste zijn lippen op elkaar, maar knikte. 'Zal je goed uitkijken?' vroeg hij ernstig terwijl hij een grote, warme hand in Grey's nek legde en zich naar voren boog om hem met zijn grijze, bezorgde ogen onderzoekend aan te kijken.

'Dat zal ik doen,' zei Grey en deed zijn best om geruststellend te glimlachen. Hij gaf Tom een haastig geschreven boodschap, waarin hij Harry Quarry vroeg onmiddellijk een Duits sprekende officier naar Mecklenberg Square te sturen, en nam afscheid.

Hij kon uit drie dingen kiezen, dacht hij terwijl hij met een diepe zucht om de duizeligheid te bedwingen in een huurrijtuig stapte. De kantoren van de Oost-Indische Compagnie, in Lamb's Conduit Street. Trevelyans belangrijkste zakenrelatie, ene Royce, die kantoor hield in de Temple. Of Neil de Trut.

De zon ging bijna onder en een lichte mist dempte haar gloed als de stoom van een zojuist afgevuurde kanonskogel. Dat maakte de keus eenvoudig. Westminster of de Temple kon hij toch niet meer bereiken voordat iedereen al naar huis was. Maar hij wist waar Stapleton woonde, dat had hij meteen uitgezocht na het verwarrende onderhoud met Bowles.

'Wat wilt u?' Stapleton had liggen slapen toen Grey bij hem aanklopte. Hij droeg alleen een hemd en had blote voeten. Hij wreef in een slaperig oog en stond Grey met het andere oog ongelovig aan te kijken.

'De namen en vertrekdata van alle schepen van de Oost-Indische Compagnie die deze maand uit Engeland vertrekken. Nu.'

Stapleton had nu allebei zijn ogen open. Hij knipperde met zijn ogen en krabde aan zijn ribben. 'Hoe moet ik dat nu weten?'

'Ik verwacht ook niet dat jij dat weet. Maar ik verwacht wel dat je erachter kunt komen waar die informatie is, zonder al te veel tijd te verliezen. Het is bijzonder dringend.'

'O ja?' Neils mond vertrok en zijn onderlip stak een beetje uit. Hij verplaatste zijn gewicht op zijn andere been, zodat hij opeens veel dichterbij leek te staan. 'Hoe... dringend?'

'Veel te dringend voor spelletjes, meneer Stapleton. Trek iets aan. Er staat een rijtuig te wachten.'

Neil zei niets, maar glimlachte en tilde een hand op. Hij raakte Grey's gezicht aan en legde zijn hand om zijn wang terwijl hij met zijn duim loom de lijn van zijn mond volgde. Hij voelde heel warm aan en rook naar bed. 'Maar zoveel haast heb je toch niet, Mary?'

Grey greep de hand vast en trok hem weg van zijn gezicht. Hij kneep er zo hard in dat hij de vingerkootjes voelde kraken.

'Je gaat nu meteen met me mee,' zei hij, luid en duidelijk, 'en anders zal ik meneer Bowles officieel op de hoogte stellen van de omstandigheden waaronder wij elkaar voor het eerst hebben ontmoet. Begrepen, sir?' Hij keek Stapleton recht in de ogen.

De man was nu klaarwakker en zijn blauwe ogen schitterden woedend. Hij rukte zich los uit Grey's greep en zette, trillend van woede, een halve stap naar achteren. 'Dat doe je niet.'

'Wedden van wel?'

Stapletons tong gleed over zijn bovenlip – niet flirterig, maar eerder wanhopig. Het werd nu snel donker, maar Grey kon Stapletons gezicht nog duidelijk zien, en ook de angst die achter de woede verscholen ging.

Om zich ervan te vergewissen dat niemand hen had gehoord, keek Stapleton om zich heen, waarna hij Grey's mouw vastpakte en hem in de beschutting van de deuropening trok. Nu zij zo dicht bij elkaar stonden, was het Grey wel duidelijk dat de man niets onder zijn hemd droeg. Onder de open kraag zag Grey zijn gladde borst, waarvan de gouden huid verder omlaag verdween in verleidelijke schaduwen.

'Heb je enig idee wat er met mij zou gebeuren als je dat doet?' siste hij.

Dat wist Grey best. Het verlies van zijn baan en reputatie waren nog de minst ernstige gevolgen, en waarschijnlijk zou hij ook niet ontkomen aan een celstraf, openbare geseling en de schandpaal. En als men erachter zou komen dat Stapletons tegennatuurlijke relaties hadden bijgedragen aan een schending van vertrouwen in zijn werk – precies datgene waartoe Grey hem nu aanzette – mocht hij blij zijn als hij niet werd opgehangen wegens hoogverraad.

'Ik weet ook wat er met je zal gebeuren als je niet precies doet wat ik zeg,' zei Grey op kille toon. Hij rukte zijn mouw los en deed een stapje naar achteren. 'Vlug een beetje. Ik heb geen minuut te verliezen.'

Binnen een uur bereikten zij een armoedig straatje en een verwaarloosd gebouw waarin een drukkerij gevestigd was, die voor de nacht was gesloten. Zonder Grey een blik waardig te keuren, sprong Stapleton uit het rijtuig en begon op de deur te bonzen. Binnen enkele ogenblikken verscheen er een lichtschijnsel tussen de kieren van de luiken en ging de deur open. Stapleton fluisterde iets tegen de oude vrouw die in de deuropening stond en glipte naar binnen.

Grey leunde achterover in de schaduwen en trok zijn slappe hoed omlaag om zijn gezicht te verbergen. Het rijtuig was een krakkemikkig ding, maar niettemin iets bijzonders in deze buurt. Hij kon alleen maar hopen dat Stapleton zo snel was dat ze weer weg konden voordat de een of andere nieuwsgierige struikrover op de gedachte kwam zijn geluk te beproeven.

Hij hoorde en rook de kar van een secreetruimer langskomen en trok snel het raampje dicht.

Het was een hele opluchting dat Stapleton zich redelijk snel gewonnen had gegeven. De man was kennelijk slim genoeg om in te zien dat het zwaard dat Grey boven zijn hoofd hield aan twee kanten sneed. Het was natuurlijk wel zo dat Grey beweerde alleen in Lavender House te zijn geweest in het kader van zijn onderzoek – en de enige die het tegendeel kon bewijzen was de jongeman met het donkere haar – maar dat wist Stapleton niet.

Maar als het op een gegeven moment een kwestie zou worden van Grey's woord tegen dat van Stapleton, bestond er geen enkele twijfel aan wie zou worden geloofd, en dat besefte Stapleton ook maar al te goed.

Wat hij echter niet besefte, was dat Richard Caswell een van de vliegen in meneer Bowles' web was. Grey durfde er een jaarinkomen onder te verwedden dat die vette kleine spin met zijn waterige blauwe oogjes de naam kende van elke man die ooit door de deuren van Lavender House naar binnen was gekomen – plus wat ze daar waren komen doen. Die gedachte bezorgde hem een koude rilling en hij huiverde en trok zijn jas wat dichter om zich heen, terwijl het toch een zachte avond was.

Een plotselinge tik op het raampje naast hem zorgde ervoor dat hij in één keer met getrokken pistool overeind schoot. Er was echter niemand te zien, alleen de smerige afdruk van een hand, waarvan de met uitwerpselen besmeurde vingers in het voorbijgaan lange vegen op het glas hadden achtergelaten. Een klodder stinkend afval gleed langzaam langs het raampje omlaag, en de bulderende lach van de secreetruimers vermengde zich met het gescheld van de koetsier.

Het rijtuig deinde op zijn veren toen de koetsier opstond, en opeens hoorde hij het zwiepen van een zweep en de schrille kreet van verrassing van iemand op de grond. En hij had niet willen opvallen! dacht Grey somber, in een hoekje wegkruipend toen een regen van uitwerpselen tegen de zijkant van het rijtuig werd gesmeten. De secreetruimers joelden en kwetterden als apen terwijl de koetsier vloekend aan de teugels rukte om te voorkomen dat zijn paarden ervandoor zouden gaan.

Een gerammel aan het portier van het rijtuig bracht zijn hand alweer naar zijn pistool, maar het was Stapleton maar, rood aangelopen en buiten adem. De jongeman sprong tegenover Grey in het rijtuig en smeet een beschreven vel papier in zijn schoot.

'Het zijn er maar twee,' zei hij kortaf. 'De *Antioch*, die over drie weken uit Londen vertrekt, of de *Nampara*, vanuit Southampton, overmorgen. Heb je nu je zin?'

Toen de koetsier hoorde dat Stapleton terug was, trok hij aan de teugels en riep de paarden iets toe. De dieren wilden maar al te graag aan al deze heisa ontsnappen en zetten zich zo snel in beweging dat het rijtuig naar voren schoot en Grey en Stapleton over elkaar heen op de grond vielen.

Grey, die het velletje papier stevig in zijn hand klemde, kroop haastig terug naar zijn zitplaats. Neils ogen keken hem vanaf de vloer van het rijtuig, waar hij op handen en knieën heen en weer zat te zwaaien, boos aan.

'Ik zei – heb je nu je zin?' Zijn stem was amper hard genoeg om het geratel van de wielen te overstemmen, maar Grey verstond hem toch.

'Jazeker,' zei hij. 'Dank je wel.' Hij had Stapleton een hand kunnen toesteken om hem overeind te helpen, maar dat deed hij niet. De jongeman kwam op eigen kracht overeind, zijn lange lichaam wankelend in de duisternis, en liet zich op zijn zitplaats vallen.

Tijdens de rit naar Londen zeiden ze geen woord tegen elkaar. Stapleton zat met zijn armen voor zijn borst gevouwen en met afgewend hoofd uit het raampje te staren. Het was volle maan en het zachte schijnsel verlichtte de arendsneus en de sensuele, verwende mond eronder. Een mooie jongen, dacht Grey – en hij wist het.

Moest hij proberen Stapleton te waarschuwen? vroeg hij zich af. Hij voelde zich op een bepaalde manier schuldig omdat hij de man had gebruikt. Aan de andere kant zou hij er niets mee bereiken als hij hem waarschuwde dat Bowles zich ongetwijfeld bewust was van zijn ware aard. Die kennis zou de spin toch wel voor zich houden, tot en tenzij hij er zelf voor koos er gebruik van te maken. En wanneer hij dat deed kon geen macht ter aarde Stapleton nog uit het web bevrijden.

Het rijtuig kwam voor Stapletons adres tot stilstand en de jongeman stapte zonder iets te zeggen uit, hoewel hij Grey op het allerlaatste moment voordat het portier tussen hen dichtviel nog een laatste, woedende blik toewierp.

Grey tikte tegen het plafond en het koetsierspaneel werd opengeschoven.

'Naar Jermyn Street,' zei hij, en de rest van de rit zat hij stilletjes voor zich uit te kijken, zonder veel erg te hebben in de strontlucht die hem omringde.

17 Wrekende gerechtigheid

Grey kwam openlijk in verzet en weigerde nog meer eiwitten tot zich te nemen. Hierop volgde een koppige weigering van Tom Byrd om hem wijn te laten drinken. Tegen de tijd dat zij de eerste herberg bereikten was er een wankel compromis bereikt en zette Grey zich aan een avondmaaltijd van brood en melk, dit tot groot vermaak van zijn medepassagiers.

Hij negeerde zowel de spottende opmerkingen als het voortdurende onrustige gevoel in zijn hoofd en maag en schreef koppig verder met een geleende, stompe ganzenveer en slechte inkt terwijl hij intussen met zijn vrije hand een homp in melk gedoopt brood vasthield.

Eerst een briefje aan Quarry, vervolgens aan Magruder, voor het geval het eerste verloren zou gaan. Er was geen tijd voor codes of zorgvuldig gekozen bewoordingen – gewoon de naakte feiten en een verzoek om zo snel mogelijk versterkingen te sturen.

Hij ondertekende de briefjes, vouwde ze dicht en verzegelde ze met klodders roetkleurig kaarsvet, gestempeld met de glimlachende halve maan van zijn zegelring. Het deed hem aan de smaragden ring van Trevelyan denken, en de in Cornwall voorkomende alpenkraai die daarin was gegraveerd. Zouden ze nog op tijd zijn?

Hij pijnigde voor de duizendste keer zijn hersenen of er niet een snellere manier was – en kwam voor de duizendste keer tot de vervelende slotsom dat die er niet was. Hij was een redelijk ervaren ruiter, maar de kans dat hij in zijn huidige toestand een woeste rit van Londen naar Southampton kon volbrengen was vrijwel nihil, zelfs al had hij meteen een goed paard tot zijn beschikking gehad.

Het moest Southampton wel zijn, stelde hij zichzelf voor de honderdste keer gerust. Trevelyan was akkoord gegaan met drie dagen uitstel; niet lang genoeg om een achtervolging te voorkomen – tenzij hij ervan uit was gegaan dat Grey dood zou zijn. Maar waarom had hij in dat geval om uitstel gevraagd? Waarom had hij hem dan niet gewoon weggestuurd, in de wetenschap dat hij binnen niet al te lange tijd niet meer in staat zou zijn de achtervolging in te zetten?

Nee, hij wist zeker dat zijn vermoedens juist waren. Nu kon hij de postkoets alleen maar in gedachten opjagen en hopen dat hij tegen de tijd dat ze aankwamen voldoende was opgeknapt om te doen wat hij moest doen.

'Klaar, mylord?' Tom Byrd stond naast hem met zijn overjas, klaar om die om hem heen te slaan. 'Het is tijd om te gaan.'

Grey liet het brood met een plons in de melk vallen en stond op. 'Zorg dat deze naar Londen worden gestuurd,' zei hij tegen het kroeghulpje terwijl hij hem de brieven en een geldstuk overhandigde.

'Gaat u dat niet opeten?' vroeg Byrd, met een strenge blik op de halfvolle kom brood met melk. 'U zult al uw krachten nodig hebben, mylord, en u wilt toch –'

'Goed, goed!' Grey pakte een laatste snee brood, doopte hem haastig in de kom en propte hem in zijn mond terwijl hij op weg ging naar de wachtende postkoets.

De *Nampara* was een Oost-Indiëvaarder. Haar hoge silhouet stak donker af tegen een hemel met voortsnellende wolken en haar masten lieten het andere scheepvaartverkeer in het niet verdwijnen. Omdat ze veel te groot was om langs de kade te komen, lag ze een eind daarbuiten voor anker. De roeier die Grey en Byrd naar het schip bracht riep iets naar een skiff die op weg was naar de wal en kreeg een onverstaanbaar antwoord terug over het water.

'Ik weet het niet, sir,' zei de roeier hoofdschuddend. 'Ze willen met het getijde vertrekken en het getij begint al af te nemen.' Hij tilde een druipende roeispaan uit het water en wees ermee naar het snel stromende grauwe water, hoewel Grey geen flauw idee had welke kant het op stroomde.

Nog wat wiebelig van een hele nacht en een halve dag hobbelen in de postkoets naar Southampton, voelde Grey er weinig voor te veel naar het water te kijken. Alles om hem heen leek te bewegen en dan ook nog in geheel tegengestelde en onverwachte richtingen – water, wolken, wind, het deinende bootje onder hen. Hij was bang dat hij moest overgeven als hij zijn mond opendeed, dus stelde hij zich tevreden met een dreigende blik in de richting van de roeier en een veelbetekenend vastgrijpen van zijn beurs, hetgeen bij wijze van antwoord bleek te volstaan.

'Misschien is ze al weg voordat we er zijn – maar we gaan het proberen, sir, ja, ja, we gaan het proberen!' De man verdubbelde zijn inspanningen en Grey sloot zijn ogen, klemde zich stevig vast aan de met schubben aangekoekte plank waarop hij zat en probeerde de stank van dode vis te negeren die in zijn broek trok.

'Ahoy! Ahoy!' De kreet van de roeier wekte hem uit een aanhoudend gevoel van diepe misère en meteen zag hij de romp van het grote koopvaardijschip als een rotswand voor hen oprijzen. Ze waren nog tientallen meters van het schip verwijderd, maar toch verduisterde het massieve gevaarte de zon en wierp een koude, donkere schaduw over hen heen.

Zelfs een landrot zoals hij kon zien dat de *Nampara* op het punt van vertrekken stond. Grote aantallen kleine bootjes die de enorme Oost-Indiëvaarder waarschijnlijk hadden bevoorraad roeiden langs op weg naar de kade – ze schoten weg als kleine visjes die op de vlucht sloegen voor een reusachtig zeemonster dat op het punt stond te ontwaken.

Een nietig touwladdertje hing nog over de reling. Toen de roeier langszij draaide, waarbij hij één roeispaan gebruikte om zijn bootje behendig uit de buurt te houden van de romp van het monster, stond Grey op, wierp de roeier zijn geld toe en greep een sport van de touwladder vast. Op dat moment werd de sloep door een dalende golf onder zijn voeten vandaan gezogen en moest hij zich uit alle macht aan de ladder vastklemmen, rijzend en dalend met het schip zelf.

Onder zich zag hij een klein flottielje drollen voorbij drijven, afkomstig van de scheepsplee. Hij keek omhoog en begon te klimmen, stijf en langzaam, met Tom Byrd vlak achter zich aan voor het geval hij zou vallen. Toen hij eindelijk boven was was zijn lichaam nat van het zweet en proefde hij een metalige bloedsmaak in zijn mond.

'Ik wil de eigenaar spreken,' zei hij tegen de officier die vanuit de wirwar aan masten en scheepstouwen kwam aangesneld. 'En wel nu meteen, op last van Zijne Majesteit.'

De man schudde zijn hoofd, niet in reactie op wat Grey had gezegd, maar omdat ze hem in de weg stonden. Hij draaide zich al half om, en wenkte met één hand om iemand die hen zou kunnen verwijderen. 'De kapitein heeft het druk, sir. Wij staan op het punt om uit te varen. Henderson! Kom eens –'

'Niet de kapitein,' zei Grey, zijn ogen sluitend tegen de duizelingwekkend heen en weer zwaaiende wirwar van touwen boven zijn hoofd. Hij stak zijn hand in zijn jas, om zijn inmiddels beduimelde volmacht te pakken. 'De eigenaar. Ik wil meneer Trevelyan spreken – nu.'

De officier keek weer om, vernauwde zijn ogen tot spleetjes en leek in Grey's ogen net zo hevig heen en weer te deinen als de donkere mast naast hem.

'Voelt u zich wel goed, sir?' De woorden klonken alsof ze werden uitgesproken vanaf de bodem van een regenton. Grey bevochtigde zijn lippen met zijn tong en wilde net antwoord geven toen iemand anders hem voor was.

'Natuurlijk voelt hij zich niet goed, stommeling,' zei Byrd, die naast hem was komen staan, verontwaardigd. 'Maar dat doet er nu niet toe. Breng de majoor waar hij naar toe wil en vlug een beetje!'

'En wie ben jij, jochie?' vroeg de officier op verwaande toon aan Byrd, die zich echter niet zomaar in de luren liet leggen.

'Dat doet er ook al niet toe. Hij zegt toch dat hij een brief van de Koning heeft? En dat is ook zo, dus nu rap een beetje, maat!'

De officier griste het document uit Grey's handen, herkende het Koninklijke Zegel, en liet het vel vallen alsof hij zijn vingers eraan brandde. Tom Byrd zette zijn voet erop voordat het weg kon waaien en raapte het op terwijl de officier achteruit wegliep, onder het mompelen van verontschuldigingen – of misschien wel verwensingen, dat kon Grey niet horen, omdat zijn oren zo gonsden.

'Kunt u niet beter even gaan zitten, mylord?' vroeg Byrd bezorgd terwijl hij zijn best deed zijn voetafdruk van het perkament te vegen. 'Daar staat een ton die zo te zien door niemand wordt gebruikt.'

'Nee, dank je, Tom, het gaat wel weer.' En dat was ook zo. Na de inspanning van het klimmen voelde hij zijn krachten terugkeren terwijl de koude bries het zweet opdroogde en zijn hoofd helder maakte. Het schip voelde veel vaster aan onder zijn voeten dan de sloep. Zijn oren gonsden nog, maar hij spande zijn buikspieren aan en keek de officier na. 'Heb jij gezien waar die man naar toe liep? Laten we hem volgen. Het lijkt me beter dat Trevelyan niet te lang van tevoren wordt gewaarschuwd.'

Er leek een totale verwarring op het schip te heersen, hoewel Grey aannam dat er wel een bepaald systeem in zat. Zeelui renden heen en weer, kwamen als rijpe vruchten schijnbaar volkomen willekeurig uit het want vallen, en er werd zoveel over en weer geschreeuwd dat hij niet begreep hoe iemand dat allemaal uit elkaar kon houden. Een voordeel van de chaos was echter dat niemand probeerde hen tegen te houden, of hun aanwezigheid zelfs maar op leek te merken. Tom Byrd ging hem voor door twee half-hoge deuren, en een ladder af in de duistere diepte benedendeks. Het leek wel of ze een rattenhol binnengingen, dacht hij vaagjes – zijn Tom en ik de fretten?

Een korte gang, en nog een ladder – volgde Tom de officier soms op de geur door het inwendige van het schip? – en een hoek om en inderdaad: de officier stond voor een smalle deuropening waardoor licht naar buiten viel met iemand te praten die binnen stond.

'Daar is hij, mylord,' zei Tom ademloos. 'Dat moet hem zijn.'

'Tom! Tom, jongen, ben jij dat?'

Achter hen klonk een harde, ongelovige stem en toen Grey omkeek zag hij zijn lijfknecht in de armen rennen van een lange jongeman, wiens gezicht hun verwantschap verraadde.

'Jack! Ik dacht dat je dood was! Of een moordenaar.' Met een gezicht dat straalde, maar waar ook ongerustheid uit sprak, maakte Tom zich los uit de omhelzing van zijn broer. 'Ben je een moordenaar, Jack?'

'Natuurlijk niet. Hoe kom je daar nu in vredesnaam bij, kleine snotneus?'

'Zo mag je niet tegen me praten. Ik ben de lijfknecht van deze heer hier en jij bent maar een lakei, o zo!'

'Wat ben je? Ach, welnee!'

Grey had de rest van het gesprek ook wel willen horen, maar zijn plicht lag elders. Met luid bonzend hart keerde hij de Byrds de rug toe en liep langs de scheepsofficier naar binnen, zonder acht te slaan op diens tegenwerpingen.

De hut was heel ruim, met ramen waardoor veel licht naar binnen viel en hij knipperde met zijn ogen tegen het plotselinge felle schijnsel. Er waren nog meer mensen, die hij vaag opmerkte, maar hij had alleen maar aandacht voor Trevelyan.

Trevelyan zat op een zeemanskist, zonder jas aan, met opgerolde hemdsmouwen, met één hand een bebloed doekje tegen zijn onderarm drukkend.

'Goeie God,' zei Trevelyan, hem aanstarend. 'De wrekende gerechtigheid, zowaar als ik hier zit.'

'Zo u wilt.' Grey slikte een golf speeksel door en haalde diep adem. 'Ik arresteer u, Joseph Trevelyan, op verdenking van de moord op Reinhardt Mayrhofer, uit naam van...' Grey stak een hand in zijn zak, maar Tom Byrd had zijn brief nog.

Dat deed er nu echter niet meer toe. Voordat hij verder kon spreken steeg er een trillende vibratie onder zijn voeten op en leek de vloer onder hem weg te glijden. Hij wankelde en moest zich aan de hoek van een bureau vastgrijpen om niet te vallen.

Trevelyan glimlachte ietwat spottend. 'We zijn los, John. Wat je hoort is de ankerketting. En dit is mijn schip.'

Grey ademde diep in terwijl het besef van zijn vergissing met een gevoel van onafwendbaarheid tot hem doordrong. Hij had erop moeten staan de kapitein te spreken te krijgen, koste wat kost. Hij had hem zijn brief moeten overhandigen en ervoor moeten zorgen dat het schip onder geen beding het anker zou lichten – maar in zijn haast om Trevelyan te pakken te krijgen, had hij een verkeerde beslissing genomen. Hij had aan niets anders kunnen denken dan de man te vinden, hem in het nauw te drijven en hem eindelijk in te rekenen. En nu was het te laat.

Hij was, op Tom Byrd na, helemaal alleen en hoewel Harry Quarry en Magruder wel wisten waar hij was, konden ze hem niet helpen – want het schip had zich in beweging gezet, weg van Engeland en hulp. En hij betwijfelde ten zeerste of Joseph Trevelyan van plan was ooit nog terug te keren om zich over te leveren aan het gerecht.

Maar zolang er nog land in zicht was, zouden ze hem niet overboord zetten. En misschien kon hij de kapitein alsnog te spreken krijgen, en anders kon Tom Byrd dat misschien wel. Misschien was het wel een geluk bij een ongeluk dat Byrd zijn volmacht nog had. Nu kon Trevelyan hem in elk geval niet meteen vernietigen. Maar welke kapitein zou de eigenaar van zijn schip in de boeien slaan, of het vertrek van zo'n reusachtig koopvaardijschip afbreken vanwege een nogal dubieus ogende brief?

Toen hij zijn blik van Trevelyan afwendde zag hij, zonder dat dit hem bijzonder verraste, dat de man in de hoek van de hut Finbar Scanlon was, die kalmpjes bezig was een koffertje met instrumenten en flesjes op orde te brengen.

'En waar is mevrouw Scanlon?' informeerde hij, alsof er niets aan de hand was. 'Ook aan boord, neem ik aan?'

Scanlon schudde zijn hoofd, een flauw glimlachje om zijn mond. 'Nee, mylord. Zij is veilig in Ierland. Ik zou haar niet graag in gevaar brengen.'

Vanwege haar toestand, veronderstelde Grey dat hij bedoelde. Geen enkele vrouw zou haar kind aan boord van een schip willen krijgen, hoe groot het vaartuig ook was.

'Dus ik neem aan dat het een lange reis wordt?' In zijn verwarde toestand had hij er niet eens aan gedacht Stapleton te vragen wat het schip als bestemming had. Als hij op tijd was geweest, had dat ook niets uitgemaakt. Maar nu? Waar voeren ze in godsnaam naar toe?

'Lang genoeg.' Het was Trevelyan die dit zei terwijl hij de lap van zijn arm haalde en het resultaat bekeek. De huid van de binnenkant van zijn onderarm was ingekerfd, zag Grey. Het bloed stroomde uit een rechthoekig patroon van kleine sneden.

Trevelyan draaide zich om om een schone lap te pakken en opeens zag Grey het bed achter hem. Achter een gordijn van muggengaas lag de roerloze gestalte van een vrouw, en hij zette de paar stappen die nodig waren om hem bij het bed te brengen, wankel op zijn voeten omdat het schip schuddend en deinend snelheid begon te maken.

'En ik neem aan dat dit mevrouw Mayrhofer is?' vroeg hij zachtjes, hoewel zij verzonken leek in een slaap die te diep was om zomaar uit wakker te schrikken.

'Maria,' fluisterde Trevelyan naast hem terwijl hij een verband om zijn arm wikkelde en op haar neerkeek.

Zij zag er bleek en doodziek uit, en leek niet veel meer op haar portret. Toch kon Grey nog zien dat ze waarschijnlijk een mooie vrouw was. Nu staken haar, overigens mooie gevormde, jukbeenderen te ver uit en was het donkerbruine, weelderige haar, dat glad naar achteren was geborsteld van een hoog voorhoofd, nat van het zweet. Iemand had een aderlating uitgevoerd: er zat een schoon verband om haar elleboog. Haar handen lagen gespreid op de sprei, en hij zag dat zij Trevelyans zegelring droeg – de cabochon geslepen smaragd met de alpenkraai.

'Wat mankeert haar?' vroeg hij, want inmiddels was Scanlon aan zijn andere zij komen staan.

'Malaria,' antwoordde de apotheker op zakelijke toon. Derdedaagse koorts. Voelt u zich wel goed, sir?'

Van zo dichtbij kon hij het niet alleen zien, maar ook ruiken. De huid van de vrouw was gelig en haar slapen glinsterden van het zweet. De vreemd muskusachtige geur van geelzucht bereikte hem door een sluier van het parfum dat ze droeg – hetzelfde parfum dat hij op haar man had geroken toen deze dood voor hem lag in een met bloed doordrenkte japon van groen fluweel.

'Gaat ze het redden?' vroeg hij. Het zou wel ironisch zijn, dacht hij, als Trevelyan haar man had vermoord om haar te krijgen, om haar vervolgens meteen weer kwijt te raken aan een dodelijke ziekte.

'Ze is nu in Gods hand,' zei Scanlon hoofdschuddend. 'Net als hij.' Hij knikte naar Trevelyan.

Grey wierp hem een scherpe blik toe. 'Wat bedoelt u daarmee?'

Trevelyan zuchtte en rolde zijn mouw omlaag over het verband. 'Kom, laten we iets drinken, John. Daar hebben we nu tijd genoeg voor. Tijd genoeg. Ik zal je alles vertellen wat je weten wilt.'

'Ik zou er de voorkeur aan geven als u me meteen de hersens zou willen inslaan, in plaats van me weer te vergiftigen – als het u hetzelfde is, sir,' zei Grey met een onvriendelijke blik.

Tot zijn ergernis begon Trevelyan te lachen, hoewel hij zich, na een blik op de vrouw in het bed, onmiddellijk bedwong. 'Dat was ik even vergeten,' zei hij, nog steeds met een glimlach om zijn mond. 'Mijn excuses daarvoor, John. En voor wat het waard is,' voegde hij eraan toe, 'het was niet mijn bedoeling je te doden – alleen om tijd te winnen.'

'Misschien was het niet je bedoeling,' zei Grey koeltjes, 'maar ik denk niet dat je het erg had gevonden als ik eraan dood was gegaan.'

'Daar heb je gelijk in,' moest Trevelyan eerlijkheidshalve toegeven. 'Ik had tijd nodig, zie je – en ik kon niet riskeren dat je je niet aan je woord zou houden, ondanks onze afspraak. Stel dat je het tegen je moeder had verteld, dan had heel Londen het voor het vallen van de avond geweten.'

'En waarom zou je ook moeilijk doen over mijn dood?' vroeg Grey, onbezonnen geworden door zijn woede om zijn eigen stommiteit. 'Eentje meer of minder, wat maakt het uit?'

Trevelyan had een kast geopend om er iets uit te pakken. Bij het horen van deze woorden stopte hij echter en draaide zich met een niet-begrijpende blik naar Grey om.

'Eentje meer of minder? Ik heb niemand vermoord, John. En ik ben blij dat ik jou niet heb vermoord – dat had ik bijzonder betreurenswaardig gevonden.'

Hij draaide zich weer om naar de kast en pakte er een fles en een paar tinnen bekers uit. 'Heb je bezwaar tegen cognac? Ik heb wijn, maar die moet nog even staan.'

Ondanks zijn woede en argwaan knikte Grey instemmend toen Trevelyan de amberkleurige drank inschonk. Trevelyan ging zitten en nam een slok uit zijn beker, waarna hij de aromatische vloeistof een ogenblik met half gesloten ogen genietend in zijn mond hield. Even later slikte hij door en keek op naar Grey, die met een woedende blik op hem neer stond te kijken.

Met een licht schouderophalen trok hij de lade van het bureau open. Hij pakte er een kleine rol smoezelig papier uit en schoof die over het bureaublad naar Grey toe.

'Ga toch zitten, John,' zei hij. 'Je ziet een beetje bleek, als ik zo vrij mag zijn dat op te merken.'

Grey, die zich inmiddels een beetje belachelijk voelde en zowel dat als zijn slappe benen heel vervelend vond, liet zich langzaam op de hem aangeboden stoel zakken en pakte de rol papier op. De vellen waren uit een dagboek of notitieboek gescheurd en waren aan beide kanten dicht beschreven. Ze waren opgevouwen geweest, vervolgens uitgevouwen en op een bepaald moment stijf opgerold. Hij moest ze met twee handen glad strijken om ze te kunnen lezen, maar één blik was voldoende om te zien wat het was.

Toen hij opkeek zat Trevelyan hem met een klein melancholiek glimlachje aan te kijken.

'Was je daarnaar op zoek?' vroeg de man uit Cornwall.

'Dat weet je best.' Grey liet de papieren los, die zich onmiddellijk weer oprolden tot een cilinder. 'Hoe kom je eraan?'

'Van meneer O'Connell, natuurlijk.'

De kleine cilinder van papieren rolde zachtjes heen en weer met de bewegingen van het schip en het licht door de grote ramen leek opeens heel erg fel. Trevelyan nipte, verzonken in gedachten, van zijn drankje en leek geen aandacht meer te hebben voor Grey.

'Je zei – dat je me alles zou vertellen wat ik weten wilde,' zei Grey, zijn beker oppakkend.

Trevelyan sloot zijn ogen, knikte toen, deed ze weer open en keek Grey aan. 'Natuurlijk,' zei hij eenvoudig. 'Ik zou niet weten waarom niet – zoals de zaken er nu voor staan.'

'Je zegt dat je niemand hebt vermoord,' begon Grey behoedzaam.

'Nog niet.' Trevelyan keek even naar de vrouw in het bed. 'Het staat nog te bezien of ik mijn vrouw heb vermoord.'

'*Jouw* vrouw?' stamelde Grey.

Trevelyan knikte, en Grey ving een glimp op van de vurige trots van een vijf eeuwen oud geslacht van piraten uit de omgeving van Cornwall, in het dagelijks leven verscholen achter de gepolijste façade van een rijke zakenman.

'De mijne. Wij zijn dinsdagmiddag in de echt verbonden – door een Ierse priester die meneer Scanlon had meegebracht.'

Grey draaide zich om op zijn stoel om even naar Scanlon te kijken, die glimlachend zijn schouders ophaalde, maar niets zei.

'Ik denk dat mijn familie – als de goede protestanten die ze sinds de tijd van koning Henry altijd zijn geweest – buiten zichzelf zou zijn van woede,' zei Trevelyan met een flauw glimlachje. 'En misschien is het ook wel niet helemaal legaal. Maar in oorlog en liefde is alles toegestaan – en zij is katholiek. Zij wilde graag trouwen, voordat...' Zijn stem stierf weg toen hij naar de vrouw op het bed keek. Ze was nu erg onrustig. Haar ledematen bewogen rusteloos onder de sprei en haar hoofd draaide oncomfortabel heen en weer op het kussen.

'Het duurt nu niet lang meer,' zei Scanlon zachtjes, toen hij zag dat hij naar haar keek.

'Wat duurt niet lang meer?' vroeg Grey, hoewel hij het antwoord eigenlijk niet wilde horen.

'Tot de koorts weer komt opzetten,' antwoordde de apotheker. Er verscheen een frons op zijn voorhoofd. 'Het is een derdedaagse koorts – die komt, en gaat, en op de derde dag weer terugkomt. En daarna nog eens – en nog eens. Gisteren was ze nog in staat om te reizen, maar zoals u ziet...' Hij schudde zijn hoofd. 'Ik heb kinabast voor haar; misschien helpt het.'

'Het spijt me,' zei Grey op formele toon tegen Trevelyan, die de uiting van medeleven met een ernstige blik accepteerde.

Grey schraapte zijn keel. 'Misschien zou je dan zo goed willen zijn mij uit te leggen hoe Reinhardt Mayrhofer aan zijn eind is gekomen, als dat niet door jouw hand is gebeurd? En ook hoe je in het bezit bent gekomen van deze papieren?'

Trevelyan bleef een ogenblik zwijgend zitten, hief toen zijn gezicht naar het licht uit de ramen en sloot zijn ogen als een man die ten volle geniet van de laatste ogenblikken van zijn leven voordat hij zal worden terechtgesteld.

'Dan lijkt het me het beste om bij het begin te beginnen,' zei hij tenslotte, de ogen nog steeds gesloten. 'En dat moet de middag zijn geweest dat ik Maria voor het allereerst ontmoette. Dat was op de negende mei van het vorige jaar, tijdens een van de ontvangsten in de salon van Lady Bracknell.'

Er gleed een glimlachje over zijn gezicht, alsof hij het allemaal weer voor zich zag. Hij deed zijn ogen weer open en keek Grey met openhartige blik aan. 'Ik ga nooit naar zulke gelegenheden. Nooit. Maar ik had met een zakenrelatie zitten lunchen in de Beefsteak, en na de lunch bleek dat we nog veel meer te bespreken hadden. Dus toen hij me uitnodigde om hem te vergezellen naar zijn volgende afspraak ben ik met hem meegegaan. En... daar was zij ook.' Hij keek naar het bed, waar de vrouw nu lag, heel stil en geel.

'Ik wist niet dat zoiets mogelijk was,' zei hij, bijna verbaasd. 'Als iemand het me verteld had, had ik hem zeker uitgelachen. En toch...'

Hij had de vrouw in een hoekje zien zitten en was getroffen door haar schoonheid – maar nog meer door haar treurigheid. Het was niets voor de Honorable Joseph Trevelyan om geraakt te worden door emotie – zijn eigen emotie of die van anderen – en toch voelde hij zich tegelijkertijd aangetrokken en verontrust door het schrijnende verdriet dat haar gelaatsuitdrukking tekende.

Hij was niet zelf naar haar toe gegaan, maar had zijn ogen niet van haar af kunnen houden. Zijn aandacht bleef niet onopgemerkt en zijn gastvrouw had hem verteld dat de vrouw Frau Mayrhofer was, de echtgenote van een Oostenrijkse edelman.

'Ga toch even een praatje met haar maken,' had de gastvrouw aangedrongen, en hij zag de vriendelijke bezorgdheid waarmee zij naar haar beeldschone, droevige gaste keek. 'Dit is de eerste keer dat zij zich weer in het openbaar vertoont sinds haar tragische verlies – haar eerste kind, het arme ding – en ik weet zeker dat een beetje aandacht haar veel goed zou doen!'

Hij was naar haar toe gelopen zonder ook maar enig idee te hebben wat hij kon zeggen of doen – hij wist niet hoe je iemand moest condoleren en had geen enkele vaardigheid in het praten over koetjes en kalfjes. Hij was gespecialiseerd in handel en politiek. Maar toen zijn gastvrouw hen aan elkaar had voorgesteld en weer was weggelopen, stond hij nog steeds met de hand die hij had gekust in zijn handen en keek neer in de zachtbruine ogen waarin hij zijn ziel voelde verdrinken.

En zonder er verder bij na te denken had hij gezegd: *God sta me bij, ik houd van u.*

'Ze begon te lachen,' zei Trevelyan en zijn gezicht lichtte helemaal op bij de herinnering. 'Ze lachte en zei: "Dan moet God *mij* bijstaan!" Ze was in één keer een heel andere vrouw. En als ik al verliefd was geweest op La Dolorosa, dan raakte ik... volledig in vervoering van La Allegretta. Ik had er alles voor over om te voorkomen dat het verdriet weer terug zou keren in haar blik.' Hij keek weer naar de vrouw op het bed en balde onbewust zijn vuisten. 'Ik had er alles voor over om haar tot de mijne te maken.'

Zij was katholiek, en een getrouwde vrouw; het had maanden geduurd voordat zij voor hem was gezwicht – maar hij was een man die gewend was alles te krijgen wat hij wilde. En haar man –

'Reinhardt Mayrhofer was een ontaard mens,' zei Trevelyan, en zijn smalle gezicht verhardde. 'Een rokkenjager en nog erger.'

En zo was hun verhouding begonnen.

'En dit alles vond plaats voordat je je met mijn nicht verloofde?' vroeg Grey, met een scherpe klank in zijn stem.

Trevelyan knipperde verrast met zijn ogen. 'Ja. Als ik ook maar enige hoop had gekoesterd Maria te kunnen overhalen om Mayrhofer te verlaten, dan zou ik me natuurlijk nooit met een ander hebben verloofd. Zij was echter onvermurwbaar. Zij hield van mij, maar kon het niet met haar geweten in overeenstemming brengen haar man te verlaten. En dus...' Hij haalde zijn schouders op.

En dus had hij er geen kwaad in gezien om met Olivia te trouwen en op die manier zijn eigen vermogen te vergroten en met iemand van onberispelijke afkomst de basis te leggen voor zijn toekomstige dynastie – terwijl hij intussen zijn hartstochtelijke relatie met Maria Mayrhofer voortzette.

'Kijk niet zo afkeurend, John,' zei Trevelyan, met een flauw glimlachje om zijn brede mond. 'Olivia zou een goede echtgenoot aan mij hebben gehad. Ze zou heel gelukkig en tevreden zijn geweest.'

Dat was ongetwijfeld waar. Grey kende misschien wel tien stellen waarvan de man er een maîtresse op na hield, met of zonder toestemming van zijn echtgenote. En zijn eigen moeder had gezegd...

'Ik neem aan dat Reinhardt Mayrhofer niet zo inschikkelijk was?' zei hij.

Trevelyan liet een kort lachje horen. 'Wij waren meer dan discreet. Hoewel het hem waarschijnlijk weinig had kunnen schelen – ware het niet dat hij meende er een slaatje uit te kunnen slaan.'

'Dus,' waagde Grey een gokje, 'hij kwam erachter en begon jou te chanteren?'

'Zo simpel lag het niet.'

In plaats daarvan had Trevelyan van zijn geliefde wat details gehoord over de interesses en activiteiten van haar man – en aangezien deze informatie hem wel interesseerde, had hij zich tot doel gesteld om nog meer te weten te komen.

'Mayrhofer was goed in samenzweringen,' zei Trevelyan, de beker om en om draaiend in zijn handen zodat de geur van de cognac vrijkwam. 'Hij bewoog zich heel gemakkelijk in de hogere kringen en had een goede neus voor kleine stukjes informatie die op zich niet zoveel betekenden, maar konden worden samengevoegd tot iets belangrijks, wat hij dan kon verkopen of, als het iets van militair belang was, doorspeelde aan de Oostenrijkers.'

'Maar het kwam niet bij je op dit te melden bij de autoriteiten? Het was per slot van rekening wel verraad.'

Trevelyan zuchtte diep en ademde de geur van zijn cognac in. 'O, ik wilde hem eerst eens een tijdje zelf in de gaten te houden,' zei hij vriendelijk. 'Om te zien wat hij nu eigenlijk precies van plan was.'

'Om te zien of hij iets deed waar je zelf je voordeel mee kon doen, zal je bedoelen.'

Trevelyan tuitte zijn lippen en schudde langzaam zijn hoofd boven zijn cognac. 'Jij hebt een bijzonder argwanende geest, John – heeft iemand je dat wel eens verteld?' Zonder op antwoord te wachten, ging hij verder: 'Dus toen Hal bij me kwam met zijn vermoedens over jouw sergeant O'Connell, vroeg ik me af of ik wellicht twee vliegen in één klap kon slaan, begrijp je?'

Hal had zijn aanbod van Jack Byrd met beide handen aangegrepen en Trevelyan had zijn betrouwbaarste bediende opdracht gegeven de sergeant te volgen. Als O'Connell in het bezit was van de Calais-documenten, konden ze ervoor zorgen dat Reinhardt Mayrhofer dat te weten kwam.

'Het leek me nuttig om te weten te komen wat Mayrhofer met zo'n vondst zou doen. Wie hij ermee zou benaderen, bedoel ik.'

'Hmm,' zei Grey sceptisch. Hij keek argwanend in zijn eigen beker, maar zag geen bezinksel. Hij nam een voorzichtig slokje en voelde het aangenaam op zijn gehemelte branden en de smerige geur van zee, misselijkheid en afvalwater verdrijven. Hij voelde zich meteen oneindig veel beter.

Trevelyan droeg geen pruik. Hij droeg zijn haar kort; het had een alledaagse, onopvallende kleur bruin, maar het veranderde zijn hele voorkomen. Sommige mannen – zoals Quarry bijvoorbeeld – waren wie ze waren, ongeacht hoe ze zich kleedden, maar dat gold niet voor Trevelyan. Met een mooie pruik op was hij een elegante edelman. In zijn hemdsmouwen en blootshoofds en met een bebloed verband om zijn arm, had hij evengoed een boekanier kunnen zijn die plannen maakte om op rooftocht te gaan, een trek van pure vastberadenheid op zijn smalle gezicht.

'Dus ik stuurde Jack Byrd erop uit om O'Connell in de gaten te houden, zoals Hal had gevraagd. Maar die rotzak deed helemaal niets! Hij deed gewoon zijn werk en wanneer hij dat niet deed, bracht hij zijn tijd door met zuipen en naar de hoeren gaan, voordat hij weer naar huis ging, naar dat kleine naaistertje bij wie hij was ingetrokken.'

'Hmm,' zei Grey nogmaals terwijl hij een vergeefse poging deed zich Iphigenia Stokes voor te stellen als een kleine wat-dan-ook.

'Ik gaf Byrd opdracht om te proberen dat mens van Stokes een beetje voor zich in te nemen en te kijken of hij O'Connell via haar in beweging kon krijgen, maar onze Jack liet haar verrassend onverschillig,' zei Trevelyan.

'Misschien hield ze echt van Tim O'Connell,' merkte Grey op, hetgeen hem op een paar opgetrokken wenkbrauwen en een ongelovig blaasgeluidje van Trevelyan kwam te staan. Kennelijk was de liefde het exclusieve terrein van de hoogste kringen.

'Hoe dan ook,' zei Trevelyan, het idee met een achteloos handgebaar wegwuivend, 'op een gegeven moment kwam Jack Byrd me vertellen dat O'Connell kennis had gemaakt met een man die hij in een herberg had ontmoet. Hoewel de man zelf onbelangrijk was, was bekend dat hij vage connecties had met bepaalde individuen met Franse sympathieën.'

'Bekend bij wie?' viel Grey hem in de rede. 'Niet bij jou, neem ik aan.'

Trevelyan keek hem aan, op zijn hoede, maar belangstellend. 'Nee, niet bij mij. Ken je toevallig een man die Bowles heet?'

'Die ken ik, ja. Maar hoe ken jij hem in vredesnaam?'

Trevelyan glimlachte flauwtjes. 'Overheid en handel werken nauw samen, John, en waar de een mee te maken krijgt, krijgt de ander ook mee te maken. Meneer Bowles en ik hebben al jaren een soort afspraak, betreffende het uitwisselen van informatie.'

Hij wilde weer verder gaan met zijn verhaal, maar opeens ging Grey een lichtje op.

'Een afspraak, zei je. Die afspraak – had die misschien iets te maken met een etablissement met de naam Lavender House?'

Trevelyan keek hem met opgetrokken wenkbrauwen aan. 'Dat is bijzonder scherpzinnig van je, John,' zei hij, met een geamuseerde blik. 'Dickie Caswell zei al dat je veel intelligenter was dan je eruitzag – niet dat je er bepaald achterlijk uitziet, hoor,' haastte hij zich eraan toe te voegen, toen hij de gekwetste uitdrukking op Grey's gezicht zag. 'Alleen is Dickie erg ontvankelijk voor mannelijk schoon, en heeft hij derhalve de neiging enigszins blind te zijn voor de andere kwaliteiten van een man die een dergelijke schoonheid bezit. Maar ik betaal hem niet om zulke dingen op te merken, alleen maar om mij verslag uit te brengen van eventuele belangwekkende zaken.'

'Goeie God.' Grey voelde de duizeligheid weer opkomen en moest even zijn ogen sluiten. *Eventuele belangwekkende zaken.* Het feit alleen al dat een man Lavender House had bezocht – laat staan wat hij er had uitgespookt – was immers al belangwekkend. Met al die kennis konden meneer Bowles – of zijn agenten – druk uitoefenen op die mannen. Dreigen met ontmaskering zou hen dwingen alles te doen wat van hen werd gevraagd. Hoeveel mannen hield de spin al in zijn chantageweb gevangen?

'Dus Caswell werkt voor jou?' vroeg hij terwijl hij zijn ogen weer opende en de metalige smaak in zijn mond wegslikte. 'Dan ben jij dus de eigenaar van Lavender House?'

'En van het bordeel in Meacham Street,' zei Trevelyan, op geamuseerde toon. 'Ik heb er erg veel plezier van bij het zakendoen. Je hebt geen idee, John, van de dingen die mannen allemaal loslaten wanneer ze in de greep zijn van wellust of dronkenschap.'

'O, nee?' zei Grey. Hij nam een slokje cognac. 'Maar het verbaast me wel dat Caswell mij zoveel van jouw activiteiten heeft verteld. Hij was degene die me vertelde dat jij daar een vrouw ontmoette.'

'O ja?' Hier leek Trevelyan niet blij mee te zijn. 'Dat heeft hij me niet verteld.' Hij leunde een beetje achterover. Toen lachte hij en schudde zijn hoofd.

'Ach, het is net zoals mijn oude oma altijd tegen me zei: "Als je tussen de varkens gaat liggen rollen, moet je niet gek opkijken als je vies wordt." Het zou Dickie natuurlijk goed zijn uitgekomen als ze mij hadden gearresteerd, gevangen gezet of terechtgesteld – en ik denk dat hij eindelijk zijn kans schoon zag. Hij denkt dat Lavender House naar hem gaat als mij iets zou overkomen. Volgens mij is die overtuiging het enige wat hem nog zo lang op de been heeft gehouden.'

'Dus hij gelooft dat. Maar is het dan niet waar?'

Trevelyan trok onverschillig zijn schouders op. 'Dat doet nu niet ter zake.'

Hij stond op, rusteloos, en ging weer naar het bed. Hij kon het niet laten haar even aan te raken, zag Grey. Zijn vingers tilden een vochtig plukje haar van haar wang en streken het achter haar oor. Zij verroerde zich in haar slaap en haar oogleden knipperden. Trevelyan pakte haar hand, knielde naast haar neer om haar iets in te fluisteren en streelde haar vingers met zijn duim.

Scanlon stond ook te kijken, zag Grey. Dc apotheker was een of ander drankje aan het brouwen boven een spiritusl amp. Er steeg een bitter geurende damp vanaf, die de ramen liet beslaan. Toen Grey uit het raam keek, zag hij dat Engeland inmiddels ver weg was. Boven de golven was nog maar een smal strookje land zichtbaar.

'En u, meneer Scanlon?' zei Grey terwijl hij opstond en met zijn beker in zijn hand naar de apotheker toe liep. 'Hoe bent u in deze affaire verwikkeld geraakt?'

De Ier keek hem aan met een wrange blik. 'Och, alles voor de liefde, nietwaar?'

'Ongetwijfeld. En dan neem ik aan dat u het over de huidige mevrouw Scanlon hebt?'

'Francie, ja.' Bij het uitspreken van de naam van zijn vrouw verscheen er een warme gloed in de ogen van de Ier. 'Wij zijn gaan samenwonen, zij en ik, nadat die rotzak van een man van haar haar had verlaten. Het maakte niet uit dat we niet konden trouwen, hoewel zij dat wel graag had gewild. Maar toen kwam die ellendeling opeens terug!' Bij die gedachte balden de grote, schone handen van de apotheker zich tot vuisten. 'Hij wachtte tot ik niet thuis was, de schoft. En toen ik terugkwam van een zieke, trof ik mijn Francie in een grote plas van haar eigen bloed op de vloer aan, met haar mooie gezichtje tot pulp geslagen –' Hij zweeg even, alsnog bevend van woede. 'Een man stond over haar heen gebogen. Ik dacht dat hij het had gedaan en vloog hem aan. Ik zou hem beslist hebben vermoord als Francie op dat moment niet was bijgekomen en mij had toegefluisterd dat niet hij, maar Tim O'Connell haar in elkaar had geslagen.'

De man was Jack Byrd, die O'Connell naar de apothekerswinkel was gevolgd en vervolgens, bij het horen van gewelddadige geluiden en een gillende vrouw, de trap op was gerend en Tim O'Connell had verjaagd.

'Hij was godzijdank nog net op tijd om haar leven te redden,' zei Scanlon terwijl hij een kruisje sloeg. 'En ik zei tegen hem dat hij alles van me mocht vragen wat hij wilde, zo dankbaar was ik hem, maar hij wilde van geen beloning weten.'

Hierop draaide Grey zich om naar Trevelyan, die was opgestaan en zich bij hen had gevoegd. 'Een bruikbare kerel, die Jack Byrd,' zei Grey. 'Kennelijk zit het in de familie.'

Trevelyan knikte. 'Volgens mij ook. Was dat Tom Byrd, die ik buiten op de gang hoorde?'

Grey knikte, maar kon niet wachten om terug te keren naar de kern van het verhaal.

'Ja. Maar waarom keerde O'Connell in vredesnaam terug naar zijn vrouw, weten jullie dat ook?'

Trevelyan en de apotheker keken elkaar aan, maar het was Trevelyan die antwoordde.

'Dat weten we niet zeker – maar gezien wat er later gebeurde, vermoed ik dat hij niet zozeer voor zijn vrouw kwam, maar om een bergplaats te zoeken voor de documenten die hij in zijn bezit had. Had ik al gezegd dat hij contact had gelegd met een onbelangrijke spion?'

Jack Byrd had hiervan verslag uitgebracht aan Harry Quarry – en via hem aan meneer Bowles – maar, trouwe bediende die hij was, ook aan zijn werkgever. Dit was een oude gewoonte. Behalve zijn taken als lakei, had hij ook opdracht in herbergen roddels en gesprekken af te luisteren die misschien van belang of waarde konden zijn en waar Trevelyan mee kon doen wat hem goed dunkte.

'Dus je handelt niet uitsluitend in tin uit Cornwall en specerijen uit India,' zei Grey, met een staalharde blik op Trevelyan. 'Wist mijn broer dat je ook in informatie handelt toen hij je hulp inriep?'

'Misschien,' antwoordde Trevelyan. 'Ik heb Hal ook wel eens attent kunnen maken op een kleine belangwekkende kwestie – en hij heeft voor mij hetzelfde gedaan.'

Het kwam niet bepaald als een verrassing voor Grey dat rijke lieden staatszaken voornamelijk beschouwden in het licht van hun eigen persoonlijke gewin, maar het was hem nog maar zelden zo keihard onder zijn neus gewreven. Maar Hal zou toch zeker nooit iets te maken willen hebben met chantage? Hij kapte de gedachte af en keerde weer terug tot de kern van de zaak.

'Dus O'Connell zocht toenadering tot deze tweederangs samenzweerder, en jij kwam dat te weten. En toen?'

O'Connell had nog niet duidelijk gemaakt over welke informatie hij beschikte, alleen dat het iets was waarvoor bepaalde personen ongetwijfeld veel geld wilden betalen.

'Dat bevestigt de vermoedens van het leger,' zei Grey. 'O'Connell was geen professionele spion. Hij herkende alleen het belang van de rekwisities en greep zijn kans. Misschien kende hij iemand in Frankrijk aan wie hij ze hoopte te kunnen verkopen – maar vervolgens werd het regiment naar huis gehaald voordat hij kans had gezien zijn contactpersoon te benaderen.'

'Inderdaad,' knikte Trevelyan, geïrriteerd door de onderbreking. 'Ik wist natuurlijk over welk materiaal hij beschikte. Ik had hem de informatic gewoon kunnen afnemen, maar het leek me nuttiger om te proberen erachter te komen welke personen er belangstelling voor toonden.'

'En het kwam natuurlijk niet bij je op om Harry Quarry of iemand anders van het regiment deelgenoot te maken van je plannen?' suggereerde Grey op beleefde toon.

Trevelyan snoof verontwaardigd. 'Quarry – die pummel? Nee. Tegen Hal zou ik het wel hebben verteld, maar die was er niet. Het leek me het beste de zaak in eigen hand te houden.'

Ja, ja, dacht Grey cynisch. Het deed er niet toe dat het welzijn van het halve Britse leger ervan afhing; natuurlijk kon een zakenman het beste over dergelijke dingen oordelen!

Trevelyans volgende woorden maakten hem echter duidelijk dat de zaak dieper ging dan geld of militaire strategieën.

'Ik had van Maria gehoord dat haar man in geheimen handelde,' zei hij, met een blik over zijn schouder naar het bed. 'Ik hoopte O'Connell en zijn informatie als lokaas te gebruiken om Mayrhofer tot actie te dwingen. Zodra hij was ontmaskerd als spion...'

'Kon hij verbannen of terechtgesteld worden, zodat jij je gang kon gaan met zijn vrouw. Ja, ja.'

Trevelyan wierp hem een scherpe blik toe, maar besloot geen aanstoot te nemen aan zijn toon. 'Ja, ja,' zei hij, met evenveel ironie in zijn stem. Het was echter niet meegevallen om O'Connell en Mayrhofer bij elkaar te brengen. O'Connell was een voorzichtige schurk. Hij had heel lang gewacht om een geschikte koper te selecteren, en was bijzonder op zijn hoede voor elke vorm van toenadering.

'Ik zag me genoodzaakt zelf naar O'Connell toe te gaan, waarbij ik mij voordeed als tussenpersoon, teneinde de sergeant binnen te halen en hem ervan te overtuigen dat er geld beschikbaar was. Maar ik ging vermomd en gaf natuurlijk een valse naam op. Intussen was ik er aan de andere kant in geslaagd Mayrhofer voor de zaak te interesseren. *Hij* besloot mij buiten te sluiten – onbetrouwbare hond die hij was! – en gaf een van zijn eigen bedienden opdracht O'Connell te vinden.'

Toen hij Mayrhofers naam uit weer een andere bron te horen kreeg, en zich realiseerde dat de man met wie hij gesproken had een valse naam had opgegeven, had O'Connell daar de niet geheel onlogische conclusie uit getrokken dat Trevelyan Mayrhofer *was*, en incognito onderhandelingen voerde in de hoop de prijs te drukken. Daarom volgde hij Trevelyan vanaf de plek van hun laatste ontmoeting – en wist zijn spoor met veel geduld terug te voeren naar Lavender House.

Nadat hij er, door middel van wat rond vragen in de omgeving, achter was gekomen wat voor etablissement Lavender House eigenlijk was, meende O'Connell belangrijke informatie in handen te hebben over de man die hij aanzag voor Mayrhofer. Hij kon de man op de plek van zijn veronderstelde misdrijven confronteren, en hem vragen wat hij wilde, zonder daar noodzakelijkerwijze iets voor terug te hoeven doen. Hij was echter in zijn plannen gedwarsboomd toen hij erachter kwam dat niemand in Lavender House ooit van Mayrhofer had gehoord. Verbaasd maar vastberaden was O'Connell lang genoeg blijven hangen om Trevelyan te zien vertrekken en had hem gevolgd naar het bordeel in Meacham Street.

'Ik had nooit rechtstreeks naar Lavender House moeten gaan,' gaf Trevelyan schouderophalend toe. 'Maar het gesprek met O'Connell had langer in beslag genomen dan ik had verwacht – en ik had haast.'

De rusteloze Trevelyan wendde zich af en liep weer terug naar het bed. De man kon zijn ogen niet van de vrouw afhouden. Zelfs van waar hij stond, kon Grey de koortsblossen op haar bleke wangen zien verschijnen.

'Dus normaal gesproken zou je eerst naar het bordeel zijn gegaan en van daaruit heen en terug naar Lavender House, in je vermomming?' vroeg Grey.

'Ja. Dat was de gebruikelijke routine. Niemand vindt het vreemd een heer een bordeel te zien binnengaan, of een hoer naar buiten te zien komen,' zei Trevelyan. 'Maar Maria kon mij daar natuurlijk niet ontmoeten. Aan de andere kant zou ook niemand het vreemd vinden een vrouw Lavender House binnen te zien gaan – in elk geval niemand die wist wat voor etablissement het is.'

'Een ingenieuze oplossing,' zei Grey, met nauwelijks verholen sarcasme. 'Eén ding – waarom droeg je altijd een groen-fluwelen japon? Of japonnen, misschien wel? Hadden jij en mevrouw Mayrhofer soms dezelfde vermomming?'

Trevelyan keek hem een ogenblik niet-begrijpend aan, maar glimlachte toen.

'Inderdaad,' zei hij. 'En waarom het een groene japon was...' Hij haalde zijn schouders op. 'Ik houd van groen. Het is mijn lievelingskleur.'

In het bordeel had O'Connell steeds maar geïnformeerd naar een gentleman in een groene jurk, mogelijk Mayrhofer genaamd – waarop Magda en haar staf hem nadrukkelijk hadden voorgehouden dat hij gek was. Dit had O'Connell natuurlijk lelijk dwars gezeten.

'Hij was geen ervaren spion,' zei Trevelyan met een zucht. 'Hij raakte er nu echt van overtuigd dat er bedrog in het spel was.'

'En dat was ook zo,' viel Grey hem in de rede, hetgeen hem een geërgerde blik van Trevelyan opleverde, die niettemin zijn verhaal vervolgde.

'En dus vermoed ik dat hij besloot een veiliger bergplaats voor zijn documenten te gaan zoeken – en met dat doel terugkeerde naar de kamer van zijn vrouw in Brewster's Alley.'

Waar hij zijn in de steek gelaten vrouw aantrof in een toestand van vergevorderde zwangerschap van een andere man en haar vervolgens, met de irrationaliteit van jaloezie, volledig in elkaar begon te beuken.

Grey masseerde zijn voorhoofd en sloot een ogenblik zijn ogen tegen een opkomend gevoel van draaierigheid.

'Goed,' zei hij. 'Tot dusverre is het me allemaal redelijk duidelijk. Maar,' voegde hij eraan toe terwijl hij zijn ogen weer opende, 'we zitten nog steeds met twee dode mannen waarvoor niemand rekenschap heeft afgelegd. Hoogstwaarschijnlijk heeft Magda jou verteld dat O'Connell je doorhad. En toch hou je vol dat je hem niet vermoord hebt? En Mayrhofer ook niet?'

Hij werd onderbroken door een geritsel vanuit het bed.

'Ik heb mijn echtgenoot vermoord, mijnheer.'

De stem uit het bed klonk zacht en hees, met niet meer dan een zweempje van een buitenlands accent, maar alle drie de mannen schrokken op alsof ze trompetgeschal hoorden. Maria Mayrhofer lag op haar zij, met haar haren in warrige plukken over het kussen. Haar ogen waren groot en schitterden van de koorts, maar keken toch helder en intelligent.

Trevelyan knielde onmiddellijk naast haar neer en voelde aan haar wangen en voorhoofd. 'Scanlon,' zei hij, op een toon die tegelijkertijd bevelend en smekend klonk.

De apotheker liep meteen naar het bed, voelde voorzichtig onder haar kaak en keek in haar ogen – maar zij draaide haar hoofd weg en deed haar ogen dicht.

'Het gaat wel,' zei ze. 'Die man –' Ze gebaarde naar Grey. 'Wie is dat?'

Grey stond op, waarbij hij het dek vervaarlijk onder zijn voeten voelde deinen, en maakte een buiging voor haar.

'Ik ben majoor John Grey, mevrouw. Ik ben door de Koning aangesteld om een zaak te onderzoeken...' Hij aarzelde en wist niet precies hoe – en of – hij dit moest uitleggen. 'Een zaak die ook uzelf aangaat. Hoorde ik u zoëven zeggen dat u Herr Mayrhofer hebt vermoord?'

'Ja, dat heb ik gedaan.'

Scanlon was even bij zijn brouwsel gaan kijken en zij draaide haar hoofd om zodat ze Grey weer aan kon kijken. Ze was te verzwakt om haar hoofd van het kussen te tillen en toch sprak er een bepaalde trots uit haar ogen – een soort onbeschaamdheid, ondanks haar toestand – en opeens zag hij iets van datgene wat Trevelyan zo had aangetrokken.

'Maria...' Trevelyan legde waarschuwend een hand op haar arm, maar zij sloeg er geen acht op en bleef Grey dwingend aankijken.

'Wat doet het ertoe?' vroeg zij, haar stem zacht, maar zo helder als kristal. 'We zijn nu toch op zee. Ik voel de golven die ons dragen. Wij zijn ontkomen. Dit is jouw domein, nietwaar, Joseph? De zee is jouw koninkrijk en hier zijn we veilig.' Er speelde een klein glimlachje om haar lippen terwijl ze Grey aankeek, en het bezorgde hem een eigenaardig gevoel.

'Ik heb bericht achtergelaten,' voelde Grey zich genoodzaakt op te merken. 'Men weet waar ik ben.'

De glimlach werd breder. 'Dus iemand weet dat u op weg bent naar India,' zei ze spottend. 'Wat denkt u, zullen ze u achterna komen?'

India. Grey had van de dame geen toestemming gekregen om te gaan zitten in haar bijzijn, maar hij deed het toch. Hij dankte zijn slappe knieën zowel aan het deinen van het schip als aan de gevolgen van kwikvergiftiging – maar toch het meest aan het nieuws van hun bestemming.

Nog steeds vechtend tegen de duizeligheid, was zijn eerste gedachte er een van opluchting omdat hij toch nog even een briefje had gekrabbeld aan Quarry. *Dan zullen ze me in elk geval niet neerschieten als deserteur, wanneer – of als – ik erin slaag terug te keren.* Hij schudde even zijn hoofd en rechtte vervolgens zijn rug.

Het was niet anders, hij kon er niets aan veranderen, behalve zo goed mogelijk zijn plicht doen. Verder moest hij alles maar overlaten aan de Voorzienigheid.

'Dat kan wel zo zijn, mevrouw,' zei hij vastberaden, 'maar het is mijn plicht om de waarheid te ontdekken omtrent de dood van Timothy O'Connell. Als uw gezondheid het toelaat, zou ik graag willen horen wat u mij kunt vertellen.'

'O'Connell?' mompelde ze, rusteloos met haar hoofd draaiend en haar ogen half gesloten. 'Die naam, die man ken ik niet. Joseph?'

'Nee, lieveling, daar heb jij, daar hebben wij, niets mee te maken.' Trevelyan sprak op sussende toon en legde een hand op haar haar, maar bleef intussen onrustig naar haar kijken. Van hem naar haar kijkend, zag Grey het opeens ook. Haar gezicht werd lijkbleek, alsof de een of andere onbekende kracht al het bloed uit haar huid wegdrukte.

Van het ene moment op het andere lagen er grauwe schaduwen in de holtes van haar gelaat en werd de zachte welving van haar mond scherp en benepen, terwijl de lippen leken te verdwijnen. Ook de ogen leken weg te zinken in hun kassen. Trevelyan praatte tegen haar. Grey voelde de bezorgdheid in zijn stem, maar schonk geen aandacht aan de woorden. Hij had alleen maar aandacht voor de vrouw.

Scanlon kwam kijken en zei iets. Kinine, iets over kinine.

Een plotselinge rilling sloot haar ogen en verbleekte haar trekken. Het vlees leek nog strakker om haar schedel te trekken toen zij dieper onder de dekens kroop. Ze rilde verschrikkelijk. Grey had wel eens eerder malariarillingen gezien, maar schrok niettemin van de hevigheid van de aanval.

'Mevrouw,' begon hij, een hulpeloze hand naar haar uitstekend. Hij had geen idee wat hij kon doen, maar voelde dat hij iets moest doen, haar op de een of andere manier moest troosten – ze was zo breekbaar, zo weerloos in de greep van de ziekte.

'Ze kan niet met je praten,' zei Trevelyan en greep zijn arm. 'Scanlon!'

De apotheker stond bij een klein brandend stoofje en haalde er met een tang een grote steen uit die in de kolen had liggen opwarmen. Hij liet de steen in een opgevouwen linnen handdoek vallen en haastte zich ermee naar het bed, waar hij de hete steen onder de lakens tegen haar voeten legde.

'Kom mee,' zei Trevelyan, Grey aan zijn arm mee trekkend. 'Meneer Scanlon moet haar verzorgen. Ze kan toch niet praten.'

Dit was waar – en toch slaagde ze erin haar hoofd op te tillen en haar ogen te openen, haar tanden op elkaar geklemd tegen de rillingen die door haar lichaam woedden.

'J-J-J-Jos-seph!'

'Wat, lieveling? Wat kan ik doen?' Trevelyan liet Grey onmiddellijk in de steek en viel naast haar op zijn knieën.

Ze greep zijn hand en kneep er heel hard in, zich verzettend tegen de rilling die haar hele lichaam door elkaar schudde.

'V-V-Vertel het hem. Als wij a-allebei d-dood zijn... d-daar doe je g-goed aan!'

Allebei? dacht Grey verwonderd. Hij had echter nu geen tijd om over de betekenis van haar woorden na te denken. Scanlon was alweer terug met zijn dampende beker en had haar hoofd opgetild van haar kussen. Hij hield de beker tegen haar lippen en moedigde haar aan ervan te drinken terwijl intussen de gloeiende vloeistof over de rand klotste en langs haar trillende kin vloeide. Haar smalle handen kwamen omhoog en pakten de beker vast, zich vastklampend aan de vluchtige warmte. Het laatste wat hij zag voordat Trevelyan hem de hut uit duwde was de smaragden ring, die losjes om een mager vingertje bungelde.

Hij volgde Trevelyan door de duisternis omhoog naar het open dek. De eerste chaos van het hijsen van de zeilen was achter de rug en de helft van de bemanning was naar beneden gegaan. Eerder had Grey amper aandacht gehad voor zijn omgeving; nu zag hij de wolken sneeuwwit zeildoek hoog boven zijn hoofd opbollen, en het glimmend gewreven hout- en polijstwerk van het schip. De *Nampara* had alle zeilen gehesen en vloog over de golven. Hij voelde het schip – voelde *haar*, schepen werden 'zij' genoemd – onder zijn voeten gonzen en opeens maakte een onverwacht gevoel van vreugde zich van hem meester.

De golven waren van het grijs van de haven veranderd in het

lapisblauw van de diepzee en er blies een stevige wind door zijn haar die de geur van ziekte en benauwde ruimtes verdreef. Ook de laatste resten van zijn eigen ziekte leken door de wind te worden weggeblazen – misschien alleen omdat zijn verschijnselen zo onbeduidend leken, in vergelijking met de verschrikkingen die de vrouw beneden moest doorstaan.

Er heerste nog steeds een drukte van belang aan dek en er werd voortdurend heen en weer geschreeuwd tussen het dek en het mysterieuze koninkrijk van zeildoek daarboven, maar alles verliep nu ordelijker, minder indringend. Trevelyan baande zich een weg naar het achterschip, waar hij een plekje aan de reling vond waar zij de matrozen niet voor de voeten zouden lopen, en daar bleven zij een tijdje staan kijken hoe de laatste aanblikken van Engeland in de mist verdwenen.

'Denk je dat ze zal sterven?' vroeg Grey tenslotte. Het was bijna het enige waaraan hij zelf kon denken, dus dat moest voor Trevelyan ook wel gelden.

'Nee,' beet de man uit Cornwall hem toe. 'Ze gaat niet dood.' Hij leunde tegen de reling en keek somber uit over het voortrazende water.

Grey zei niets meer, maar sloot zijn ogen en liet de glinstering van de zon op de golven in een dansend patroon van rood en zwart tegen de binnenkant van zijn oogleden spelen. Het was niet nodig om aan te dringen. Ze hadden nu tijd genoeg.

'Het gaat slechter met haar,' zei Trevelyan, toen hij de stilte niet langer kon verdragen. 'En dat hoort niet. Ik heb wel vaker malaria gezien. De eerste aanval is meestal de ergste – als er kinabast voorhanden is voor behandeling, verlopen de aanvallen vervolgens minder frequent, minder ernstig. Dat zegt Scanlon ook,' voegde hij er nog aan toe.

'Lijdt ze al lang aan deze ziekte?' vroeg Grey nieuwsgierig. Het was geen ziekte die stadsbewoners vaak trof, maar wellicht had de vrouw het opgelopen tijdens haar reizen met Mayrhofer.

'Twee weken.'

Toen Grey zijn ogen opende, zag hij Trevelyan rechtop en met opgeheven kin in de wind staan. Er stonden tranen in zijn ogen, maar die werden misschien veroorzaakt door de snijdende wind.

'Ik had het hem niet moeten laten doen,' mompelde Trevelyan. Zijn handen klemden zich in machteloze woede om de reling. 'Jezus, hoe heb ik het hem kunnen laten doen?'

'Wie?' vroeg Grey.

'Scanlon, natuurlijk.' Trevelyan wendde zich een ogenblik af om met zijn hand over zijn ogen te wrijven, en leunde toen, met zijn rug naar de zee, tegen de reling. Hij vouwde zijn armen over zijn borst en staarde somber voor zich uit, verdiept in de onheilspellende beelden die hij voor zich zag.

'Laten we een eindje lopen,' stelde Grey voor. 'Kom, de frisse lucht zal je goed doen.'

Trevelyan aarzelde, maar haalde toen zijn schouders op. Ze liepen enige tijd zwijgend naast elkaar rondjes over het dek, zo nu en dan matrozen ontwijkend die aan het werk waren.

Denkend aan de leren zolen van zijn laarzen en het deinende dek, liep Grey aanvankelijk heel voorzichtig, maar de houten planken waren droog en de bewegingen van het schip stimuleerden zijn zintuigen. Ondanks de netelige situatie waarin hij verkeerde, voelde hij zich steeds energieker door het bloed dat door zijn lichaam stroomde en zijn verkrampte ledematen verfriste. Voor het eerst in dagen voelde hij zich weer helemaal de oude.

Goed, hij zat gevangen op een schip dat op weg was naar India en waarschijnlijk zou het een hele tijd duren voordat hij weer thuis was. Maar hij was een soldaat, en gewend aan lange reizen en gescheiden zijn van zijn familie – en de gedachte aan India, met al zijn mysteriën van licht en bloederige verhalen, was onbetwistbaar opwindend. En hij kon er wel van op aan dat Quarry zijn familie zou vertellen dat hij naar alle waarschijnlijkheid nog in leven was.

Hij vroeg zich af wat zijn familie zou doen met de huwelijksvoorbereidingen. Trevelyans abrupte vlucht zou een enorm schandaal teweegbrengen – een schandaal dat alleen maar groter zou worden zodra men hoorde van Frau Mayrhofers betrokkenheid en de gruwelijke moord op haar man. Hij hechtte niet veel waarde aan haar bewering dat zij Mayrhofer had vermoord. Hij had per slot van rekening het lichaam gezien. Zelfs voor een vrouw in goede gezondheid zou het niet meevallen om dat voor elkaar te krijgen... en Maria Mayrhofer was tenger gebouwd en niet veel groter dan zijn nichtje Olivia.

Arme Olivia. Haar naam zou wekenlang door Londen gonzen als de afgewezen verloofde – maar haar persoonlijke reputatie was in elk geval gespaard gebleven. Wat een geluk dat de hele affaire vóór het huwelijk aan het licht was gekomen, en niet erna. Dat was in elk geval iets om dankbaar voor te zijn.

Zou Trevelyan er ook vandoor zijn gegaan als Grey hem niet voor het blok had gesteld? Of zou hij ervoor hebben gekozen om te blijven – met Olivia te trouwen, zijn zaken te behartigen, zich een beetje met politiek te bemoeien, zich in de allerhoogste kringen te bewegen als vertrouweling van hertogen en ministers, zijn façade als door-en-door betrouwbare zakenman op te houden – terwijl hij in het geheim zijn hartstochtelijke relatie met de weduwe Mayrhofer had voortgezet?

Grey wierp een zijdelingse blik op zijn metgezel. Trevelyan keek nog steeds somber, maar die korte glimp van pure wanhoop was verdwenen en hij had weer een vastberaden trek om zijn mond.

Wat ging er door de man heen? Het feit dat hij op deze manier op de vlucht was geslagen, en alle schandalen die daarmee gepaard gingen... het zou rampzalige gevolgen hebben voor zijn zakelijke aangelegenheden. Iedereen zou de gevolgen ondervinden van Trevelyans vlucht: zijn eigen bedrijven, zijn investeerders, zijn cliënten, de mijnwerkers en arbeiders, de kapiteins en matrozen, de klerken en pakhuismedewerkers die voor hem werkten – zelfs zijn broer in het parlement.

Toch liep hij als een man die recht op zijn doel afgaat, in plaats van als iemand die maar een beetje loopt te slenteren.

Grey herkende zowel de vastberadenheid als de wilskracht waar die uit voortkwam, maar hij begon zich ook te realiseren dat de façade van solide zakenman niet meer was dan dat. Eronder school een kwikzilverachtige geest, die in staat was de omstandigheden af te wegen en van het ene moment op het andere van koers te veranderen – en die meer dan meedogenloos was in zijn beslissingen.

Zijn hart sprong op toen hij zich realiseerde dat Trevelyan hem op de een of andere manier aan Jamie Fraser deed denken. Maar nee, Fraser was weliswaar ook meedogenloos en intelligent, en misschien wel even hartstochtelijk in zijn gevoelens – maar boven alles was hij een man van eer.

Bij wijze van contrast zag hij nu het diepgewortelde egoïsme dat in Trevelyans karakter school. Jamie Fraser zou degenen die van hem afhankelijk waren nooit in de steek hebben gelaten, zelfs niet voor een vrouw van wie hij – Grey kon het niet ontkennen – meer hield dan van het leven zelf. En wat het stelen van andersmans vrouw betreft, dat was helemaal ondenkbaar.

Een romanticus of een schrijver mocht dan vinden dat in de liefde alles geoorloofd was, maar Grey zelf vond dat een liefde die ten koste ging van eer minder oprecht was dan simpele wellust, en degenen verlaagde die zich erop beroemden.

'Mylord!'

Bij het horen van deze kreet keek hij omhoog en zag de beide Byrds als appeltjes boven zich in het want hangen. Hij zwaaide, blij dat Tom Byrd in elk geval zijn broer had teruggevonden. Zou iemand eraan denken de familie van de Byrds in te lichten? vroeg hij zich af. Of zouden zij nu een tijdlang in onzekerheid blijven over het lot van *twee* van hun zoons?

Die gedachte stemde hem somber, en meteen erop volgde een gedachte die nog erger was. Hoewel hij de rekwisities had gevonden, kon hij niemand vertellen dat hij dat had gedaan en dat de informatie dus veilig was. Tegen de tijd dat hij een haven bereikte en een brief kon sturen, zou het Ministerie van Oorlog zich allang genoodzaakt hebben gezien in actie te komen.

En zij zouden van de veronderstelling uitgaan dat de informatie wel degelijk in vijandelijke handen was gevallen – een onthutsende veronderstelling, in termen van de strategische maatregelen die zouden moeten worden genomen, en de kosten daarvan. Kosten die misschien wel niet alleen in geld moesten worden betaald, maar ook in mensenlevens.

Hij drukte een elleboog tegen zijn zij en voelde het geritsel van de papieren die hij daar had weggestopt. Hij moest zich verzetten tegen de plotselinge opwelling zichzelf overboord te werpen en in de richting van Engeland te zwemmen, net zolang tot uitputting hem onder water trok. Hij was in zijn opdracht geslaagd – maar het resultaat zou hetzelfde zijn als wanneer hij jammerlijk zou hebben gefaald.

Behalve dat het de verwoesting van zijn eigen carrière betekende, zou het ook Harry Quarry en zijn regiment ernstig schaden – evenals Hal. Een spion binnen de gelederen te hebben gehad was al erg genoeg. Niet in staat zijn gebleken hem tijdig in de kraag te vatten was nog veel erger.

Het zag ernaar uit dat hij alleen het genoegen zou smaken eindelijk de waarheid te horen. Tot nu toe had hij er nog maar een fractie van te horen gekregen – maar het was nog een lange reis naar India en aangezien Trevelyan en Scanlon net zo min een kant op konden als hij, zou hij nu eindelijk alles te weten komen.

'Hoe wist je dat ik aan syfilis lijd?' vroeg Trevelyan abrupt.

'Ik heb je pik gezien, boven de pispotten in de Beefsteak,' antwoordde hij bot.

Het kwam hem nu belachelijk voor dat hij ook maar een ogenblik last had gehad van schaamte of aarzeling. Maar aan de andere kant – zou het iets hebben uitgemaakt als hij meteen zijn mond open had gedaan?

Trevelyan keek verrast op. 'Echt waar? Ik kan me niet herinneren je daar te hebben gezien. Ik dacht op dat moment waarschijnlijk ergens anders aan.'

Op dit moment dacht hij in elk geval ook aan iets anders. Hij liep langzamer en een matroos met een vaatje op zijn schouder moest opzij springen om een botsing te voorkomen. Grey pakte Trevelyan bij zijn mouw en leidde hem naar de beschutting van de voorste mast. Daar stond een reusachtige waterton, met een dunne ketting eraan waaraan een tinnen kroes hing.

Grey dronk wat water uit de beker en genoot ondanks zijn sombere bui van het koele water in zijn mond. Het was voor het eerst in dagen dat hij weer iets proefde.

'Dat moet dan...' Trevelyan kneep zijn ogen half toe en dacht na. 'Begin juni – de zesde geweest zijn?'

'Zo ongeveer. Maakt dat iets uit?'

Trevelyan haalde zijn schouders op en pakte de beker van Grey over. 'Niet echt. Alleen was dat de dag dat ik die zweer zelf voor het eerst zag.'

'Dat zal een hele schok geweest zijn,' zei Grey.

'Nogal,' antwoordde Trevelyan droogjes. Hij dronk en liet de beker toen weer in de ton vallen.

'Misschien was het beter geweest om niets te zeggen,' vervolgde de man uit Cornwall, alsof hij het tegen zichzelf had. 'Maar... nee. Dat was ook niet goed geweest.' Hij wuifde de gedachte meteen weer weg. 'Ik kon het amper geloven. Ik heb de rest van de dag in een soort waas rondgelopen, en de hele avond zitten verzinnen wat ik moest doen – maar ik wist dat het van Mayrhofer afkomstig was, dat kon niet anders.'

Toen hij opkeek en Grey's blik zag, verscheen er een wrange glimlach op zijn gezicht. 'Nee, niet rechtstreeks. Via Maria. Ik had met geen enkele andere vrouw meer het bed gedeeld sinds ik met haar was begonnen, en dat was meer dan een jaar daarvoor. Maar het was wel duidelijk dat zij was besmet door die hoerenlopende klootzak van een man van haar. Zij was onschuldig.'

En ze was niet alleen onschuldig, maar ook onwetend. Aangezien hij haar niet meteen met zijn ontdekking wilde confronteren, was Trevelyan allereerst naar haar arts gegaan.

'Ik heb toch verteld dat zij een kind had verloren, vlak voordat ik haar leerde kennen? Ik slaagde erin de arts die haar destijds had behandeld aan het praten te krijgen. Hij bevestigde dat het kind misvormd was geweest, ten gevolge van de geslachtsziekte waaraan de moeder leed – maar daar had hij vanzelfsprekend zijn mond over gehouden.'

Trevelyans vingers trommelden rusteloos op het deksel van het vat. 'Het kind werd misvormd geboren, maar het leefde wel. Het overleed in de wieg, één dag na de geboorte. Mayrhofer smoorde het, omdat hij er geen last van wenste te hebben en ook niet wilde dat zijn vrouw achter de reden van de misvorming kwam.'

Grey voelde zijn maag samenkrimpen. 'Hoe weet je dat?'

Trevelyan wreef een hand over zijn gezicht, alsof hij vermoeid was. 'Reinhardt heeft het opgebiecht – tegen Maria. Ik heb de dokter namelijk meegenomen naar Maria en hem gedwongen haar alles te vertellen wat hij mij had verteld. Ik dacht dat als ze wist wat Mayrhofer had gedaan – haar besmetten, hun kind ter dood veroordelen – ze dan misschien wel bij hem weg zou gaan.'

Maar dat deed ze niet. Nadat ze de dokter zwijgend had aangehoord, had ze een hele tijd zitten nadenken en vervolgens zowel Trevelyan als de dokter gevraagd om weg te gaan. Zij wilde alleen zijn.

Ze was een hele week alleen gebleven. Haar echtgenoot was van huis en de enige mensen die zij zag waren de bedienden die haar maaltijden kwamen brengen – die zij overigens stuk voor stuk weer onaangeroerd liet meenemen.

'Ze vertelde me dat ze aan zelfmoord had gedacht,' zei Trevelyan, uitkijkend over de eindeloze zee. 'Het leek haar beter er meteen een einde aan te maken, in plaats van heel langzaam te sterven, en op zo'n manier. Heb je wel eens iemand zien sterven aan syfilis, Grey?'

'Ja,' zei Grey, die meteen de vieze smaak in zijn mond weer voelde terugkeren. 'In Bedlam.'

Eén man was hem in het bijzonder bijgebleven, een man wiens ziekte hem zowel van zijn neus als van zijn evenwichtsgevoel had beroofd, zodat hij als een dronkeman over de vloer zwalkte, hulpeloos tegen andere gevangen aan botsend, met zijn voet in een nachtspiegel stappend, terwijl de tranen en het snot vrijelijk over zijn gegroefde gezicht stroomden. Hij kon alleen maar hopen dat de syfilis de man uiteindelijk ook van zijn verstand had beroofd, zodat hij zich niet langer bewust was geweest van zijn situatie.

Hij keek Trevelyan aan en probeerde zich dat intelligente, knappe gezicht kwijlend en volledig verwoest voor te stellen. Dat ging gebeuren, realiseerde hij zich met een schok. De enige vraag was hoe lang het zou duren voordat de symptomen zichtbaar werden.

'Als ik het was, zou ik ook zelfmoord overwegen,' zei hij.

Trevelyan keek hem aan en glimlachte wrang. 'O ja? Dan lijken wij niet op elkaar,' zei hij, zonder de keuze van de ander te veroordelen. 'Die mogelijkheid was zelfs nooit bij me opgekomen, tot Maria mij haar pistool liet zien en me vertelde wat ze had overwogen.'

'Jij kon alleen maar denken hoe je van het feit gebruik kon maken om de dame van haar echtgenoot te scheiden?' zei Grey, die de scherpe klank in zijn eigen stem hoorde.

'Nee,' antwoordde Trevelyan, die niet beledigd leek. 'Hoewel dat vanaf onze allereerste ontmoeting mijn doel was geweest. Ik was dan ook niet van plan het op te geven. Nadat ze me had weggestuurd, probeerde ik haar weer te spreken te krijgen, maar zij weigerde mij te ontvangen.'

In plaats daarvan was Trevelyan aan de slag gegaan om uit te zoeken welke behandelingen er bestonden.

'Jack Byrd wist van het probleem af en hij was het die mij vertelde dat Finbar Scanlon veel van die dingen afwist. Hij was namelijk nog een keer teruggegaan naar de zaak van de apotheker om naar mevrouw O'Connels welzijn te informeren en had Scanlon op die manier beter leren kennen, zie je.'

'En daar kwam je sergeant O'Connell dus tegen, die op weg was naar zijn huis?' vroeg Grey, die het opeens begon te dagen. Trevelyan wist al van O'Connells diefstal en had meer mensen tot zijn beschikking dan alleen Jack Byrd. Hij was best in staat geweest, dacht Grey, om de sergeant te laten vermoorden, en de papieren voor zijn eigen doeleinden te gebruiken, in verband met Mayrhofer. En nu die doeleinden eenmaal waren bereikt, kon hij de papieren achteloos teruggeven, zonder zich te bekommeren om de schade die intussen was aangericht!

De gedachte alleen al deed zijn bloeddruk stijgen – maar Trevelyan stond hem met een effen blik aan te kijken.

'Nee,' zei hij. 'Ik heb O'Connell zelf maar één keer ontmoet. Boosaardig mannetje,' voegde hij eraan toe.

'En jij hebt hem niet laten vermoorden?' vroeg Grey met een sceptische klank in zijn stem.

'Nee, waarom zou ik?' Trevelyan keek hem verbaasd aan, maar toen verdween zijn frons. 'Jij dacht dat ik hem om zeep had laten helpen om de papieren in handen te krijgen?' Trevelyans mond vertrok; hij leek het nogal een grappig idee te vinden. 'Goeie God, John, je hebt wel een ontzettend lage dunk van mij!'

'En vind je dat onterecht?' vroeg Grey op ijzige toon.

'Nee, eigenlijk niet,' gaf Trevelyan toe terwijl hij met een vinger onder zijn neus wreef. Hij had zich recentelijk niet meer geschoren en de kleine waterdruppeltjes in zijn baardstoppels gaven hem een zilverachtige aanblik.

'Maar nee,' herhaalde hij. 'Ik had je al verteld dat ik niemand heb vermoord – en niets te maken heb gehad met O'Connells dood. Dat hoort bij het verhaal van meneer Scanlon, en ik weet zeker dat hij het je zal vertellen zodra hij kan.' Trevelyan keek onwillekeurig naar de deur naar de verblijven die zich benedendeks bevonden.

'Moet je niet bij haar zijn?' vroeg Grey zacht. 'Ga maar als je wilt. Ik wacht wel.'

Trevelyan schudde zijn hoofd en keek de andere kant op. 'Ik kan toch niets doen,' zei hij. 'En ik kan het nauwelijks verdragen te zien hoe ellendig ze eraan toe is. Scanlon komt me wel halen als... als ik nodig ben.'

Bij het zien van de onuitgesproken beschuldiging in Grey's houding, keek hij hem aan met een defensieve blik in zijn ogen. 'De laatste keer dat de koorts kwam opzetten, ben ik bij haar gebleven. Zij stuurde me weg, omdat ze er moeite mee had mij zo verdrietig te zien. Ze is liever alleen wanneer... wanneer het mis gaat.'

'Natuurlijk. Zoals ze ook alleen wilde zijn nadat ze het nieuws van haar dokter had gehoord.'

Trevelyan haalde diep adem en rechtte zijn schouders, alsof hij zich voorbereidde op een onaangename taak.

'Ja,' zei hij somber. 'Toen.'

Ze was een week alleen gebleven, op de bedienden na, die op haar verzoek zoveel mogelijk wegbleven. Niemand wist hoe lang ze zo had gezeten, die laatste dag in haar witte boudoir. Het was al geruime tijd donker toen haar man eindelijk was thuisgekomen. Hij had een beetje te diep in het glaasje gekeken, maar was nog helder genoeg om haar beschuldiging en haar eis om de waarheid over haar kind te horen te begrijpen.

'Ze zei dat hij begon te lachen,' zei Trevelyan, op afwezige toon, alsof hij verslag uitbracht van de een of andere zakelijke ramp; een ingestorte mijn misschien, of een gezonken schip. 'Toen vertelde hij haar dat hij de baby had gedood en dat ze hem daar dankbaar voor zou moeten zijn, omdat hij haar had bespaard dag-in dag-uit met de schaamte om haar misvormde kind te moeten leven.'

Hierop voelde de vrouw die jarenlang geduldig had geleefd met de wetenschap van zijn ontrouw en overspel haar huwelijksgeloftes knappen, en Maria Mayrhofer was over die dunne lijn gestapt die rechtvaardigheid scheidt van wraak. Uitzinnig van woede en verdriet, had ze hem alle beledigingen voor de voeten geworpen die zij in de jaren van hun huwelijk had moeten slikken en had gedreigd zowel zijn smerige affaires als het feit dat hij aan syfilis leed in de openbaarheid te brengen en hem openlijk aan de kaak te stellen als moordenaar.

De dreigementen hadden Mayrhofer ietwat ontnuchterd. Hij was wankelend weggelopen en had haar razend en huilend achtergelaten. Zij had het pistool dat een week lang haar onafscheidelijke metgezel was geweest naast zich liggen. Ze had vaak genoeg gejaagd in de heuvels in de buurt van haar Oostenrijkse geboortehuis en was gewend met wapens om te gaan. In een oogwenk had ze het wapen geladen.

'Ik weet niet precies wat haar bedoeling was,' zei Trevelyan, zijn blik strak op een zwerm meeuwen gevestigd die boven de oceaan zweefden en naar vis doken. 'Ze heeft mij verteld dat ze het zelf ook niet wist. Misschien was het haar bedoeling zichzelf te doden – of hen allebei.'

Wat er echter gebeurde was dat na enkele minuten de deur van haar boudoir weer openging en dat haar man weer naar binnen wankelde, gekleed in de groen-fluwelen japon die zij altijd droeg naar haar afspraakjes met Trevelyan. Met een rode kleur van drank en opwinding begon hij haar uit te dagen en te roepen dat ze hem toch niet durfde te verraden – omdat hij er anders voor zou zorgen dat zij en haar dierbare minnaar een nog veel hogere prijs zouden betalen. Wat zou er met Joseph Trevelyan gebeuren, vroeg hij, tegen de deurstijl leunend, als bekend zou worden dat hij niet alleen overspel pleegde maar het ook met mannen deed?

'En toen schoot ze hem neer,' besloot Trevelyan, met een licht schouderophalen. 'Recht door het hart. Kan je het haar kwalijk nemen?'

'Hoe denk je dat hij achter jullie rendez-vous in Lavender House is gekomen?' vroeg Grey, zonder op de vraag in te gaan. Hij vroeg zich enigszins nerveus af wat Richard Caswell over zijn eigen aanwezigheid daar, jaren geleden, had verteld. Trevelyan was er niet over begonnen, en dat had hij vast en zeker gedaan als...

Trevelyan schudde zijn hoofd, zuchtte, en kneep zijn ogen dicht tegen het felle licht van de zon op het water.

'Ik weet het niet. Zoals ik al zei was Reinhardt Mayrhofer een intrigant. Hij had zijn informatiebronnen – en hij kende Magda, die uit een dorpje in de buurt van zijn landgoed kwam. Ik betaalde haar goed, maar misschien betaalde hij wel beter. Per slot van rekening kan je een hoer nooit vertrouwen,' voegde hij er enigszins verbitterd aan toe.

Denkend aan Nessie dacht Grey dat dat van de hoer afhing, maar dat zei hij niet.

'Ik kan me niet voorstellen dat mevrouw Mayrhofer het gezicht van haar man zo heeft toegetakeld,' zei hij in plaats daarvan. 'Was dat jouw werk?'

Trevelyan opende zijn ogen en knikte. 'Van Jack Byrd en mij.' Hij tuurde omhoog naar het want, maar de twee Byrds waren gevlogen. 'Een goeie vent, Jack. Een goeie vent,' herhaalde hij, iets harder.

Weer bij haar positieven gekomen door het pistoolschot, was Maria Mayrhofer onmiddellijk haar boudoir uitgelopen en had een bediende geroepen, die ze met grote spoed naar de andere kant van de stad had gestuurd om Trevelyan te gaan halen. Nadat hij met zijn eigen trouwe bediende was gearriveerd, hadden zij samen het lichaam, nog steeds in groen fluweel gekleed, naar het koetshuis gedragen en intussen overlegd wat ze ermee zouden doen.

'Ik kon het me niet permitteren dat de waarheid aan het licht zou komen,' legde Trevelyan uit. 'Als het op een proces was uitgedraaid was Maria waarschijnlijk tot de galg veroordeeld – hoewel er nog nooit iemand om een betere reden is vermoord. Maar zelfs als zij was vrijgesproken, zou het proces alles aan het licht hebben gebracht. Alles.'

Het was Jack Byrd die op het idee was gekomen van het bloed. Hij was naar buiten geglipt en was teruggekomen met een emmer varkensbloed dat hij van de binnenplaats van een slager had weggehaald. Ze hadden met een spa het gezicht van de dode ingeslagen en vervolgens zowel het lichaam als de emmer in het rijtuig gelegd. Jack was op de bok geklommen en had de korte afstand naar St. James' Park afgelegd. Inmiddels was het al na middernacht en de toortsen die de openbare paden normaal gesproken verlichtten waren al lang gedoofd.

Ze hadden de paarden gekluisterd en het lichaam snel een eindje het park in gedragen, waar ze het onder een struik hadden gelegd en met bloed hadden overgoten, waarna ze er in het rijtuig weer vandoor waren gegaan.

'We hoopten dat het lichaam zou worden aangezien voor dat van een gewone prostituée,' legde Trevelyan uit. 'Als niemand het aan een nauwkeurig onderzoek onderwierp, zou men aannemen dat het een vrouw was. En als ze erachter kwamen dat het een man was... nu ja, dan zou dat wel enige verwondering wekken, maar mannen van bepaalde perverse voorkeuren komen ook wel eens op gewelddadige wijze aan hun einde.'

'Absoluut,' mompelde Grey, die zijn best deed een neutrale blik op zijn gezicht te houden. Het was geen slecht plan – en hij was, ondanks alles, toch wel trots dat hij het allemaal goed had gezien. De dood van een anonieme prostituée, ongeacht van welke sekse, was geen aanleiding voor het instellen van een onderzoek.

'Maar waarom dat bloed? Het was immers wel duidelijk – zodra iemand even goed keek – dat de man was neergeschoten.'

Trevelyan knikte. 'Ja. Maar wij dachten dat het bloed wellicht de doodsoorzaak zou verhullen door te suggereren dat hij was doodgeslagen. Het was echter vooral de bedoeling te voorkomen dat iemand het lijk zou uitkleden en op die manier achter het geslacht zou komen.'

'Natuurlijk.' Bruikbare kleding die op een lijk werd aangetroffen werd altijd uitgetrokken en verkocht, hetzij door de politiemannen die het lichaam vonden, hetzij door de eigenaar van het lijkenhuis waar het naar toe werd gebracht, of door de grafdelver die het lijk op het een of andere anonieme armenveldje moest begraven. Maar in dit geval had niemand – behalve Grey zelf – het doorweekte, stinkende kledingstuk willen aanraken.

Als de groen-fluwelen japon Magruder niet was opgevallen, of als zij zo verstandig waren geweest het lijk in een ander deel van de stad achter te laten, had naar alle waarschijnlijkheid niemand de moeite genomen het lichaam nader te bekijken. Het zou gewoon het zoveelste slachtoffer zijn geweest van de Londense onderwereld en niemand zou er verder bij stil hebben gestaan, zoals ook niemand stilstond bij de dood van een zwerfhond die onder de wielen van een rijtuig was verpletterd.

'Sir?'

Hij had de voetstappen niet horen aankomen en schrok toen Jack Byrd opeens achter hen opdook. Zijn donkere gezicht keek ernstig. Trevelyan wierp er één blik op en rende meteen naar de deuren van de kajuitstrap.

'Gaat mevrouw Mayrhofer achteruit?' vroeg Grey terwijl hij Trevelyan nakeek, die struikelend tussen een aantal matrozen doorliep die zeildoek zaten te repareren.

'Ik weet het niet, mylord. Volgens mij gaat het iets beter. Meneer Scanlon vroeg me om meneer Joseph te gaan halen. En ik moest u vertellen dat hij straks in de mess zit, als u hem nog even wilt spreken,' voegde hij er op het laatste moment aan toe.

Grey keek de jongeman aan en voelde een schok van herkenning. Niet de familiegelijkenis met de jonge Tom; iets anders. Jack Byrd stond nog steeds zijn meester na te kijken, die inmiddels het luikgat had bereikt. Hij merkte niet dat Grey naar hem keek, en in dit onbewaakte ogenblik nam Grey's onderbewustzijn iets waar, lang voordat zijn verstand het kon beredeneren.

Het volgende ogenblik was het weer weg. Jack Byrd draaide zich om naar Grey en zijn gezicht veranderde weer in een oudere, magerder versie van dat van zijn jongere broer.

'Heeft u Tom nog nodig, mylord?' vroeg hij.

'Op dit moment niet,' antwoordde Grey automatisch. 'Ik ga even met meneer Scanlon praten. Zeg maar tegen Tom dat ik hem zal laten roepen wanneer ik hem nodig heb.'

'Heel goed, mylord.' Jack Byrd boog plechtig, een elegante lakeienbuiging die vreemd afstak bij zijn zeemanskleding, en liep weg, het aan Grey overlatend zijn eigen weg te vinden.

Op zoek naar de eetzaal van de bemanning liep hij naar beneden, maar hij had nauwelijks aandacht voor zijn omgeving, in gedachten alsnog zoekend naar logische verbanden die de conclusie konden schragen waartoe zijn zintuigen waren gekomen.

Jack Byrd wist van het probleem af, had Trevelyan gezegd, doelend op zijn eigen aandoening. *Hij was het die mij vertelde dat Finbar Scanlon veel van zulke dingen afwist.*

En Maria Mayrhofer had gezegd dat haar man Trevelyan had bedreigd en had gevraagd wat er met hem zou gebeuren als bekend zou worden dat hij niet alleen overspel pleegde, maar het ook met mannen deed?

Niet zo snel, hield Grey zichzelf voor. Naar alle waarschijnlijkheid had Mayrhofer het alleen maar gehad over Trevelyans connectie met Lavender House. En het was bepaald niet ongebruikelijk voor een toegewijde bediende om op de hoogte te zijn van de intieme probleempjes van zijn meester – hij dacht maar liever niet aan wat Tom misschien wel van zijn intieme probleempjes wist.

Nee, dit waren niet echt bewijzen, moest hij concluderen. Zo mogelijk nog minder concreet – maar daarom juist misschien wel des te betrouwbaarder – was zijn eigen gevoel ten opzichte van Joseph Trevelyan. Grey beschouwde zichzelf niet als onfeilbaar, in geen geval – hij zou in geen honderd jaar Egbert Jones' identiteit als 'juffrouw Irons' hebben geraden als hij het niet met eigen ogen had gezien – en toch was hij er zo goed als zeker van dat Joseph Trevelyan niet 'zo' was.

Zijn bescheidenheid opzij zettend ten behoeve van de logica, moest hij eerlijk toegeven dat deze conclusie voornamelijk was gebaseerd op het ontbreken van enige respons van Trevelyan op zijn eigen persoon. Mannen zoals hij leefden in de verborgenheid – maar niettemin bestonden er signalen, en die kon hij erg goed lezen.

Misschien was er dus wel helemaal niets aan de hand, niets anders dan de oprechte toewijding van een goede bediende. Maar er school meer dan toegewijde dienstbaarheid in de ziel van Jack Byrd, daar durfde hij wel een paar flessen cognac om te verwedden. Dit hield hij zichzelf voor terwijl hij als een aap afdaalde in het inwendige van het schip, op zoek naar Finbar Scanlon en de laatste stukjes van zijn puzzel.

En nu dan eindelijk, de waarheid.

'Welaan, ziet u, wij zijn soldaten, wij Scanlons,' begon de apotheker, bier inschenkend uit een kruik. 'Dat is een familietraditie. Elke mannelijke telg, de afgelopen vijftig jaar, behalve degenen die met een handicap worden geboren of er lichamelijk te zwak voor zijn.'

'Jij maakt niet bepaald een zwakke indruk,' merkte Grey op. 'En gehandicapt ben je ook al niet.' Scanlon was een goed gebouwde man, stevig en recht van lijf en leden.

'O, ik ben ook soldaat geworden,' verzekerde de man hem met een glinstering in zijn ogen. 'Ik heb een tijdje in Frankrijk gediend, maar had het geluk te worden aangewezen als assistent van de regimentsarts toen zijn vaste assistent de geest gaf op het slagveld.'

Scanlon bleek zowel talent voor als affiniteit met het werk te hebben, en binnen een paar maanden had hij alles geleerd wat de arts hem kon leren.

'Toen stuitten we bij Rouaan op Franse artillerie,' zei hij met een licht schouderophalen. 'Kartets.' Hij leunde naar achteren op zijn stoel, haalde zijn hemd uit zijn broek en tilde het op om Grey een vormeloos web van nog roze littekens op een gespierde buik te tonen.

'Ging dwars door me heen en voor ik het wist lag ik met uitpuilende ingewanden op de grond,' zei hij nonchalant. 'Maar door tussenkomst van de Heilige Moeder was de regimentsarts in de buurt. Hij pakte mijn darmen in zijn hand en propte ze gewoon terug in mijn buik, waarna hij me stijf inpakte in verband met honing.'

Als door een wonder had Scanlon het overleefd, maar vervolgens was hij lichamelijk natuurlijk niet langer geschikt geweest voor het leger. Op zoek naar een ander middel van bestaan, was hij toch weer uitgekomen bij zijn belangstelling voor de geneeskunde en was in de leer gegaan bij een apotheker.

'Maar mijn broers en mijn neven zijn bijna allemaal nog soldaat,' zei hij terwijl hij een slok bier nam en genietend zijn ogen sloot. 'En wij hebben geen van allen veel op met mannen die zich schuldig maken aan verraad.'

Na de aanval op Francine had Jack Byrd Scanlon en Francine verteld dat de sergeant hoogstwaarschijnlijk een spion was en in het bezit van waardevolle documenten. En bij zijn vertrek had O'Connell Francine toegeschreeuwd dat hij terug zou komen om af te maken waaraan hij begonnen was.

'Van wat Jack vertelde over de slet met wie O'Connell samenleefde, kon ik me niet voorstellen dat hij alleen terug zou komen om Francie te vermoorden. En dat betekende' – Scanlon trok een wenkbrauw op – 'dat hij òf terug zou komen om iets op te halen wat hij had achtergelaten, of om iets achter te laten wat hij in zijn bezit had. En God weet dat er niets voor hem was om mee te nemen.'

Tot deze slotsom gekomen, was de volgende stap Francines kamer te doorzoeken en ook de winkel beneden.

'Ze bleken in een van die holle mallen te zitten waarop die condooms staan uitgestald waar u naar stond te kijken toen u die eerste keer in de zaak was,' zei Scanlon met een schuin lachje. 'Ik zag meteen wat het waren – en hoezeer ik intussen ook op de jonge Jack gesteld was geraakt, toch leek het me beter ze voorlopig nog even bij me te houden, tot ik de juiste persoon zou tegenkomen om ze aan over te dragen. Zoals uzelf, sir.'

'Alleen heb je dat niet gedaan.'

De apotheker rekte zich uit, waarbij zijn lange armen bijna het lage plafond raakten, en liet zich toen weer loom achterover zakken op zijn stoel.

'Nou, nee. Ten eerste kende ik u toen nog niet, sir. En er gebeurden opeens een heleboel dingen tegelijk. Zo moest ik bijvoorbeeld Tim O'Connell zien tegen te houden. Hij had immers gezegd dat hij terug zou komen – en je kon van hem zeggen wat je wilde, maar hij was een man van zijn woord.'

Scanlon was meteen een aantal vrienden en familieleden gaan optrommelen, allemaal soldaten of ex-soldaten – 'En ik weet zeker dat u mij zult vergeven als ik hun namen achterwege laat,' zei Scanlon met een klein ironisch buiginkje naar Grey – die op de loer waren gaan liggen in de winkel, in Francines kamer, boven, of in de grote kast waar Scanlon zijn reservevoorraden bewaarde.

En nog diezelfde avond was O'Connell teruggekomen, zodra het donker was.

'Hij had een sleutel. Hij doet de deur open, sluipt geruisloos de winkel in, loopt naar de kast, pakt die mal op – en ziet dat hij leeg is.'

Toen de sergeant zich omdraaide had Scanlon achter de toonbank gestaan, met een sardonische glimlach op zijn gezicht.

'Hij werd zo rood als een biet,' zei de apotheker. 'Dat zag ik in het lamplicht dat door het gordijn bij de trap scheen. En zijn ogen leken wel op die van een kat. "Die hoer," zei hij. "Ze heeft het je verteld. Waar zijn ze?"'

Met gebalde vuisten was O'Connell op Scanlon afgestormd, maar stond opeens oog in oog met een hele groep woedende Ieren, die de trap af renden en uit de kast te voorschijn kwamen en in hun haast over de toonbank sprongen.

'En toen hebben we hem een beetje gegeven van wat hij die arme Francie had gegeven,' zei de apotheker, met een harde uitdrukking op zijn gezicht. 'En we hebben er de tijd voor genomen.'

En de bewoners van de huizen aan weerskanten van de apotheek hadden nog wel met uitgestreken gezichten staan verkondigen dat ze die avond geen geluid hadden gehoord, herinnerde Grey zich cynisch. Tim O'Connell was geen populaire man geweest.

Eenmaal dood, mocht O'Connell natuurlijk niet worden gevonden in het pand van Scanlon. Daarom had het lichaam een paar uur achter de toonbank gelegen, tot het in de vroege ochtenduren stil was geworden op straat. Nadat zij het lijk in een lap zeildoek hadden gewikkeld, hadden de mannen het weggedragen in de kille duisternis van verborgen steegjes en het van Puddle Dock gegooid – 'als het vuilnis dat hij was, sir' – nadat zij hem eerst het uniform hadden uitgetrokken, waarop een verrader als hij helemaal geen recht had. Bovendien was het nog best wat waard.

De volgende dag was Jack Byrd teruggekomen, in gezelschap van zijn werkgever, meneer Trevelyan.

'En de Honorable meneer Trevelyan had een brief bij zich van Lord Melton, de kolonel van uw regiment, sir – heeft hij me niet verteld dat dat uw broer is? – waarin hij hem vroeg om uit te zoeken wat O'Connell van plan was. Hij vertelde me dat Lord Melton zelf in het buitenland verbleef, maar kennelijk wist meneer Trevelyan alles van de zaak af, dus leek het me logisch de documenten aan hem te overhandigen, zodat hij ervoor kon zorgen dat ze bij de juiste persoon terecht zouden komen.'

'Dus daar ben je ingetrapt?' zei Grey. 'Maar dat geeft niet, hij heeft wel betere mensen dan jij voor de gek gehouden, Scanlon.'

'Inclusief uzelf, bedoelt u, sir?' Scanlon trok zijn zwarte wenkbrauwen op en lachte zijn gave tanden bloot.

'Ik dacht eerder aan mijn broer,' zei Grey met een grijns terwijl hij zijn beker hief. 'Maar ik natuurlijk ook.'

'Maar nu heeft hij u de documenten toch teruggegeven, sir?' Scanlon fronste. 'Hij zei dat hij dat zou doen.'

'Dat heeft hij gedaan, ja.' Grey legde zijn hand op zijn jaszak, waarin de papieren zaten. 'Maar aangezien de documenten op dit moment samen met mij op weg zijn naar India, ben ik niet in de gelegenheid de "juiste personen" daarvan op de hoogte te stellen, dus ik had ze net zo goed niet terug kunnen vinden.'

'Maar dat is immers altijd nog beter dan dat ze in de handen van de Fransozen waren gevallen, of niet soms?' Grey zag de eerste tekenen van twijfel in Scanlons ogen verschijnen.

'Niet echt.' Grey legde de kwestie in het kort aan hem uit, terwijl Scanlon intussen met een diepe frons op de tafel zat te tekenen in een plasje gemorst bier.

'Aha, ik begrijp het,' zei hij en zweeg. 'Misschien,' zei de apotheker enige ogenblikken later, 'moet ik eens met hem gaan praten.'

'Heb je de indruk dat hij naar je zal luisteren dan?' In Grey's vraag klonk zowel ongelovigheid als nieuwsgierigheid door, maar Finbar Scanlon lachte alleen maar en rekte zich uit, waarbij de spieren van zijn onderarmen duidelijk zichtbaar werden onder zijn huid.

'O, dat denk ik wel, sir. Meneer Trevelyan is zo vriendelijk geweest om te zeggen dat hij bij mij in het krijt staat – en dat is ook zo.'

'Omdat je mee bent gekomen om zijn vrouw te verzorgen? Ja, dat zal hem wel dankbaar stemmen.'

De apotheker schudde zijn hoofd. 'Dat ook, sir, maar dat was meer een zakelijke afspraak. Wij zijn overeengekomen dat hij ervoor zou zorgen dat Francie veilig naar Ierland kon reizen, met genoeg geld om voor zichzelf en de baby te zorgen tot ik terug ben, plus een som voor mijn diensten. En zodra mijn diensten niet meer nodig zijn, zal ik in de dichtstbijzijnde haven aan land worden gezet, en betaalt hij mijn thuisreis naar Ierland.'

'O ja? Welnu, dan –'

'Ik bedoel de genezing, sir.'

Grey keek hem niet-begrijpend aan. 'Genezing? Wat, van de syfilis?'

'Ja, sir. De malaria.'

'Waar heb je het in vredesnaam over, Scanlon?'

De apotheker pakte zijn beker, dronk zijn bier en zette hem met een zucht van tevredenheid weer neer.

'Het is iets wat ik van die legerarts heb geleerd, sir – de man die mijn leven heeft gered. Hij heeft het me verteld toen ik ziek op bed lag en ik heb sindsdien verschillende keren meegemaakt dat het werkte, in het leger.'

'Maar wat heb je dan gezien?'

'De malaria. Als een man die aan de sief lijdt toevallig ook nog eens malaria oploopt is hij, zodra hij van de koorts is hersteld – als dat tenminste gebeurt – ook genezen van syfilis.'

Scanlon knikte hem toe en hief met een blik van gezaghebbend zelfvertrouwen zijn beker. 'Het werkt echt, sir. En hoewel de derdedaagse koorts zo nu en dan nog wel eens de kop opsteekt, komt de syfilis niet meer terug. De koorts verdrijft het uit het bloed, begrijpt u wel?'

'Goeie God,' zei Grey, toen tot hem doordrong wat er was gebeurd. 'Heb jij het haar gegeven – heb jij die vrouw met malaria geïnfecteerd?'

'Inderdaad, sir. En hetzelfde heb ik vanmorgen voor meneer Trevelyan gedaan, met bloed dat ik heb afgenomen van een stervende matroos in de buurt van de East India Docks. Meneer Trevelyan vond het erg toepasselijk dat hij door een van zijn eigen mensen zou worden genezen.'

'Dat zal best!' zei Grey op vernietigende toon. Dat was het dus. Toen hij de kerven in de arm van Trevelyan had gezien, had hij gedacht dat Scanlon de man had adergelaten. Hij had niet kunnen vermoeden –

'Dus je doet het met bloed? Ik dacht dat de koorts werd overgebracht door het inademen van besmette lucht.'

'Dat is vaak ook zo, sir,' zei Scanlon. 'Maar het geheim van de genezing zit in het bloed, begrijpt u? De entstof was het geheim dat de legerarts had ontdekt en aan mij heeft doorgegeven. Hoewel het, om een goede infectie te krijgen, soms nodig is om het te herhalen,' voegde hij eraan toe, met een vinger onder zijn neus wrijvend. 'Met mevrouw Maria heb ik geluk gehad. Na een week gloeide ze al netjes van de koorts. Hopelijk gaat het bij meneer Trevelyan ook zo snel. Hij wilde namelijk niet met de behandeling beginnen voordat we veilig op zee waren.'

'Ik begrijp het,' zei Grey. En hij begreep het heel goed. Trevelyan was er niet met Maria Mayrhofer vandoor gegaan om samen met haar te sterven – maar omdat hij hoopte hun ziekte te overwinnen.

'Precies, sir.' Er gloeide een triomfantelijke blik in de ogen van de apotheker. 'U begrijpt nu dus ook, sir, waarom ik denk dat meneer Trevelyan wel bereid zal zijn om naar mij te luisteren?'

'Ik begrijp het, Scanlon,' antwoordde Grey. 'En zowel het leger als ik persoonlijk zullen je dankbaar zijn als je er op de een of andere manier voor kunt zorgen dat die informatie zo snel mogelijk in Londen terechtkomt.'

Hij schoof zijn stoel naar achteren, maar kon het niet laten om nog een venijnige opmerking te maken. 'Maar ik denk dat je het wel snel moet doen. Zijn dankbaarheid zou wel eens aanzienlijk kunnen afnemen als Frau Mayrhofer ten gevolge van jouw briljante behandeling het loodje legt.'

18 Gods dobbelstenen

Na acht dagen was Maria Mayrhofer nog steeds in leven – maar Grey zag de sombere blik in Trevelyans ogen en wist dat hij vreselijk tegen het moment opzag dat de koorts terug zou komen. Ze had nog twee koortsaanvallen weten te doorstaan, maar Jack Byrd had tegen Tom verteld – die het natuurlijk weer aan hem had verteld – dat het kantje boord was geweest.

'Volgens Jack is ze niet meer dan een gelige geest,' vertelde Tom hem. 'Meneer Scanlon is erg ongerust, hoewel hij zich groot houdt en blijft volhouden dat ze het wel zal redden.'

'Dat hopen we natuurlijk allemaal, Tom.' Hij had Frau Mayrhofer niet meer gezien, maar wat hij bij die eerste ontmoeting van haar had gezien, had indruk op hem gemaakt. Hij had de neiging vrouwen anders te zien dan de meeste mannen. Hij beschouwde gezichten, borsten en billen als voorwerpen van schoonheid in plaats van wellust en was derhalve niet blind voor de persoonlijkheden erachter. Hij had de stellige indruk dat Maria Mayrhofer zo'n krachtige persoonlijkheid had dat ze in staat was de dood te overwinnen – als ze dat wilde.

En zou ze het willen? Hij had het idee dat ze zich heen en weer getrokken moest voelen tussen twee polen: de kracht van haar liefde voor Trevelyan die haar in de richting van het leven trok, terwijl de schimmen van haar vermoorde man en kind haar juist naar de dood trokken. Misschien had ze Scanlons entstof als een soort gok beschouwd, waarmee ze het aan God overliet de dobbelstenen te werpen. Als ze de malaria overleefde, zou ze bevrijd zijn – niet alleen van de ziekte, maar ook van haar vroegere leven. Zo niet... ach, dan zou ze bevrijd zijn van het leven, voor eens en voor altijd.

Grey lag wat te luieren in de hangmat die hij had gekregen in de verblijven van de bemanning, terwijl Tom in kleermakerszit op de grond een sok zat te stoppen.

'Brengt meneer Trevelyan veel tijd met haar door?' vroeg hij loom.

'Zeker, mylord. Jack zegt dat hij zich niet meer weg laat sturen, en nauwelijks van haar zijde wijkt.'

'O.'

'Jack maakt zich ook zorgen,' zei Tom terwijl hij ingespannen doorwerkte. 'Maar ik weet niet of hij zich zorgen maakt om haar, of om hem.'

'O,' zei Grey nogmaals, zich afvragend hoeveel Jack zijn broer had verteld – en hoeveel Tom vermoedde.

'U kunt die laarzen beter uit laten, mylord, en op blote voeten lopen, net als de matrozen. Moet u zien wat een knol!' Ter illustratie stak hij twee vingers door het gat en keek met een verwijtende blik naar Grey op. 'En bovendien zult u uw nek nog breken als u nog eens uitglijdt op het dek.'

'Je zult wel gelijk hebben, Tom,' zei Grey, zich met zijn tenen afzettend tegen de wand om de hangmat in beweging te brengen. Na tot twee keer toe bijna zijn nek te hebben gebroken op een nat dek, was hij tot dezelfde conclusie gekomen. Waar had je per slot van rekening laarzen en sokken voor nodig?

Opeens klonk er van het bovendek een kreet die zelfs door de dikke planken vloer heen wist te dringen. Tom liet zijn naald vallen en keek omhoog. De meeste kreten uit het want waren wat Grey betreft onverstaanbaar, maar de woorden die hij nu hoorde klonken glashelder.

'Zeil in zicht!'

Hij liet zich uit de hangmat vallen en rende naar de ladder, op de voet gevolgd door Tom.

Een hele groep mannen stond bij de reling in noordelijke richting te turen, en aan de ogen van verscheidene scheepsofficieren ontsproten telescopen, als de voelsprieten van een zwerm insecten. Zelf ontwaarde Grey niet meer dan een minuscuul stukje zeil aan de horizon, zo onbeduidend als een snippertje papier – maar onweerlegbaar aanwezig.

'Krijg nou wat,' zei Grey opgewonden, ook al wist hij dat hij voorzichtig moest zijn. 'Is het op weg naar Engeland?'

'Dat kan ik zo niet zeggen, sir.' De officier naast hem liet zijn telescoop zakken en schoof hem met een tikje in elkaar. 'In elk geval naar Europa.'

Grey zocht de menigte af naar het gezicht van Trevelyan, maar die was nergens te bekennen. Scanlon stond er echter wel tussen. Hij keek de man aan en de apotheker knikte.

'Ik ga meteen, sir,' zei hij en liep naar het luikgat.

Opeens bedacht Grey zich dat hij eigenlijk ook mee moest gaan, om Scanlons argumenten kracht bij te zetten en zowel Trevelyan als de kapitein over te halen. Hij durfde het dek bijna niet te verlaten, uit angst dat het kleine zeiltje voorgoed zou verdwijnen als hij het uit het oog zou verliezen, maar de plotselinge hoop op redding was te sterk om te negeren. Hij voelde met zijn hand aan zijn zij, maar hij had natuurlijk zijn jas niet aan. Zijn brief was beneden.

Hij rende naar het luikgat en was al halverwege de ladder toen hij met een van zijn blote voeten hard tegen de muur stootte. Hij viel naar achteren, zocht een houvast en vond dat – maar zijn zweterige hand gleed van de glimmend gepoetste reling en hij viel meer dan tweeëneenhalve meter naar beneden, op het onderdek. Hij voelde een klap op zijn hoofd en toen werd alles zwart.

Hij kwam heel langzaam weer bij en vroeg zich een ogenblik lang af of ze hem per ongeluk al in een doodskist hadden gelegd. Hij werd omringd door een flauw, beverig licht, waarschijnlijk van een kaars, en vijf centimeter voor zijn neus bevond zich een houten wand. Toen draaide hij zich op zijn rug en merkte dat hij in een kleine kooi lag die aan de muur hing als zo'n soort kist waarin messen worden bewaard en die amper lang genoeg was om zich tot zijn volle lengte te kunnen uitstrekken.

In het plafond boven hem was een groot prisma bevestigd, waardoor licht van het bovendek naar binnen viel. Langzaam maar zeker pasten zijn ogen zich aan. Hij zag een paar planken boven een minuscuul bureautje hangen. Uit wat erop stond leidde hij af dat hij zich in de hut van de purser bevond. Toen gleed zijn blik naar links en ontdekte hij dat hij niet alleen was.

Op een krukje naast de kooi zat Jack Byrd, met zijn armen over elkaar, op zijn gemak met zijn rug tegen de muur geleund. Toen hij zag dat Grey weer bij kennis was, ging hij rechtop zitten.

'Is alles in orde, mylord?'

'Ja, hoor,' antwoordde Grey automatisch, hoewel hij er nu pas aan dacht even te controleren of dit werkelijk het geval was.

Gelukkig bleek het zo te zijn. Er zat een gevoelige buil achter zijn oor, waar hij met zijn hoofd op een tree was gevallen, en verder had hij nog een paar beurse plekken, maar niets verontrustends.

'Mooi zo. De scheepsarts en meneer Scanlon zeiden allebei al dat u niets mankeerde, maar onze Tom wilde toch niet dat u alleen zou blijven, voor het geval dat.'

'Dus toen ben jij de wacht komen houden? Dat was niet nodig geweest, maar toch bedankt.'

Grey wilde rechtop gaan zitten, maar voelde opeens een warm, zacht gewicht naast zich in bed. De kat van de purser, een klein cypertje, lag helemaal opgekruld dicht tegen hem aan, en spinde zachtjes.

'Tja, u had al gezelschap,' zei Jack Byrd glimlachend, met een knikje naar de kat. 'Eigenlijk wilde Tom zelf bij u blijven. Hij was zeker bang dat iemand midden in de nacht deze hut binnen zou sluipen om u een mes tussen uw ribben te steken. Achterdochtig mannetje, hoor, die Tom.'

'Daar heeft hij anders alle reden voor,' antwoordde Grey droogjes. 'Waar is hij nu?'

'Hij slaapt. Het begint net licht te worden. Ik heb hem een paar uur geleden naar bed gestuurd, nadat ik hem had beloofd persoonlijk de wacht te houden.'

'Bedankt.' Met voorzichtige bewegingen, vanwege de kleine ruimte, duwde hij zichzelf omhoog in de kussens. 'We varen niet meer, hè?' Opeens realiseerde hij zich dat hij wakker was geworden omdat ze niet langer bewogen. Het schip deinde zachtjes op de golven en had haar snelle vaart gestaakt.

'Nee, mylord. We zijn gestopt om een ander schip langszij te laten komen.'

'Schip. Het zeil! Welk schip is het?' Grey schoot overeind en wist nog maar net te voorkomen dat hij opnieuw zijn kop stootte aan een kleine plank boven de kooi.

'De *Scorpion*,' antwoordde Jack. 'Een troepentransportschip, volgens de stuurman.'

'Een transportschip? God zij dank! Met welke bestemming?'

De kat, in zijn slaap gestoord door deze plotselinge beweging, rekte zich met een verontwaardigd *mrrrp!* uit.

'Dat weet ik niet. Ze zijn ons nog niet zo dicht genaderd dat we hen kunnen aanroepen. De kapitein is er niet blij mee,' merkte Byrd kalmpjes op. 'Maar het is op bevel van meneer Trevelyan.'

'Is het werkelijk?' Grey keek Byrd onderzoekend aan, maar het gladde, smalle gezicht toonde nauwelijks respons. Het mocht dan op Trevelyans bevel zijn dat zij naar het andere schip waren gevaren – maar hij durfde er een jaarinkomen onder te verwedden dat het werkelijke bevel afkomstig was van Finbar Scanlon.

Hij slaakte een diepe zucht en durfde nauwelijks te hopen. Misschien was het andere schip niet op weg naar Engeland; het kon overal wel naar toe gaan. Maar als het op weg was naar Frankrijk of Spanje, ergens waar vandaan je binnen een paar weken in Engeland kon zijn, zou hij op de een of andere manier wel weer in Londen komen. En dan maar bidden dat hij nog op tijd was.

Het liefst was hij meteen uit bed gesprongen om zich aan te kleden – iemand, waarschijnlijk Tom, had hem uitgekleed en in zijn hemd in bed gelegd – maar kennelijk duurde het nog wel even voordat de beide schepen naast elkaar zouden liggen, en Jack Byrd maakte ook nog geen aanstalten om op te staan en bleef hem met een peinzende blik aan zitten kijken.

Opeens begreep Grey waarom hij dit deed, en in plaats van uit bed te stappen tilde hij de kat op en legde hem op zijn schoot, waar hij zich prompt weer gezellig opkrulde.

'Als het schip de goede kant op gaat, dan ga ik natuurlijk aan boord, terug naar Engeland,' begon hij voorzichtig. 'Je broer Tom – denk je dat hij met me mee zal willen?'

'O, dat weet ik wel zeker, mylord.' Byrd ging wat rechter op zijn kruk zitten. 'Het is beter dat hij teruggaat naar Engeland, om onze vader en de rest te laten weten dat alles goed is met hem – en met mij,' voegde hij eraan toe, alsof dat opeens bij hem opkwam. 'Ik denk wel dat ze zich zorgen maken.'

'Dat lijkt mij ook.'

Er volgde een ongemakkelijke stilte, waarin Byrd nog steeds geen aanstalten maakte om te vertrekken. Grey staarde terug.

'Zou jij samen met je broer mee terug willen naar Engeland?' vroeg Grey tenslotte op de man af. 'Of reis je liever in dienst van meneer Trevelyan mee naar India?'

'Dat heb ik me zelf nu ook al de hele tijd zitten afvragen, sir, sinds dat schip dicht genoeg bij was voor meneer Hudson om te zien wat het was.' Jack Byrd krabde peinzend aan zijn kin. 'Ik werk al heel lang voor meneer Trevelyan – al sinds mijn twaalfde. Ik... ben erg aan hem gehecht.' Hij wierp een snelle blik op Grey en zweeg toen, alsof hij ergens op wachtte.

Hij had het dus bij het juiste eind gehad. Hij had die blik op Jack Byrds gezicht gezien op een moment dat hij dacht dat niemand naar hem keek – en even later had Jack Byrd hem zien kijken. Hij trok een wenkbrauw op en zag hoe de schouders van de jongeman zich een beetje ontspanden.

'Nou... zo zit het dus.' Jack Byrd haalde zijn schouders op en liet zijn handen op zijn knieën vallen.

'Zo.' Grey wreef over zijn eigen kin en voelde de dikke baardstoppels. Voordat de *Scorpion* langszij kwam had Tom vast nog wel even tijd om hem te scheren.

'Heb je Tom al gesproken?' vroeg hij. 'Hij hoopt waarschijnlijk dat je met hem mee gaat naar Engeland.'

Jack Byrd beet op zijn onderlip. 'Ik weet het.'
Opeens klonk er een ander soort kreten boven hun hoofden, langgerekte kreten, als iemand die iets in een schoorsteen roept. Hij veronderstelde dat de *Nampara* contact probeerde te maken met het troepenschip. Waar was zijn uniform? Ah, daar hing het keurig geborsteld aan de deur. Zou Tom Byrd ook met hem mee willen wanneer het regiment werd overgeplaatst? Hij kon het alleen maar hopen.
Intussen zat hij hier nog met Toms broer.
'Ik kan je een baan aanbieden – als lakei,' voegde hij eraan toe, de jongeman recht in de ogen kijkend, opdat er geen verwarring zou ontstaan over wat hem al of niet werd aangeboden. 'In het huis van mijn moeder. Dus je zou niet zonder werk zitten.'
Jack Byrd knikte en klemde zijn lippen stijf op elkaar. 'Nou, mylord, dat is erg vriendelijk van u. Hoewel meneer Trevelyan wel een regeling voor mij heeft getroffen; ik zou niet van honger omkomen. Maar ik weet niet of ik wel bij hem weg kan gaan.'
In deze laatste opmerking school zoveel van een vraag, dat Grey zich omdraaide in bed en met zijn rug tegen de muur ging zitten, teneinde de situatie eens goed bespreekbaar te maken.
Was Jack op zoek naar een rechtvaardiging om te blijven, of juist een excuus om weg te kunnen?
'Het is alleen... ik ben al zo lang bij meneer Joseph,' zei Byrd, een hand uitstekend om de kat achter zijn oortjes te krabben – wat hij echter meer deed om Grey niet aan te hoeven kijken, dan vanuit een natuurlijke genegenheid voor katten, dacht Grey. 'Hij is altijd erg goed voor me geweest.'
En hoe goed is dat? vroeg Grey zich af. Hij was inmiddels vrij zeker van Byrds gevoelens en zeker genoeg van die van Trevelyan. Of er nu privé ooit iets was voorgevallen tussen Trevelyan en zijn bediende – hetgeen hij overigens waagde te betwijfelen – het stond buiten kijf dat Trevelyans gevoelens nu uitsluitend gericht waren op de vrouw die beneden lag, roerloos en geel, wachtend tot haar ziekte weer zou toeslaan.
'Zoveel trouw is hij niet waard. Dat weet jij ook wel,' zei Grey, die laatste opmerking het midden laten houdend tussen een verklaring en een vraag.
'En bent u dat wel, mylord?' De vraag was niet sarcastisch bedoeld en Byrds bruine ogen keken ernstig in de zijne.
'Als je het over je broer hebt, ik stel zijn diensten meer op prijs dan ik je zeggen kan. En ik hoop oprecht dat hij dat weet.'

Jack glimlachte en keek neer op de handen waarmee hij zijn knieën omklemde. 'O, ik denk wel dat hij dat weet.'

Het bleef enige tijd stil en de spanning tussen hen nam gaandeweg af. Het gespin van de kat leek hen allebei rustiger te maken. Het geschreeuw aan dek was ook opgehouden.

'Misschien gaat ze wel dood,' zei Jack Byrd. 'Niet dat ik dat zou willen, echt niet. Maar het zou wel kunnen.' Het werd bedachtzaam gezegd, en absoluut niet hoopvol – en Grey geloofde hem toen hij zei dat hij het niet hoopte.

'Het zou kunnen,' beaamde hij. 'Ze is erg ziek. Maar jij denkt dus dat als zij onverhoopt zou komen te overlijden –'

'Dat hij dan iemand nodig heeft om voor hem te zorgen,' antwoordde Byrd snel. 'Meer niet. Ik zou niet willen dat hij dan helemaal alleen is.'

Grey herinnerde hem er maar niet aan dat het voor Trevelyan niet mee zou vallen zich alleen te voelen aan boord van een schip met tweehonderd zeelieden.

Het heen en weer slingeren van het schip was niet opgehouden, maar was van ritme veranderd. Het schip schoot niet langer over de golven, maar lag ook niet bepaald stil op het water. Hij voelde de wind en de stroming zachtjes aan haar trekken. Terwijl hij de kat aaide, stelde hij zich de wind en de stroming voor als de handen van de oceaan op de huid van het schip, en hij vroeg zich een ogenblik af of hij het leven van een zeeman had willen leiden.

'Hij zegt dat hij zonder haar niet meer wil leven,' zei Grey tenslotte. 'Ik weet niet of hij dat meent.'

Byrd sloot zijn ogen en zijn lange wimpers wierpen schaduwen op zijn wangen. 'O, dat meent hij heus wel. Maar ik denk niet dat hij het als het zover is ook echt zal doen.' Hij deed zijn ogen weer open en glimlachte flauwtjes. 'Let wel, ik wil niet beweren dat hij hypocriet is – want dat is hij niet, niet meer althans dan elk mens van nature is. Maar hij...'

Hij zweeg even en duwde zijn onderlip naar voren terwijl hij probeerde te bedenken hoe hij onder woorden moest brengen wat hij bedoelde.

'Ik bedoel alleen dat hij zo intens leeft,' zei hij tenslotte, heel langzaam. Er lag een heldere blik in zijn donkere ogen. 'Niet iemand die zich van het leven zou beroven. Begrijpt u wat ik bedoel, mylord?'

'Ik geloof het wel, ja.' De kat, die genoeg begon te krijgen van alle aandacht, hield op met spinnen en rekte zich uit, zijn klauwtjes genoeglijk in- en uittrekkend op de sprei over Grey's been. Hij pakte het diertje onder de buik en zette het op de grond, waarna het wegwandelde, op zoek naar melk en ongedierte.

Toen zij had gehoord wat er met haar aan de hand was, had Maria Mayrhofer zelfmoord overwogen. Trevelyan niet. Niet uit principe, of omdat zijn geloof het hem verbood – maar omdat hij zich geen enkele omstandigheid in het leven kon voorstellen die hij op de een of andere manier niet zou kunnen overwinnen.

'Ik begrijp wat je bedoelt,' herhaalde Grey terwijl hij zijn benen uit bed zwaaide om de deur open te doen voor de kat, die eraan stond te krabben. 'Hij spreekt wel gemakkelijk over de dood, maar hij heeft er geen...' – nu moest hij zelf naar woorden zoeken – '... geen affiniteit mee?'

Jack Byrd knikte. 'Ja, zoiets bedoel ik eigenlijk wel. Maar de vrouw – die heeft de dood al eens in de ogen gezien.' Hij schudde zijn hoofd, en het viel Grey op dat hij, hoewel uit zijn houding niets dan genegenheid en respect sprak, Maria Mayrhofers naam nooit uitsprak.

Grey deed de deur weer dicht, draaide zich om en leunde er tegenaan. Het schip deinde zachtjes onder zijn voeten, maar zijn hoofd voelde helder en kalm, voor het eerst in dagen.

De hut was zo klein dat Jack Byrd maar iets meer dan een halve meter bij hem vandaan zat. Het golvende licht uit het prisma boven hun hoofd deed hem eruitzien als een wezen van de zeebodem, het zachte haar golvend als zeewier om zijn schouders, met een groenige schaduw in zijn lichtbruine ogen.

'Wat je daar zegt is waar,' zei Grey tenslotte. 'Maar ik zal je één ding vertellen. Hij zal haar nooit vergeten, ook niet als ze sterft. Vooral niet als ze sterft,' voegde hij er bedachtzaam aan toe.

Jack Byrds gezicht veranderde niet van uitdrukking. Hij zat Grey met half toegeknepen ogen aan te kijken, als een man die in de verte een stofwolk ziet aankomen en niet weet of zich daarachter vriend of vijand verschuilt.

Toen knikte hij, stond op en deed de deur open. 'Ik zal mijn broer naar u toe sturen. Ik neem aan dat u zich nu wel wilt aankleden.'

Het was echter al niet meer nodig. Rennende voetstappen kwamen de gang in gesneld en even later verscheen Toms opgewonden gezicht in de deuropening.

'Mylord, Jack, mylord!' Hij was zo opgewonden dat hij nauwelijks uit zijn woorden kon komen. 'Wat ze zeggen, wat de matrozen zeggen! Op die boot!'

'Dat schip,' verbeterde Jack hem fronsend. 'Nou, wat zeggen ze dan?'

'O, vlieg toch op met je schepen,' zei Tom onbehouwen terwijl hij zijn broer opzij duwde. Hij wendde zich met een stralend gezicht tot Grey. 'Ze zeggen dat generaal Clive de Nawab heeft verslagen bij Plassey, mylord! We hebben Bengalen veroverd! Hoort u dat – we hebben gewonnen!'

Epiloog

Londen
18 augustus, 1757

De eerste klap liet de muren schudden, de wijnglazen trillen en zorgde ervoor dat een spiegel uit de tijd van Louis XIV aan gruzelementen viel.

'Geeft niets,' zei de douairière gravin Melton terwijl zij de wit weggetrokken lakei die ernaast had gestaan geruststellend op de arm klopte. 'Lelijk ding; ik leek er altijd net een eekhoorntje in. Ga maar gauw een bezem halen voordat iemand in de scherven trapt.'

Ze liep door de openslaande deuren het terras op terwijl ze zich met een waaier koelte toewuifde. Ze zag er heel gelukkig uit.

'Wat een avond!' zei ze tegen haar jongste zoon. 'Denk je dat ze de juiste richting nu gevonden hebben?'

'Ik zou er maar niet op rekenen,' zei Grey terwijl hij achterdochtig langs de rivier in de richting van Tower Hill keek, waar de vuurwerkmeester nu waarschijnlijk zijn berekeningen nog eens controleerde en zijn ondergeschikten uitkafferde. Het eerste oefenschot was pal over hun hoofden gefloten, hooguit vijftien meter boven het herenhuis van de gravin aan de rivier. Enkele bedienden stonden op het terras naar de lucht te kijken, gewapend met natte bezems, voor het geval dat.

'Dan zouden ze het eens vaker moeten doen,' zei de gravin afkeurend, met een blik naar de Hill. 'Oefening baart kunst.'

Het was een heldere, kalme augustusavond en hoewel de warme, vochtige lucht als een verstikkende deken over Londen hing, was er zo dicht bij de rivier nog iets van een briesje voelbaar.

Iets verder stroomopwaarts kon hij de Vauxhall Bridge zien, zo volgepakt met toeschouwers dat de overspanning leek te leven, draaiend en kronkelend als een rups boven de donker glanzende rivier. Zo nu en dan werd er een dronkelap vanaf geduwd, die dan met een enorme plons in het water viel, onder enthousiast gejuich van zijn kameraden op de brug.

In het huis van de gravin was het nog niet zo druk, maar dat zou snel genoeg veranderen, dacht Grey, die achter zijn moeder aan naar binnen liep om nieuwe gasten te verwelkomen. De musici hadden hun instrumenten al neergezet aan de andere kant van de kamer. Ze moesten de schuifdeuren naar de aangrenzende kamer ook maar openzetten, om ruimte te maken voor het dansen – hoewel dat pas na het vuurwerk zou beginnen.

De temperatuur vormde geen beletsel voor de Londenaren om het nieuws van Clives overwinning bij Plassey uitbundig te vieren. De taveernes konden de laatste dagen de klandizie nauwelijks aan, en de burgers begroetten elkaar op straat met joviale uitroepen waarmee zij de vloer aanveegden met de Nawab van Bengalens voorouders, uiterlijk en gewoontes.

'Sodemieterse zwarte rotzak!' brulde de hertog van Cirencester meteen toen hij binnenkwam, daarmee de mening verwoordend van zijn medeburgers in Spitalfields en Stepney. 'Steek een raket in zijn reet, dan zullen we eens zien hoe hoog hij komt voordat hij explodeert. Benedicta, lieverd, geef me een zoen!'

De gravin, die er wel voor zorgde dat er zich voortdurend enkele mensen tussen haar en de hertog bevonden, wierp hem een kushand toe, alvorens aan de arm van meneer Pitt te verdwijnen, en Grey leidde de aandacht van de hertog handig af in de richting van de vriendelijke weduwe van burggraaf Bonham, die heel goed in staat was zich tegen hem te verweren. Heette de hertog geen Jacob? vroeg hij zich fronsend af. Hij meende van wel.

De volgende paar oefenschoten van Tower Hill vielen bijna niemand op, want met elke nieuwe fles wijn die werd opengetrokken en elk nieuw glas rumpunch dat werd ingeschonken nam het rumoer van gepraat en muziek toe. Zelfs Jack Byrd, die sinds hun terugkeer amper een mond had opengedaan, leek vrolijk. Grey zag hem naar een jong dienstmeisje lachen dat langs liep met een stapel jassen.

Tom Byrd, voor de gelegenheid in een nieuw livrei gestoken, stond bij het bamboescherm dat de kamerpotten verborg en had opdracht de gasten in de gaten te houden om kleine diefstalletjes te voorkomen.

'Let goed op, vooral wanneer het vuurwerk echt gaat beginnen,' had Grey hem in het voorbijgaan ingefluisterd. 'Wissel af en toe maar even af met je broer, zodat je zelf ook kunt gaan kijken op het terras – maar zorg ervoor dat iemand Lord Gloucester voortdurend in de gaten houdt. De vorige keer dat hij hier was is hij ervandoor gegaan met een vergulde snuifdoos.'

'Goed, mylord,' zei Tom knikkend. 'Kijk, mylord – daar heb je die mof!'

En inderdaad was zojuist Stephen von Namtzen, Landgrave von Erdberg, in al zijn gepluimde glorie binnengekomen, stralend alsof Clives triomf een persoonlijke overwinning was. Hij overhandigde zijn helm aan Jack Byrd, die niet goed leek te weten wat hij ermee moest doen. Toen hij Grey zag staan verscheen er een enorme glimlach op zijn gezicht.

Er stonden echter zoveel mensen tussen hen in dat hij er niet door kon, waarvoor Grey op dit moment dankbaar was. Hij was eerlijk gezegd meer dan blij om de Zwaab te zien, maar het idee om enthousiast te worden omhelsd en op beide wangen te worden gezoend, wat Von Namtzens gewoonte was bij de begroeting van vrienden...

Vervolgens arriveerde de bisschop van York met een entourage van zes kleine zwarte jongetjes in goudkleurige kleding, kondigden een enorme *boem!* stroomafwaarts en het geschreeuw van de menigte op Vauxhall Bridge aan dat het vuurwerk nu echt begon, en zetten de musici Händels *Koninklijke Vuurwerksuite* in.

Tweederde van de gasten begaven zich naar het terras voor een beter uitzicht en gaven de stugge drinkers en degenen die in gesprek verwikkeld waren een beetje ruimte om te ademen.

Grey maakte van de gelegenheid gebruik om even achter het bamboescherm te glippen voor verlichting; twee flessen champagne eisten hun tol. Het was misschien niet de meest geschikte plek voor gebed, maar hij zond toch een kort dankwoord naar boven. De massale hysterie vanwege Plassey had al het andere nieuws volledig overschaduwd. Noch de roddelkrantjes, noch de serieuze journalisten hadden met een woord gerept over de moord op Reinhardt Mayrhofer, of de verdwijning van Joseph Trevelyan – laat staan dat zij vervelende dingen schreven over Trevelyans voormalige verloofde.

Hij had begrepen dat in financiële kringen het gerucht de ronde deed dat Trevelyan door India reisde om nieuwe importmogelijkheden te onderzoeken.

Even zag hij Joseph Trevelyan voor zich zoals hij in de kapiteinshut van de *Nampara* bij het bed van zijn geliefde had gestaan, vlak voordat Grey was vertrokken. 'Wat als...' had Grey met een knikje in de richting van het bed gevraagd.

'Dan zal je te horen krijgen dat ik op zee ben omgekomen – overboord geslagen door een alles verzwelgende golf. Die dingen gebeuren.' Hij keek naar het bed waar Maria Mayrhofer lag, roerloos en mooi en zo geel als een beeldje van antiek ivoor.

'Ja, die dingen gebeuren inderdaad,' had Grey zachtjes gezegd, weer aan Jamie Fraser denkend.

Trevelyan keek neer op het bed. Hij nam de hand van de vrouw in de zijne en streelde hem en Grey zag haar vingers heel even bewegen. Het licht weerspiegelde in de smaragden traan van de ring die zij droeg.

'Als zij sterft, dan is het niet anders,' zei Trevelyan zacht terwijl hij naar haar bleef kijken. 'Dan zal ik haar in mijn armen nemen en over de reling klimmen en zullen wij samen rusten op de bodem van de zee.'

Grey kwam vlak bij hem staan, zo dichtbij dat hij zijn mouw langs zijn arm voelde strijken.

'En als ze niet sterft?' vroeg hij. 'Als jullie de behandeling allebei overleven?'

Trevelyan haalde nauwelijks waarneembaar zijn schouders op. Als Grey niet zo dicht bij hem had gestaan, zou hij het niet eens hebben opgemerkt.

'Met geld kan je geen gezondheid en geluk kopen – maar handig is het wel. In India kunnen we gewoon als man en vrouw leven en niemand hoeft te weten wie zij was. Het enige wat voor ons zal tellen is dat we samen zijn.'

'Moge God je zegenen en rust gunnen,' mompelde Grey terwijl hij zijn kleding recht trok – maar hij zei het tegen Maria Mayrhofer, in plaats van tegen Trevelyan.

Hij streek de zoom van zijn vest glad en stapte achter het scherm vandaan, terug in de maalstroom van het feest.

Hij had nog maar een paar stappen gezet, toen hij werd aangesproken door luitenant Stubbs, die een rode kleur had en zweette als een otter.

'Hallo Malcolm. Vermaak je je een beetje?' vroeg Grey.

'Eh... ja. Natuurlijk. Kan ik je even spreken, ouwe jongen?'

Een enorme knal vanaf de rivier maakte het tijdelijk onmogelijk elkaar te verstaan, maar Grey knikte en wenkte Stubbs mee naar een betrekkelijk rustig hoekje in de foyer.

'Eigenlijk zou ik met je broer moeten spreken, ik weet het.' Stubbs schraapte zijn keel. 'Maar nu Melton er niet is, ben jij zo'n beetje het hoofd van de familie, nietwaar?'

'Helaas wel,' antwoordde Grey op zijn hoede. 'Hoezo?'

Stubbs wierp een smachtende blik door de openslaande deuren. Op het terras zagen ze Olivia, die moest lachen om iets wat Lord Ramsbotham tegen haar zei.

'Ik weet ook wel dat je nichtje wel iets beters kan krijgen,' zei Stubbs, een beetje onhandig. 'Maar ik krijg vijfduizend per jaar, en wanneer de Ouweheer – niet dat ik niet hoop dat hij honderd wordt, natuurlijk, maar ik ben wel zijn erfgenaam, en – '

'Vraag je mijn toestemming om Olivia het hof te maken?'

Stubbs vermeed zijn blik en staarde zo'n beetje in de richting van de musici, die aan de andere kant van de kamer ijverig zaten te musiceren.

'Eh, eerlijk gezegd heb ik dat eigenlijk al min of meer gedaan. Hoop dat je het niet erg vindt. Ik, eh... we hoopten eigenlijk dat je ons toestemming zou willen geven om te trouwen voordat het regiment vertrekt. Een beetje overhaast, ik weet het, maar...'

Maar jij wilt je kans niet voorbij laten gaan om je zaad achter te laten in de buik van een gewillig meisje, voegde Grey er in gedachten aan toe, *voor het geval je niet terugkeert.*

De gasten hadden de dansvloer nu allemaal verlaten en verdrongen zich aan de rand van het terras toen in de verte de eerste explosie klonk uit de richting van de rivier. Onder een waar koor van ooh's en aah's spoot een fontein van blauwe en witte sterren de lucht in – en hij wist dat elke soldaat die stond te kijken hetzelfde voelde als hij, het intrekken van zijn ballen in zijn onderbuik bij deze echo van de oorlog, terwijl zijn hart intussen toch wel degelijk opsprong bij deze aanblik van vlammend eerbetoon.

'Goed,' hoorde hij zichzelf zeggen, in de korte stilte tussen de ene explosie en de volgende. 'Ik zou niet weten waarom niet. Haar jurk ligt per slot van rekening al klaar.'

Een stralende Stubbs kneep zijn hand zowat fijn, en hij lachte terug, met een hoofd dat tolde van de champagne.

'Zeg, ouwe jongen – je wilt zeker niet overwegen er een dubbele bruiloft van te maken? Je weet dat ik een zuster heb...'

Melissa Stubbs was Malcolms tweelingzus, een mollig, lief meisje, dat hem op dit moment vanaf het terras verwachtingsvolle blikken stond toe te werpen van achter haar waaier. Heel even balanceerde Grey op het randje van de verleiding: de drang iets van zichzelf achter te laten, de verlokking van de onsterfelijkheid alvorens men het onbekende tegemoet gaat.

Het zou allemaal geen kwaad kunnen, dacht hij, als hij niet terugkwam. Maar stel dat dat wel het geval was? Hij gaf Stubbs lachend een klap op zijn schouder en verontschuldigde zich met de smoes dat hij nog iets te drinken ging halen.

'Je drinkt die Franse rotzooi toch niet, wel?' zei Quarry naast hem. 'Je zwelt er helemaal van op – veel te veel bubbels.' Quarry zelf hield een magnum rode wijn onder zijn ene arm geklemd en een grote, blonde vrouw onder de andere. 'Mag ik je voorstellen aan majoor Grey, Mamie? Majoor, mevrouw Fortescue.'

'Uw dienaar, mevrouw.'

'Mag ik je even wat influisteren, Grey?' Quarry liet mevrouw Fortescue even los en kwam vlak naast hem staan, zijn verweerde gezicht rood en glimmend onder zijn pruik. 'We hebben eindelijk bericht; de nieuwe standplaats. Maar wat nu zo vreemd is –'

'Ja?' Het glas in Grey's hand was rood in plaats van goudgeel, alsof het de Schilcher bevatte, die wijn met de kleur van glanzend bloed. Maar toen zag hij de belletjes erin en realiseerde zich dat het vuurwerk van kleur was veranderd – het licht om hen heen werd rood en wit en weer rood en de stank van rook dreef door de openslaande deuren naar binnen alsof ze midden in een bombardement zaten.

'Ik stond net met die Duitser te praten, die Von Namtzen. Hij wil je graag als een soort verbindingsofficier bij zijn regiment hebben. Hij zegt dat hij al met het Ministerie van Oorlog heeft gesproken. Volgens mij heeft hij je heel hoog zitten, Grey.'

Grey knipperde met zijn ogen en nam een grote slok champagne. Von Namtzens grote blonde hoofd was net zichtbaar op het terras, zijn knappe profiel opgeheven naar de hemel, in opperste vervoering, als een jongetje van vijf.

'Je hoeft nu natuurlijk niet meteen een besluit te nemen. De uiteindelijke beslissing ligt vanzelfsprekend bij je broer. Maar ik wilde het je toch even zeggen. Zullen we weer, Mamie, liefje?'

Voordat Grey voldoende van de schrik was bekomen om te reageren waren de drie – Harry, de blondine en de fles – weggedanst in een wilde gavotte en explodeerde de hemel in vuurraderen en regens van rood en blauw en groen en wit en geel.

Stephen von Namtzen draaide zich om en zocht zijn ogen, waarna hij zijn glas naar hem ophief, en aan de andere kant van de kamer speelde het orkestje nog steeds muziek van Händel waarin, net als in de muziek van zijn leven, schoonheid en sereniteit altijd weer onderbroken werden door het gedonder van vuur in de verte.

Dankbetuigingen

Interviewers vragen mij altijd hoeveel researchassistenten er voor mij werken. Het antwoord is: 'Niet één.' Ik doe mijn eigen research – omdat ik gewoon niet zou weten wat ik een assistent zou moeten vragen voor mij te gaan uitzoeken!

Het antwoord luidt echter eveneens: 'Honderden!' – omdat er zoveel aardige mensen zijn die niet alleen mijn willekeurige vragen over dit, dat en weet ik veel wat beantwoorden, maar mij vervolgens ook nog eens tracteren op allerlei amusante informatie over onderwerpen die niet eens in mijn hoofd waren opgekomen om hen vragen over te stellen.

Wat betreft dit boek zou ik daarom graag in het bijzonder mijn dank willen uitspreken aan...

... Karen Watson, van *Her Majesty's Customs and Excise*, die zo vriendelijk was heel Londen (en allerlei historische archieven) af te speuren om de uitvoerbaarheid van een aantal van Lord Johns bewegingen na te trekken, en die voor mij van onschatbare waarde is geweest bij het vinden van geschikte plekken voor intriges en het aanreiken van schilderachtige kleine mysteries zoals het heroïsche, aangepaste standbeeld van Charles I. Met haar informatie over de juridische bevoegdheden van de Londense politie heb ik mij enige kleine vrijheden veroorloofd, maar dat is mijn schuld, niet de hare.

... John L. Myers, die dit alles lang geleden onbedoeld in gang heeft gezet, door mij boeken te sturen over eigenaardige Hollanders en Engelsen die ook een beetje raar waren.

... Laura Bailey (en haar mede-naspelers), voor de overvloedige details over achttiende-eeuwse kleding.

... Elaine Wilkinson, die niet alleen reageerde op mijn smeekbede om een 'Duitse rode', maar ook het bestaan ontdekte van kasteel Georgen en de familie Egkh zu Hungerbach (Josef, zijn kasteel, en zijn

Schilcher-wijn zijn echt. Zijn louche neef is een product van mijn eigen fantasie. 'Schilcher' betekent trouwens 'schitterend', of 'sprankelend'.)

... Barbara Schnell, mijn geweldige Duitse vertaalster, voor bruikbare details met betrekking tot de conversatie en het gedrag van Stephen von Namtzen, en voor de naam 'Mayrhofer' en de Duitse uitdrukking voor 'gesoigneerd'.

... Mijn twee literair agenten, Russell Galen en Danny Baror die, toen ik hun vertelde dat ik klaar was met het tweede korte verhaal over Lord John, informeerden hoe lang het was. Nadat ik hun dit had verteld, keken ze eerst elkaar aan, toen mij, en zeiden vervolgens als uit één mond: 'Je beseft toch wel dat dat een lengte is die de meeste *normale* boeken hebben?' En daarom is dit nu dus een boek, hoewel ik me niet zou durven uitlaten over hoe normaal het is. Niet erg, denk ik.

Aantekeningen en verwijzingen van de schrijfster

Het grootste deel van mijn informatie over de *mollies* komt uit *Mother Clap's Molly-house: The Gay Subculture in England 1700-1830*, van Rictor Norton, waarin een vrij uitgebreide bibliografie is opgenomen, voor degenen die op zoek willen naar verdere details. (Zelf vond ik het interessant om te zien dat, volgens dit naslagwerk, bepaalde termen die nu in gebruik zijn in de achttiende eeuw ook al bestonden.)

Hoewel de meeste locaties die genoemd worden als *molly-walks* historisch bekend zijn – zoals de openbare privaten van de Lincoln's Inn, Blackfriars Bridge, en de zuilengangen van de Royal Exchange – is Lavender House een geheel fictief etablissement.

Hoewel een aantal personages in dit boek, zoals William Pitt, Robert Clive, de Nawab van Bengalen, en Sir John Fielding echte historische personen zijn, zijn de meesten verzonnen of in fictieve zin gebruikt (zo waren er bijvoorbeeld op verschillende momenten in de geschiedenis echte hertogen van Gloucester, maar ik heb geen enkel bewijs gevonden dat sommigen van hen daadwerkelijk kleptomaan waren.)

Andere bruikbare naslagwerken zijn bijvoorbeeld:

English Society in the Eighteenth Century (uit *The Pelican Social History of Britain*-serie), van Roy Porter, 1982, Pelican Books. ISBN 0-14-022099-2. Dit werk bevat een goede bibliografie, plus een aantal interessante statistische tabellen.

The Transvestite Memoirs of the Abbe De Choisy, Peter Owen Publishers, Londen. ISBN 0-7206-0915-1. Dit boek behandelt het onderwerp van de titel in het zeventiende-eeuwse Frankrijk en is met name interessant vanwege de prachtige details van de kleding van de Abbé.

The Queer Dutchman: True Account of a Sailor Castaway on a Desert Island for 'Unnatural Acts' and Left to God's Mercy, van Peter Agnos, Green Eagle Press, New York. (1974, 1993) ISBN 0-914018-03-5. Het (bewerkte) dagboek van Jan Svilts, in 1725 achtergelaten op Ascension

Island door officieren van de Nederlandse Oost-Indische Compagnie, die vreesden dat zijn 'tegennatuurlijke praktijken' de toorn van God over hun onderneming zou afroepen, zoals dat ook was gebeurd in het geval van de inwoners van Sodom.

Love Letters Between a Certain Late Nobleman and the Famous Mr. Wilson, Ed. Michael S. Kimmel, Harrington Park Press, New York, 1990. (Oorspronkelijk verschenen als *Journal of Homosexuality, Volume 19, Number 2*, 1990.) Dit boek behandelt de homoseksuele wereld in Engeland (en Londen in het bijzonder) gedurende de 18e eeuw, en bevat een tamelijk veelomvattende geannoteerde bibliografie, evenals een uitgebreid commentaar op de oorspronkelijke correspondentie, die er ook in is opgenomen.

Samuel Johnson's Dictionary. Hier zijn verscheidene edities van verkrijgbaar; een recente beknopte uitgave is van de Levenger Press, bewerkt door Jack Lynch. ISBN 1-929154-10-0. Het originele dagboek is gepubliceerd in 1755.

A Classical History Of The Vulgar Tongue, van Captain Francis Grose (uitgegeven met een biografische en kritische schets en een uitgebreide toelichting door Eric Partridge). Routledge en Kegan Paul. Er bestaan verschillende uitgaven van Grose's oorspronkelijke werk (dat door de kapitein zelf meerdere keren is herzien en uitgegeven), maar het origineel is waarschijnlijk rond 1807 gepubliceerd.

Dress in Eighteenth Century Europe 1715-1789, van Aileen Ribeiro, Holmes & Meier Publishers, Inc., New York, 1984. Mooi geïllustreerd, met een overvloed aan schilderijen en tekeningen uit de periode, en verschillende nuttige appendices over achttiende-eeuwse valuta en politieke gebeurtenissen.

Greenwoods Kaart van Londen, 1827. Dit is de oudste volledige kaart van Londen die ik heb kunnen vinden, dus heb ik hem gebruikt als algemene basis voor de beschreven locaties. Hij is te vinden op een aantal Internetsites. Zelf heb ik de site gebruikt van de Universiteit van Bath Spa:
http://users.bathspa.ac.uk/imagemap/html